ŒUVRES COMPLÈTES
DE MOLIÈRE

I

MOLIÈRE

ŒUVRES COMPLÈTES
DE MOLIÈRE

I

Chronologie, introduction et notices
par
Georges Mongrédien

GF-Flammarion

© 1964 by GARNIER-FLAMMARION, Paris.
ISBN 2-08-070033-2

CHRONOLOGIE SOMMAIRE
DE LA VIE ET DE L'ŒUVRE
DE MOLIÈRE

1622 (15 janvier) : Baptême, à Saint-Eustache, de Jean-Baptiste Poquelin, fils du tapissier Jean Poquelin.

1631-1639 : Études au collège de Clermont (actuel lycée Louis-le-Grand).

1637 : J.-B. Poquelin prête serment comme survivancier de la charge de tapissier du roi.

1640 : Études de droit.

1643 (6 janvier) : J.-B. Poquelin renonce à la charge de tapissier du roi.
(30 juin) : Avec Madeleine Béjart et quelques amis, J.-B. Poquelin constitue la troupe de l'*Illustre Théâtre*.
(octobre) : L'*Illustre Théâtre* joue à Rouen.

1644 (janvier) : Ouverture de l'*Illustre Théâtre*, à Paris, rue Mazarine. Échec.

1645 : L'*Illustre Théâtre* s'installe au Port Saint-Paul (au n° 32 actuel du quai des Célestins). Nouvel échec de la troupe, emprunts divers.
(août) : Molière est mis en prison pour dettes au Châtelet. Il engage sa garde-robe. Avec les débris de sa troupe, il part pour la province; il est recueilli par la troupe du duc d'Épernon.

1645-1658 : Molière prend la tête de la troupe, qui remporte de vifs succès dans l'Ouest, le Sud-Ouest et dans la vallée du Rhône.

1655 : Création de *l'Étourdi* à Lyon.

1656 (décembre) : Création du *Dépit amoureux* à Béziers.

1658 (24 octobre) : Molière et sa troupe débutent au Louvre devant le roi.
(2 novembre) : La troupe, protégée par Monsieur,

frère du roi, débute au théâtre du Petit-Bourbon. Vif
succès.

1659 (18 novembre) : Première représentation des *Précieuses ridicules*. Gros succès.

1660 (28 mai) : Première de *Sganarelle ou le Cocu imaginaire*. Succès.
(11 octobre) : La troupe de Monsieur s'installe au théâtre
du Palais-Royal, construit par le cardinal de Richelieu.

1661 (4 février) : Première de *Dom Garcie de Navarre*.
Échec.
(24 juin) : Première de *l'École des maris*. Succès.
(17 août) : Première des *Fâcheux*, pour Foucquet, au
château de Vaux-le-Vicomte.

1662 (20 février) : Mariage à Saint-Germain-l'Auxerrois
de Molière avec Armande Béjart, fille ou sœur (?) de
Madeleine.
(26 décembre) : Première de *l'École des femmes*. Succès
et scandale. Premières attaques des dévots.

1663 (17 mars) : Pension de 1.000 livres accordée par
Louis XIV à Molière.
(1ᵉʳ juin) : Première de *la Critique de l'École des femmes*.

1664 (19 janvier) : Naissance du premier fils de Molière,
Louis, mort le 10 novembre 1664. Parrain et marraine :
Louis XIV et Madame.
(29 janvier) : Première du *Mariage forcé* au Louvre.
(8 mai) : Première de la *Princesse d'Élide*, à Versailles.
(12 mai) : Première des trois premiers actes de *Tartuffe*
à Versailles. La pièce est interdite.

1665 (15 février) : Première de *Dom Juan*. La pièce est
retirée à Pâques.
(3 août) : Naissance d'Esprit-Madeleine, fille de Molière.
Morte en 1733.
(14 août) : La Troupe de Monsieur devient Troupe du
Roi. Pension annuelle de 6.000 livres.
(14 septembre) : Première de *l'Amour médecin* à Versailles.

1666 (janvier-février) : Grave maladie de Molière.
(4 juin) : Première du *Misanthrope*. Demi-succès.
(6 août) : Première du *Médecin malgré lui*.

1667 (14 février) : Première du *Sicilien ou l'Amour peintre*,
à Saint-Germain.
(5 août) : Représentation de *Tartuffe* en cinq actes au
Palais-Royal. Nouvelle interdiction de la pièce.

1668 (13 février) : Première d'*Amphitryon*.
(18 juillet) : Première de *George Dandin*, à Versailles.
(9 septembre) : Première de *l'Avare*.

1669 (5 février) : Première représentation publique auto-
risée de *Tartuffe*. Immense succès.
(25 février) : Mort du père de Molière.
(7 octobre) : Première de *Monsieur de Pourceaugnac*, à
Chambord.

1670 (4 février) : Première des *Amants magnifiques*, à
Saint-Germain.
(14 octobre) : Première du *Bourgeois gentilhomme*, à
Chambord.

1671 (17 janvier) : Première de *Psyché*, aux Tuileries.
(14 mai) : Première des *Fourberies de Scapin*.
(2 août) : Première de *la Comtesse d'Escarbagnas*, à
Saint-Germain.

1672 (17 février) : Mort de Madeleine Béjart.
(11 mars) : Première des *Femmes savantes*.
(15 septembre) : Naissance de Pierre-Jean-Baptiste-Ar-
mand, fils de Molière, mort le 10 octobre 1672.

1673 (10 février) : Première du *Malade imaginaire*.
(17 février) : Mort de Molière, rue de Richelieu, à
10 heures du soir.
(21 février) : Obsèques nocturnes de Molière au cime-
tière Saint-Joseph.
(mai-juin) : Fusion de la troupe de Molière et de celle
du Marais.
De cette fusion naît la troupe de l'Hôtel Guénégaud.

1680 (18 août) : Fusion des troupes de l'Hôtel de Bourgogne et de l'Hôtel Guénégaud, par ordre du roi.
Fondation de la Comédie-Française.

INTRODUCTION

Le théâtre comique de Molière est, en qualité, sans commune mesure avec celui de ses prédécesseurs, de ses contemporains et de ses successeurs immédiats. C'est le privilège du génie. Mais il n'est pas sans intérêt de préciser en quoi il en diffère, pour le mettre à sa vraie place dans la littérature dramatique du Grand Siècle.

La comédie française du XVIIe siècle, qui va chercher ses sources d'inspiration dans la comédie italienne et peut-être encore davantage dans la comédie espagnole, est essentiellement une comédie romanesque, aux péripéties multiples et inattendues, dont l'intrigue souvent compliquée est le seul ressort comique. Le public ne lui demande qu'un divertissement, qu'une série de surprises et de retournements de situation propres à déchaîner le rire. C'est d'ailleurs ce que Molière a commencé par faire lui-même dans ses farces et dans ses deux premières comédies jouées en province, *l'Étourdi* et *le Dépit amoureux*. Ce jeu comique entraîne dans son tourbillon des personnages encore stéréotypés, les couples d'amoureux, les valets, les servantes, le vieillard, le pédant, le matamore, etc.

Or, à la même époque, la tragédie, au contraire, repose sur un jeu complexe de sentiments humains, plus ou moins subtilement analysés, dont le heurt crée la crise dramatique et amène le dénouement : amour, haine, jalousie, amour maternel, sentiment de l'honneur, passion de la gloire, désir de vengeance, patriotisme, volonté de puissance. Dans son cadre historique ou légendaire, la tragédie est à base de psychologie et repose sur l'étude de l'homme.

Ce souci de vérité psychologique, ce ressort tout humain de la tragédie sont alors étrangers à la comédie, qui se contente de personnages simples placés dans une situation comique. Sans doute, quelques auteurs inséreront dans leurs comédies des types de personnages nouveaux, empruntés à la société contemporaine. Le premier, Cyrano de Bergerac mettra en scène un paysan patoisant dans *le Pédant joué ;* Chappuzeau prendra pour cadre de son *Cercle des femmes* un salon féminin à la mode ; à différentes reprises on verra apparaître le type du gentilhomme campagnard, petit hobereau sans fortune et ignorant des usages du beau monde, dont la Cour et la Ville se moquent volontiers ; mais cela ne fera que quelques types de personnages supplémentaires mêlés à une intrigue, qui reste l'objet même du divertissement.

Il faut avoir lu un certain nombre de ces comédies contemporaines de Molière pour comprendre et apprécier tout ce qu'il apporte de nouveau. Celui que ses contemporains appelaient « le Contemplateur » est un merveilleux observateur de la nature humaine. Un de ses ennemis, qui deviendra un ami quand Molière aura joué ses pièces, Donneau de Visé, écrit de lui : « C'est un dangereux personnage ; il y en a qui ne vont point sans leurs mains ; mais on peut dire de lui qu'il ne va point sans ses yeux ni sans ses oreilles. »

De la même manière que l'auteur tragique, mais avec des fins différentes, il étudiera la psychologie de ses personnages, et le jeu de leurs sentiments deviendra à son tour le ressort de la comédie et de ses péripéties. Attentif aux problèmes sociaux de son époque, notamment ceux que pose la société bourgeoise, il placera ceux dont il veut peindre les travers, les ridicules ou les vices au milieu de parents et d'amis, eux-mêmes fortement caractérisés, vivants et vrais, et dont l'ensemble, autour du héros principal, constituera un milieu social naturel aux aspects divers, où les personnages s'opposeront les uns aux autres et réagiront les uns sur les autres. C'est ainsi que, par son observation pénétrante de l'homme et de la société, Molière innovera en créant une grande comédie, à la fois étude de caractères et étude de mœurs, à base de psychologie humaine et qu'il élèvera au niveau moral de la tragédie. L'intrigue, au lieu de lui fournir un point de départ conventionnel, sera au contraire l'aboutissement et le développement naturel d'une situation créée par la psychologie des personnages ; son but sera atteint lorsqu'il les aura peints, souvent d'après nature, avec vérité ; et souvent les dénouements — ces dénouements qui lui furent reprochés — ne seront à leur tour qu'un procédé conventionnel et facile pour dénouer une situation dramatique.

Voilà, nous semble-t-il, ce que Molière a apporté de plus important et de plus original dans ses comédies, et qui aboutit à une véritable transformation d'un genre littéraire, dont le mécanisme, immuable avant lui, se sclérosait avec le temps. Certains contemporains furent d'ailleurs conscients de cette transformation profonde du genre comique, tels Boileau ou La Fontaine qui écrivait, après la représentation des *Fâcheux* à Vaux :

> *Et maintenant il ne faut pas*
> *Quitter la nature d'un pas.*

Dans cette comédie nouvelle qu'il a créée, comme Corneille a créé la grande tragédie classique, Molière a mis une diversité qui atteste l'ampleur de son génie. Il avait commencé par pratiquer la farce, qui lui assura ses premiers succès en province, puis à Paris. Il continua à lui rester fidèle, même dans ses grandes comédies, où il ne rougit pas de la mêler à l'étude de mœurs. Il en fait aussi un élément important de ses comédies-ballets où il la mêle cette fois au prestige de la musique et de la danse. La comédie-ballet est d'ailleurs une création originale de Molière, née du succès des *Fâcheux*. Avec *Amphitryon*, où il se montre le seul rival à opposer dans le maniement du vers libre à La Fontaine, il offre encore une formule nouvelle et originale, celle de la comédie précieuse et poétique. Enfin, avec ses grandes comédies, il nous offre une admirable galerie de personnages toujours vivants, Tartuffe, Alceste, Harpagon, Dom Juan, Philaminte, en même temps qu'une évocation du milieu dans lequel ils évoluent. En substituant la vérité au romanesque de la comédie traditionnelle, il nous apporte un témoignage irremplaçable sur la société de son temps.

Ce théâtre comique, à base d'observation, reste imprégné de l'actualité de son temps. Dès ses débuts à Paris, Molière s'attaque à un problème littéraire et social fort à la mode, la préciosité ; puis, avec *l'École des maris* et *l'École des femmes*, au problème de l'éducation des filles ; avec *Tartuffe* et *Dom Juan*, c'est le problème religieux. Parfois Molière met en scène des personnages contemporains, à peine transposés ; tout le monde a reconnu Daquin et les médecins de la cour dans les caricatures bouffonnes des docteurs de *l'Amour médecin*, de même que Ménage et l'abbé Cotin dans les personnages de Vadius et de Trissotin. Les témoignages des contemporains prouvent qu'ils cherchaient

toujours à découvrir le personnage original qui lui avait
servi de modèle pour ses grandes créations ; ils ont désigné,
à tort ou à raison, les « originaux » des Précieuses, de Tartuffe, de Dom Juan, d'Alceste, de M. Jourdain, de
M. de Pourceaugnac, des Femmes savantes. Les spectateurs du XVIIe siècle voyaient dans les comédies de Molière
des pièces à « clef ». Mais ce ne sont pourtant pas de simples
copies que Molière nous offre ; sans doute s'est-il inspiré
de différents modèles, mais ses observations, passées par
le creuset de son génie, ont abouti à des créations originales
et d'une éternelle vérité.

Comme il arrive toujours en pareil cas, les créatures nées
du génie d'un auteur finissent par lui échapper, et conser-
vent, après lui, leur vie propre. C'est pourquoi, depuis
trois cents ans, chaque génération s'est forgé son Tartuffe,
son Alceste, son Dom Juan, selon ses propres conceptions
de la vie et des problèmes qu'elle pose. On a pu jouer *le
Misanthrope* en costumes modernes ; nos spectateurs,
sous ce nouveau déguisement, ont parfaitement reconnu
Alceste pour un des leurs, parce qu'il reste toujours vrai
et humain.

De cette large peinture de la société contemporaine que
Molière a brossée en y insérant un certain nombre de
personnages hors série, peut-on tirer une morale, la morale
de Molière ? Cela ne paraît pas impossible. D'une lecture
complète de son œuvre et d'une méditation sérieuse sur
ses intentions, on peut, nous semble-t-il, tirer cette conclu-
sion que la morale de Molière est fondée sur une confiance
totale en la nature humaine. Cette nature humaine dont
tous nos grands classiques, dramaturges, moralistes,
essayistes, romanciers et philosophes ont fait leur principal
sujet d'étude, certains ont voulu la rabaisser et parfois
même la condamner. On ne trouve aucune trace de cette
sévérité dans l'œuvre de Molière. Pour lui, la nature
humaine est bonne ; il croit à la liberté et à la vertu de
l'homme ; il croit aux forces vives de l'Amour, qu'il a tra-
duites si heureusement dans tant de couples d'amoureux,
sincères, passionnés, appelés au bonheur terrestre. Et si
l'homme est naturellement bon, la société, qui est sa création et le reflète, ne peut qu'être bonne aussi. A condition
de rester soumis à la règle de la juste mesure, aux lois du
bon sens, d'échapper à l'empire des passions pernicieuses,
l'homme peut et doit faire son bonheur sur la terre. Cette
conception du juste milieu, du bon sens inné chez la plupart des hommes, idée cartésienne, imprègne tout l'idéal

classique, fait de mesure et d'équilibre. C'est elle que l'on retrouve dans l'œuvre de Molière, parfois diffuse, parfois formellement exprimée par ses « raisonneurs », Ariste, Cléante ou Philinte. Pour eux, comme pour Molière, il faut se soumettre aux mœurs du temps, aux coutumes, adopter les costumes et les habitudes de nos contemporains.

Conception morale toute faite de sagesse, de modération, rejetant tous les excès, même ceux de la vertu, pour ne pas déséquilibrer un milieu social favorable, normalement, au développement et à l'épanouissement de la personnalité humaine. Morale optimiste donc en définitive, mais non morale « petit bourgeois » de je ne sais quelle médiocrité acceptée par faiblesse ou routine, qu'on lui a parfois prêtée à tort.

Lorsqu'on a pris conscience des conceptions morales de Molière et de leurs fondements, on comprend que pour lui, les êtres qui, dominés par leurs ridicules, leurs travers ou leurs vices, s'opposent à cette société harmonieuse, la troublent par leurs extravagances, doivent être cloués au pilori. D'abord parce qu'ils apparaissent ridicules aux yeux du spectateur moyen, doué de bon sens (on sait quelle confiance aussi Molière accordait aux jugements du parterre), en rompant un équilibre social favorable, en rendant malheureux leurs parents et leurs amis, et qu'ainsi ils fournissent de bons sujets de comédie; mais Molière pense aussi qu'il faut dénoncer et corriger ces extravagants, conformément à la mission de la comédie — *castigat ridendo mores* — pour que la société retrouve son équilibre et son bon fonctionnement.

Tous les grands personnages de Molière, qu'ils agissent sous l'effet d'une noble indignation, comme Alceste, de préjugés bourgeois comme Orgon, de vices honteux comme Harpagon et Tartuffe, ou d'un simple dérèglement d'esprit comme M. Jourdain ou Philaminte, apparaissent comme des asociaux, des hommes qui, sous l'influence de leurs passions, s'écartent du bon sens général, de la voie commune, s'opposent à une société bien équilibrée et doivent donc être corrigés ou éliminés.

Telle est, nous semble-t-il, la morale sociale qui se dégage de l'œuvre de Molière. Son génie, à base d'observation humaine, a fait que ses personnages ne se limitent pas à figurer des symboles; Harpagon et Tartuffe ne sont pas des images conventionnelles de l'Avarice ou de l'Hypocrisie; l'un est un avare, l'autre un hypocrite, parfaitement personnalisé, caractérisé, présenté dans un milieu social déterminé, auquel il s'oppose. Et c'est parce que ces personnages sont profondément vrais, d'une vérité humaine, parce que leurs passions sont décrites et analysées dans leurs effets, dans les réactions des autres personnages, qu'il leur arrive souvent, et peut-être à l'insu de leur créateur, de rester comiques et de côtoyer la tragédie.

Par-delà cette morale de Molière, que nous venons d'esquisser, peut-on discerner, dans son œuvre, une philosophie de la vie, qui serait la sienne ? L'entreprise, déclarée chimérique par les uns, a été tentée par d'autres, plus hardis. Mais Molière n'est pas un philosophe, ni la comédie un traité dogmatique ou didactique. Il nous semble sage de nous en tenir plus modestement à ce que cet auteur-acteur, accablé de travail quotidien, nous a livré de ses idées sur quelques problèmes de son temps.

Car il apparaît à l'évidence que son théâtre, dont nous avons déjà dit combien il était enraciné dans l'actualité de son temps, soulève des problèmes littéraires, sociaux et même religieux, ce qui était à l'époque, pour un auteur comique, une grande audace.

Sur son art même d'auteur comique, Molière donne une nouvelle preuve de sa soumission au sens commun en déclarant que les fameuses règles formulées par les théoriciens depuis Aristote jusqu'à ses contemporains se réduisent en définitive à des conseils de bons sens et que la grande règle, formulée aussi par Racine et par La Fontaine, est tout simplement de plaire aux honnêtes gens sans s'embarrasser de la fausse science de l'École, qu'il a moquée à travers ses philosophes, ses médecins, ses pédants. Contre l'enseignement sclérosé de l'École, il est pour la science des « gens de maintenant » et défendra leurs découvertes, telle la circulation du sang, contre l'ignorance et l'obstination de l'enseignement officiel. Sa position intellectuelle apparaît donc comme celle d'un humaniste éclairé, qui n'ignore rien des enseignements du passé, mais qui, opposé de toutes ses forces à l'obscurantisme, garde son regard lucide fixé sur l'avenir, sur un avenir dans lequel il a foi et qu'il croit sincèrement devoir être meilleur que le passé.

Du point de vue social, nous l'avons déjà dit, il se soumet encore au bon sens général, attaque les préjugés bourgeois, fondés sur la vanité et l'intérêt, défend la liberté de l'amour, se faisant ainsi, sur ce point, l'allié des précieuses et prenant une position audacieuse pour son époque conformiste.

Reste enfin le problème religieux, le plus difficile et le

plus délicat ; on sait quels scandales Molière a causés en le portant à la scène dans *Tartuffe* et dans *Dom Juan*, et quelles persécutions il s'est attirées pour l'avoir évoqué. Sur ses sentiments personnels à cet égard, nous ne sommes pas renseignés ; nous savons seulement qu'il vivait en bon chrétien et qu'il faisait régulièrement ses pâques. Encore faut-il signaler que ses principaux amis, Chapelle, Bernier, Mignard ou La Mothe Le Vayer entre autres, appartenaient au milieu « libertin », où il paraît se sentir lui-même très à l'aise ; mais dans ce XVIIᵉ siècle tout chrétien, c'est sûrement commettre un anachronisme que d'imaginer un Molière penseur matérialiste, antireligieux ou athée.

Cependant c'est un fait qu'il a attaqué l'hypocrisie, les faux dévots, et qu'il a été dénoncé publiquement comme impie et athée. Les contemporains ont naturellement, comme pour ses autres personnages, cherché les originaux du *Tartuffe* ; plusieurs noms, bien oubliés aujourd'hui, ont été prononcés. Depuis lors les historiens se sont acharnés sur ce problème, cherchant ses victimes réelles parmi les membres de la Compagnie du Saint-Sacrement, parmi les jésuites ou parmi les jansénistes. Il est probable que Molière a rencontré des hypocrites dans divers groupements religieux, parmi tous ceux qui prêchaient un rigorisme excessif et, couverts par le manteau de la religion, servaient surtout leurs propres intérêts.

C'est contre ces abus, ces excès de la religion tels que certains la pratiquaient, ou voulaient l'imposer aux autres, qu'il lutte, pour le maintien d'une religion modérée, humaine, adaptée aux conventions mondaines et respectueuse de la liberté humaine. Là encore, on retrouve son double souci de sauvegarder la valeur humaine et de maintenir la religion dans des limites sociales acceptables. C'est parce que le rigorisme et l'hypocrisie sont des éléments de déséquilibre de la société, d'étouffement et d'oppression de l'homme, qu'il les condamne. Ce faisant, il reste, sur ce plan-là, comme sur les autres, fidèle à ses conceptions morales. Il entend laisser sa place légitime à la religion, mais refuse de lui sacrifier la vie.

Ainsi ses conceptions morales et ses idées nous semblent-elles se rejoindre et relever, les unes comme les autres, de cet esprit de modération qui doit rester celui de l'honnête homme et que Molière a répandu dans une œuvre aussi riche que diverse, et qui continue, pour l'enseignement des générations, à être jouée sans cesse dans le monde entier.

NOTICE
SUR

LA JALOUSIE DU BARBOUILLÉ

Après son premier échec parisien, Molière part pour la province où il restera de 1646 à 1658. Pendant ce temps, outre le répertoire tragique, il jouera avec sa troupe un certain nombre de farces, genre alors tout à fait oublié à Paris. La plupart de ces farces, qui ne sont connues que par leurs titres, sont perdues. Deux seulement ont été conservées dans un manuscrit connu dès le XVIIIe siècle, et publiées en 1819 seulement.

Bien que leur authenticité ait été contestée, on s'accorde à penser aujourd'hui qu'elles doivent être attribuées à Molière. Mais il n'est pas sûr que le texte conservé soit exactement celui de la représentation. De même que les italiens de la *commedia dell'arte* improvisaient sur un simple canevas, de même Molière et ses compagnons pouvaient broder sur le texte que nous possédons.

Dans *la Jalousie du Barbouillé*, plusieurs scènes n'ont que quelques lignes; on peut penser qu'elles étaient plus développées à la représentation et que les acteurs tiraient de leur imagination des jeux de scène et des plaisanteries que le texte n'a pas retenus. De toute manière, il ne s'agit que d'une farce très rudimentaire, dans la tradition du fameux trio, Gaultier-Garguille, Gros-Guillaume et Turlupin, qui réjouissait le parterre de l'Hôtel de Bourgogne jusque vers 1630, tradition entretenue par les troupes italiennes.

Pour sommaires qu'elles soient, ces farces nous permettent cependant de connaître un genre littéraire mineur, mais à l'esprit duquel Molière est resté fidèle jusqu'à sa mort, même dans ses plus grandes œuvres.

La Jalousie de Barbouillé est tirée d'un conte de Boccace, *le Jaloux corrigé*, sans doute par l'intermédiaire d'un canevas italien. Les personnages, comme dans toute

farce, française ou italienne, sont stéréotypés. Le Barbouillé — c'est-à-dire le fariné — est jaloux et cocu, Angélique, sa femme, légère et rusée. Dans cette querelle
conjugale vient se mêler d'une manière tout à fait arbi-
traire le Docteur philosophe, type classique de la farce,
pédant ridicule tout farci de latin. Il ne s'agit que d'une
ébauche, d'une pochade, qui est l'œuvre d'un acteur
comique bien plus que d'un écrivain et qui vaut beaucoup
plus par le rythme et le mouvement que par le texte.
C'est un pur jeu de théâtre qui perd beaucoup à la simple
lecture.

La *Jalousie du Barbouillé*, créée en province, fut encore
jouée sept fois, après le retour de Molière à Paris, de 1660
à 1664. C'est la preuve qu'il resta longtemps attaché à
ces petites farces, qui furent une sorte de révélation pour
le public parisien. Ses ennemis même l'appelaient « le
premier farceur de France ».

Même quand il cessa de les jouer, ayant écrit de véritables comédies, il ne les oublia pas. Ce répertoire de sa
jeunesse, où il avait fait ses premières armes, il ne le renia
jamais et y puisa plus d'un trait comique et d'un personnage pour ses grandes œuvres. Gorgibus, qui paraît dans
la *Jalousie du Barbouillé*, et dans *le Médecin volant*, était
aussi le héros d'une autre farce perdue, *Gorgibus dans le
sac*, dont Molière s'est certainement inspiré pour ses
Fourberies de Scapin. Le même Gorgibus reparaît dans les
Précieuses ridicules. On trouve de nombreuses réminis-
cences de *la Jalousie du Barbouillé* dans *le Dépit amoureux*,
le Mariage forcé et surtout dans *George Dandin* qui reprend
le même sujet, en ajoutant une étude de caractère au
comique naïf de la farce. Ainsi n'y eut-il jamais, pour
Molière, de hiatus entre ses premières farces et ses comédies postérieures. Le maître n'a cessé d'incorporer dans ses
pièces des éléments empruntés aux farces qu'écrivait et
jouait l'apprenti.

LA JALOUSIE
DU BARBOUILLÉ

PERSONNAGES

LE BARBOUILLÉ, mari d'Angélique.
LE DOCTEUR.
ANGÉLIQUE, fille de Gorgibus.
VALÈRE, amant d'Angélique.
CATHAU, suivante d'Angélique.
GORGIBUS, père d'Angélique.
VILLEBREQUIN.

SCÈNE I

LE BARBOUILLÉ

Il faut avouer que je suis le plus malheureux de tous les hommes. J'ai une femme qui me fait enrager : au lieu de me donner du soulagement et de faire les choses à mon souhait, elle me fait donner au diable vingt fois le jour; au lieu de se tenir à la maison, elle aime la promenade, la bonne chère, et fréquente je ne sais quelle sorte de gens. Ah! pauvre Barbouillé, que tu es misérable! Il faut pourtant la punir. Si je la tuais... L'invention ne vaut rien, car tu serais pendu. Si tu la faisais mettre en prison... La carogne en sortirait avec son passepartout. Que diable faire donc ? Mais voilà Monsieur le Docteur qui passe par ici : il faut que je lui demande un bon conseil sur ce que je dois faire.

SCÈNE II

LE DOCTEUR, LE BARBOUILLÉ

Le Barbouillé. — Je m'en allais vous chercher pour vous faire une prière sur une chose qui m'est d'importance.

Le Docteur. — Il faut que tu sois bien mal appris, bien lourdaud, et bien mal morigéné, mon ami, puisque tu m'abordes sans ôter ton chapeau, sans observer *rationem loci, temporis et personae*. Quoi ? débuter d'abord par un discours mal digéré, au lieu de dire : *Salve, vel Salvus sis, Doctor Doctorum eruditissime !* Hé! pour qui me prends-tu, mon ami ?

Le Barbouillé. — Ma foi, excusez-moi : c'est que j'avais

l'esprit en écharpe, et je ne songeais pas à ce que je faisais ; mais je sais bien que vous êtes galant homme.

LE DOCTEUR. — Sais-tu bien d'où vient le mot de *galant homme* ?

LE BARBOUILLÉ. — Qu'il vienne de Villejuif ou d'Aubervilliers, je ne m'en soucie guère.

LE DOCTEUR. — Sache que le mot de *galant homme* vient d'*élégant* ; prenant le *g* et l'*a* de la dernière syllabe, cela fait *ga*, et puis prenant *l*, ajoutant un *a* et les deux dernières lettres, cela fait *galant*, et puis ajoutant *homme*, cela fait *galant homme*. Mais encore pour qui me prends-tu ?

LE BARBOUILLÉ. — Je vous prends pour un docteur. Or çà, parlons un peu de l'affaire que je vous veux proposer. Il faut que vous sachiez...

LE DOCTEUR. — Sache auparavant que je ne suis pas seulement un docteur, mais que je suis une, deux, trois, quatre, cinq, six, sept, huit, neuf, et dix fois docteur :

1º Parce que, comme l'unité est la base, le fondement et le premier de tous les nombres, aussi, moi, je suis le premier de tous les docteurs, le docte des doctes.

2º Parce qu'il y a deux facultés nécessaires pour la parfaite connaissance de toutes choses : le sens et l'entendement ; et comme je suis tout sens et tout entendement, je suis deux fois docteur.

LE BARBOUILLÉ. — D'accord. C'est que...

LE DOCTEUR. — 3º Parce que le nombre de trois est celui de la perfection, selon Aristote ; et comme je suis parfait, et que toutes mes productions le sont aussi, je suis trois fois docteur.

LE BARBOUILLÉ. — Hé bien ! Monsieur le Docteur...

LE DOCTEUR. — 4º Parce que la philosophie a quatre parties : la logique, morale, physique et métaphysique ; et comme je les possède toutes quatre, et que je suis parfaitement versé en icelles, je suis quatre fois docteur.

LE BARBOUILLÉ. — Que diable ! je n'en doute pas. Écoutez-moi donc.

LE DOCTEUR. — 5º Parce qu'il y a cinq universelles : le genre, l'espèce, la différence, le propre et l'accident, sans la connaissance desquels il est impossible de faire aucun bon raisonnement ; et comme je m'en sers avec avantage, et que j'en connais l'utilité, je suis cinq fois docteur.

LE BARBOUILLÉ. — Il faut que j'aie bonne patience.

LE DOCTEUR. — 6º Parce que le nombre de six est le nombre du travail ; et comme je travaille incessamment pour ma gloire, je suis six fois docteur.

Le Barbouillé. — Ho! parle tant que tu voudras.

Le Docteur. — 7º Parce que le nombre de sept est le nombre de la félicité; et comme je possède une parfaite connaissance de tout ce qui peut rendre heureux, et que je le suis en effet par mes talents, je me sens obligé de dire de moi-même : *O ter quatuorque beatum !*

8º Parce que le nombre de huit est le nombre de la justice, à cause de l'égalité qui se rencontre en lui, et que la justice et la prudence avec laquelle je mesure et pèse toutes mes actions me rendent huit fois docteur.

9º Parce qu'il y a neuf Muses, et que je suis également chéri d'elles.

10º Parce que, comme on ne peut passer le nombre de dix sans faire une répétition des autres nombres, et qu'il est le nombre universel, aussi, aussi, quand on m'a trouvé, on a trouvé le docteur universel : je contiens en moi tous les autres docteurs. Ainsi tu vois par des raisons plausibles, vraies, démonstratives et convaincantes, que je suis une, deux, trois, quatre, cinq, six, sept, huit, neuf, et dix fois docteur.

Le Barbouillé. — Que diable est ceci ? je croyais trouver un homme bien savant, qui me donnerait un bon conseil, et je trouve un ramoneur de cheminée qui, au lieu de me parler, s'amuse à jouer à la mourre. Un, deux, trois, quatre, ha, ha, ha! — Oh bien! ce n'est pas cela : c'est que je vous prie de m'écouter, et croyez que je ne suis pas un homme à vous faire perdre vos peines, et que si vous me satisfaisiez sur ce que je veux de vous, je vous donnerai ce que vous voudrez; de l'argent, si vous en voulez.

Le Docteur. — Hé! de l'argent.

Le Barbouillé. — Oui, de l'argent, et toute autre chose que vous pourriez demander.

Le Docteur, *troussant sa robe derrière son cul.* — Tu me prends donc pour un homme à qui l'argent fait tout faire, pour un homme attaché à l'intérêt, pour une âme mercenaire ? Sache, mon ami, que quand tu me donnerais une bourse pleine de pistoles, et que cette bourse serait dans une riche boîte, cette boîte dans un étui précieux, cet étui dans un coffret admirable, ce coffret dans un cabinet curieux, ce cabinet dans une chambre magnifique, cette chambre dans un appartement agréable, cet appartement dans un château pompeux, ce château dans une citadelle incomparable, cette citadelle dans une ville célèbre, cette ville dans une île fertile, cette île dans une province opulente, cette province dans une monarchie florissante, cette monarchie dans tout le monde ; et que tu me donnerais le monde où serait cette monarchie florissante, où serait cette province opulente, où serait cette île fertile, où serait cette ville célèbre, où serait cette citadelle incomparable, où serait ce château pompeux, où serait cet appartement agréable, où serait cette chambre magnifique, où serait ce cabinet curieux, où serait ce coffret admirable, où serait cet étui précieux, où serait cette riche boîte dans laquelle serait enfermée la bourse pleine de pistoles, que je me soucierais aussi peu de ton argent et de toi que de cela.

Le Barbouillé. — Ma foi, je m'y suis mépris : à cause qu'il est vêtu comme un médecin, j'ai cru qu'il lui fallait parler d'argent ; mais puisqu'il n'en veut point, il n'y a rien plus aisé que de le contenter. Je m'en vais courir après lui.

SCÈNE III

ANGÉLIQUE, VALÈRE, CATHAU

Angélique. — Monsieur, je vous assure que vous m'obligez beaucoup de me tenir quelquefois compagnie : mon mari est si mal bâti, si débauché, si ivrogne, que ce m'est un supplice d'être avec lui, et je vous laisse à penser quelle satisfaction on peut avoir d'un rustre comme lui.

Valère. — Mademoiselle, vous me faites trop d'honneur de me vouloir souffrir, et je vous promets de contribuer de tout mon pouvoir à votre divertissement ; et que, puisque vous témoignez que ma compagnie ne vous est point désagréable, je vous ferai connaître combien j'ai de joie de la bonne nouvelle que vous m'apprenez, par mes empressements.

Cathau. — Ah ! changez de discours : voyez porte-guignon qui arrive.

SCÈNE IV

LE BARBOUILLÉ, VALÈRE, ANGÉLIQUE, CATHAU

Valère. — Mademoiselle, je suis au désespoir de vous apporter de si méchantes nouvelles ; mais aussi bien les auriez-vous apprises de quelque autre : et puisque votre frère est fort malade...

ANGÉLIQUE. — Monsieur, ne m'en dites pas davantage; je suis votre servante, et vous rends grâces de la peine que vous avez prise.

LE BARBOUILLÉ. — Ma foi, sans aller chez le notaire, voilà le certificat de mon cocuage. Ha! ha! Madame la carogne, je vous trouve avec un homme, après toutes les défenses que je vous ai faites, et vous me voulez envoyer de Gemini en Capricorne!

ANGÉLIQUE. — Hé bien! faut-il gronder pour cela? Ce Monsieur vient de m'apprendre que mon frère est bien malade : où est le sujet de querelles?

CATHAU. — Ah! le voilà venu : je m'étonnais bien si nous aurions longtemps du repos.

LE BARBOUILLÉ. — Vous vous gâteriez, par ma foi, toutes deux, Mesdames les carognes; et toi, Cathau, tu corromps ma femme : depuis que tu la sers, elle ne vaut pas la moitié de ce qu'elle valait.

CATHAU. — Vraiment oui, vous nous la baillez bonne.

ANGÉLIQUE. — Laisse là cet ivrogne; ne vois-tu pas qu'il est si soûl qu'il ne sait ce qu'il dit?

SCÈNE V

GORGIBUS, VILLEBREQUIN,
ANGÉLIQUE, CATHAU, LE BARBOUILLÉ

GORGIBUS. — Ne voilà pas encore mon maudit gendre qui querelle ma fille?

VILLEBREQUIN. — Il faut savoir ce que c'est.

GORGIBUS. — Hé quoi? toujours se quereller! vous n'aurez point la paix dans votre ménage?

LE BARBOUILLÉ. — Cette coquine-là m'appelle ivrogne. Tiens, je suis bien tenté de te bailler une quinte major, en présence de tes parents.

GORGIBUS. — Je dédonne au diable l'escarcelle, si vous l'aviez fait.

ANGÉLIQUE. — Mais aussi c'est lui qui commence toujours à...

CATHAU. — Que maudite soit l'heure que vous avez choisi ce grigou!...

VILLEBREQUIN. — Allons, taisez-vous, la paix!

SCÈNE VI

LE DOCTEUR, VILLEBREQUIN,
GORGIBUS, CATHAU, ANGÉLIQUE, LE BARBOUILLÉ

Le Docteur. — Qu'est ceci ? quel désordre! quelle querelle! quel grabuge! quel vacarme! quel bruit! quel différend! quelle combustion! Qu'y a-t-il, Messieurs ? Qu'y a-t-il ? Qu'y a-t-il ? Çà, çà, voyons un peu s'il n'y a pas moyen de vous mettre d'accord, que je sois votre pacificateur, que j'apporte l'union chez vous ?

Gorgibus. — C'est mon gendre et ma fille qui ont eu bruit ensemble.

Le Docteur. — Et qu'est-ce que c'est ? voyons, dites-moi un peu la cause de leur différend.

Gorgibus. — Monsieur...

Le Docteur. — Mais en peu de paroles.

Gorgibus. — Oui-da. Mettez donc votre bonnet.

Le Docteur. — Savez-vous d'où vient le mot bonnet ?

Gorgibus. — Nenni.

Le Docteur. — Cela vient de *bonum est*, « bon est, voilà qui est bon », parce qu'il garantit des catarrhes et fluxions.

Gorgibus. — Ma foi, je ne savais pas cela.

Le Docteur. — Dites donc vite cette querelle.

Gorgibus. — Voici ce qui est arrivé...

Le Docteur. — Je ne crois pas que vous soyez homme à me tenir longtemps, puisque je vous en prie. J'ai quelques affaires pressantes qui m'appellent à la ville; mais pour remettre la paix dans votre famille, je veux bien m'arrêter un moment.

Gorgibus. — J'aurai fait en un moment.

Le Docteur. — Soyez donc bref.

Gorgibus. — Voilà qui est fait incontinent.

Le Docteur. — Il faut avouer, Monsieur Gorgibus, que c'est une belle qualité que de dire les choses en peu de paroles, et que les grands parleurs, au lieu de se faire écouter, se rendent le plus souvent si importuns qu'on ne les entend point : *Virtutem primam esse puta compescere linguam.* Oui, la plus belle qualité d'un honnête homme, c'est de parler peu.

Gorgibus. — Vous saurez donc...

LE DOCTEUR. — Socrate recommandait trois choses fort soigneusement à ses disciples : la retenue dans les actions, la sobriété dans le manger, et de dire les choses en peu de paroles. Commencez donc, Monsieur Gorgibus.

GORGIBUS. — C'est ce que je veux faire.

LE DOCTEUR. — En peu de mots, sans façon, sans vous amuser à beaucoup de discours, tranchez-moi d'un apophtegme, vite, vite, Monsieur Gorgibus, dépêchons, évitez la prolixité.

GORGIBUS. — Laissez-moi donc parler.

LE DOCTEUR. — Monsieur Gorgibus, touchez là : vous parlez trop ; il faut que quelque autre me dise la cause de leur querelle.

VILLEBREQUIN. — Monsieur le Docteur, vous saurez que...

LE DOCTEUR. — Vous êtes un ignorant, un indocte, un homme ignare de toutes les bonnes disciplines, un âne en bon français. Hé quoi ? vous commencez la narration sans avoir fait un mot d'exorde ? Il faut que quelque autre me conte le désordre. Mademoiselle, contez-moi un peu le détail de ce vacarme.

ANGÉLIQUE. — Voyez-vous bien là mon gros coquin, mon sac à vin de mari ?

LE DOCTEUR. — Doucement, s'il vous plaît : parlez avec respect de votre époux, quand vous êtes devant la moustache d'un docteur comme moi.

ANGÉLIQUE. — Ah ! vraiment oui, docteur ! Je me moque bien de vous et de votre doctrine, et je suis docteur quand je veux.

LE DOCTEUR. — Tu es docteur quand tu veux, mais je pense que tu es un plaisant docteur. Tu as la mine de suivre fort ton caprice : des parties d'oraison, tu n'aimes que la conjonction ; des genres, le masculin ; des déclinaisons, le génitif ; de la syntaxe, *mobile cum fixo ;* et enfin de la quantité, tu n'aimes que le dactyle, *quia constat ex una longa et duabus brevibus.* Venez çà, vous, dites-moi un peu quelle est la cause, le sujet de votre combustion.

LE BARBOUILLÉ. — Monsieur le Docteur...

LE DOCTEUR. — Voilà qui est bien commencé : « Monsieur le Docteur ! » ce mot de docteur a quelque chose de doux à l'oreille, quelque chose plein d'emphase : « Monsieur le Docteur ! »

LE BARBOUILLÉ. — A la mienne volonté...

LE DOCTEUR. — Voilà qui est bien : « à la mienne volonté ! » La volonté présuppose le souhait, le souhait présuppose des moyens pour arriver à ses fins, et la fin présuppose un objet : voilà qui est bien : « à la mienne volonté! »

Le Barbouillé. — J'enrage.

Le Docteur. — Otez-moi ce mot : « j'enrage »; voilà un terme bas et populaire.

Le Barbouillé. — Hé! Monsieur le Docteur, écoutez-moi, de grâce.

Le Docteur. — *Audi, quaeso*, aurait dit Cicéron.

Le Barbouillé. — Oh! ma foi, si se rompt, si se casse, ou si se brise, je ne m'en mets guère en peine; mais tu m'écouteras, ou je te vais casser ton museau doctoral; et que diable donc est ceci ?

> *Le Barbouillé, Angélique, Gorgibus, Cathau,*
> *Villebrequin parlent tous à la fois, voulant dire la*
> *cause de la querelle, et le Docteur aussi, disant*
> *que la paix est une belle chose, et font un bruit*
> *confus de leurs voix; et pendant tout le bruit,*
> *le Barbouillé attache le Docteur par le pied, et le*
> *fait tomber; le Docteur se doit laisser tomber sur*
> *le dos; le Barbouillé l'entraîne par la corde qu'il*
> *lui a attachée au pied, et, en l'entraînant, le Doc-*
> *teur doit toujours parler, et compter par ses doigts*
> *toutes ses raisons, comme s'il n'était point à terre,*
> *alors qu'il ne paraît plus.*

Gorgibus. — Allons, ma fille, retirez-vous chez vous, et vivez bien avec votre mari.

Villebrequin. — Adieu, serviteur et bonsoir.

SCÈNE VII

VALÈRE, LA VALLÉE, *Angélique s'en va.*

Valère. — Monsieur, je vous suis obligé du soin que vous avez pris, et je vous promets de me rendre à l'assignation que vous me donnez, dans une heure.

La Vallée. — Cela ne peut se différer; et si vous tardez un quart d'heure, le bal sera fini dans un moment, et vous n'aurez pas le bien d'y voir celle que vous aimez, si vous n'y venez tout présentement.

Valère. — Allons donc ensemble de ce pas.

SCÈNE VIII

ANGÉLIQUE

Cependant que mon mari n'y est pas, je vais faire un tour à un bal que donne une de mes voisines. Je serai revenue auparavant lui, car il est quelque part au cabaret : il ne s'apercevra pas que je suis sortie. Ce maroufle-là me laisse toute seule à la maison, comme si j'étais son chien.

SCÈNE IX

LE BARBOUILLÉ

Je savais bien que j'aurais raison de ce diable de Docteur, et de toute sa fichue doctrine. Au diable l'ignorant ! j'ai bien renvoyé toute la science par terre. Il faut pourtant que j'aille un peu voir si notre bonne ménagère m'aura fait à souper.

SCÈNE X

ANGÉLIQUE

Que je suis malheureuse ! j'ai été trop tard, l'assemblée est finie : je suis arrivée justement comme tout le monde sortait ; mais il n'importe, ce sera pour une autre fois. Je m'en vais cependant au logis comme si de rien n'était. Mais la porte est fermée. Cathau ! Cathau !

SCÈNE XI

LE BARBOUILLÉ, *à la fenêtre.*
ANGÉLIQUE

LE BARBOUILLÉ. — Cathau, Cathau ! Hé bien, qu'a-t-elle fait, Cathau ? et d'où venez-vous, Madame la carogne, à l'heure qu'il est, et par le temps qu'il fait ?

ANGÉLIQUE. — D'où je viens ? ouvre-moi seulement, et je te le dirai après.

LE BARBOUILLÉ. — Oui ? Ah! ma foi, tu peux aller coucher d'où tu viens, ou, si tu l'aimes mieux, dans la rue : je n'ouvre point à une coureuse comme toi. Comment, diable! être toute seule à l'heure qu'il est! Je ne sais si c'est imagination, mais mon front m'en paraît plus rude de moitié.

ANGÉLIQUE. — Hé bien! pour être toute seule, qu'en veux-tu dire ? Tu me querelles quand je suis en compagnie : comment faut-il donc faire ?

LE BARBOUILLÉ. — Il faut être retiré à la maison, donner ordre au souper, avoir soin du ménage, des enfants; mais sans tant de discours inutiles, adieu, bonsoir, va-t'en au diable et me laisse en repos.

ANGÉLIQUE. — Tu ne veux pas m'ouvrir ?

LE BARBOUILLÉ. — Non, je n'ouvrirai pas.

ANGÉLIQUE. — Hé! mon pauvre petit mari, je t'en prie, ouvre-moi, mon cher petit cœur!

LE BARBOUILLÉ. — Ah, crocodile! ah, serpent dangereux! tu me caresses pour me trahir.

ANGÉLIQUE. — Ouvre, ouvre donc!

LE BARBOUILLÉ. — Adieu! *Vade retro, Satanas.*

ANGÉLIQUE. — Quoi ? tu ne m'ouvriras point ?

LE BARBOUILLÉ. — Non.

ANGÉLIQUE. — Tu n'as point de pitié de ta femme, qui t'aime tant ?

LE BARBOUILLÉ. — Non, je suis inflexible : tu m'as offensé, je suis vindicatif comme tous les diables, c'est-à-dire bien fort; je suis inexorable.

ANGÉLIQUE. — Sais-tu bien que si tu me pousses à bout, et que tu me mettes en colère, je ferai quelque chose dont tu te repentiras ?

LE BARBOUILLÉ. — Et que feras-tu, bonne chienne ?

ANGÉLIQUE. — Tiens, si tu ne m'ouvres, je m'en vais me tuer devant la porte; mes parents, qui sans doute viendront ici auparavant de se coucher, pour savoir si nous sommes bien ensemble, me trouveront morte, et tu seras pendu.

LE BARBOUILLÉ. — Ah, ah, ah, ah, la bonne bête! et qui y perdra le plus de nous deux ? Va, va, tu n'es pas si sotte que de faire ce coup-là.

ANGÉLIQUE. — Tu ne le crois donc pas ? Tiens, tiens, voilà mon couteau tout prêt : si tu ne m'ouvres, je m'en vais tout à cette heure m'en donner dans le cœur.

LE BARBOUILLÉ. — Prends garde, voilà qui est bien pointu.

ANGÉLIQUE. — Tu ne veux donc pas m'ouvrir ?

LE BARBOUILLÉ. — Je t'ai déjà dit vingt fois que je n'ouvrirai point; tue-toi, crève, va-t'en au diable, je ne m'en soucie pas.

ANGÉLIQUE, *faisant semblant de se frapper*. — Adieu donc!... Ay! je suis morte.

LE BARBOUILLÉ. — Serait-elle bien assez sotte pour avoir fait ce coup-là ? Il faut que je descende avec la chandelle pour aller voir.

ANGÉLIQUE. — Il faut que je t'attrape. Si je peux entrer dans la maison subtilement, cependant que tu me chercheras, chacun aura bien son tour.

LE BARBOUILLÉ. — Hé bien! ne savais-je pas bien qu'elle n'était pas si sotte ? Elle est morte, et si elle court comme le cheval de Pacolet. Ma foi, elle m'avait fait peur tout de bon. Elle a bien fait de gagner au pied; car si je l'eusse trouvée en vie, après m'avoir fait cette frayeur-là, je lui aurais apostrophé cinq ou six clystères de coups de pied dans le cul, pour lui apprendre à faire la bête. Je m'en vais me coucher cependant. Oh! oh! je pense que le vent a fermé la porte. Hé! Cathau, Cathau, ouvre-moi.

ANGÉLIQUE. — Cathau, Cathau! Hé bien! qu'a-t-elle fait, Cathau ? Et d'où venez-vous, Monsieur l'ivrogne ? Ah! vraiment, va, mes parents, qui vont venir dans un moment, sauront tes vérités. Sac à vin infâme, tu ne bouges du cabaret, et tu laisses une pauvre femme avec des petits enfants, sans savoir s'ils ont besoin de quelque chose, à croquer le marmot tout le long du jour.

LE BARBOUILLÉ. — Ouvre vite, diablesse que tu es, ou je te casserai la tête.

SCÈNE XII

GORGIBUS, VILLEBREQUIN, ANGÉLIQUE, LE BARBOUILLÉ

GORGIBUS. — Qu'est ceci ? toujours de la dispute, de la querelle et de la dissension!

VILLEBREQUIN. — Hé quoi ? vous ne serez jamais d'accord ?

ANGÉLIQUE. — Mais voyez un peu, le voilà qui est soûl, et revient, à l'heure qu'il est, faire un vacarme horrible; il me menace.

GORGIBUS. — Mais aussi ce n'est pas là l'heure de revenir. Ne devriez-vous pas, comme un bon père de famille, vous retirer de bonne heure, et bien vivre avec votre femme ?

LE BARBOUILLÉ. — Je me donne au diable, si j'ai sorti de la maison, et demandez plutôt à ces Messieurs qui sont là-bas dans le parterre ; c'est elle qui ne fait que de revenir. Ah ! que l'innocence est opprimée !

VILLEBREQUIN. — Çà, çà ; allons, accordez-vous ; demandez-lui pardon.

LE BARBOUILLÉ. — Moi, pardon ! j'aimerais mieux que le diable l'eût emportée. Je suis dans une colère que je ne me sens pas.

GORGIBUS. — Allons, ma fille, embrassez votre mari, et soyez bons amis.

SCÈNE XIII ET DERNIÈRE

LE DOCTEUR, *à la fenêtre, en bonnet de nuit et en camisole* :
LE BARBOUILLÉ, VILLEBREQUIN,
GORGIBUS, ANGÉLIQUE

LE DOCTEUR. — Hé quoi ? toujours du bruit, du désordre, de la dissension, des querelles, des débats, des différends, des combustions, des altercations éternelles. Qu'est-ce ? qu'y a-t-il donc ? On ne saurait avoir du repos.

VILLEBREQUIN. — Ce n'est rien, Monsieur le Docteur ; tout le monde est d'accord.

LE DOCTEUR. — A propos d'accord, voulez-vous que je vous lise un chapitre d'Aristote, où il prouve que toutes les parties de l'univers ne subsistent que par l'accord qui est entre elles ?

VILLEBREQUIN. — Cela est-il bien long ?

LE DOCTEUR. — Non, cela n'est pas long : cela contient environ soixante ou quatre-vingts pages.

VILLEBREQUIN. — Adieu, bonsoir ! nous vous remercions.

GORGIBUS. — Il n'en est pas de besoin.

LE DOCTEUR. — Vous ne le voulez pas ?

GORGIBUS. — Non.

LE DOCTEUR. — Adieu donc ! puisqu'ainsi est ; bonsoir ! *latine, bona nox.*

VILLEBREQUIN. — Allons-nous-en souper ensemble, nous autres.

NOTICE
SUR
LE MÉDECIN VOLANT

Cette seconde farce est aussi sommaire que la précédente, mais d'un rythme beaucoup plus rapide et d'une accélération régulière, sensible à la lecture et qui ne peut que déchaîner le rire du spectateur. Il ne faut pas y chercher une de ces attaques que Molière multipliera plus tard contre les médecins et leur ignorance. Le médecin est un type traditionnel de la farce. Il ne s'agit ici que d'un jeu scénique, qui repose uniquement sur le fait que Sganarelle joue deux rôles à la fois, en changeant sans cesse de costume, en sautant d'un lieu à l'autre, d'où le titre de *Médecin volant*. C'est évidemment Molière qui jouait le rôle lui-même, comme il jouera tous les Sganarelle qui paraissent dans ses comédies postérieures. Tout repose sur l'adresse du comédien dans cet exercice de voltige, véritable numéro de cirque, qui demande une habileté, une agilité, une souplesse de corps extrêmes, pour donner l'illusion que les deux personnages successifs sont simultanément en scène. Il s'agit en somme, par un jeu rapide et parfaitement réglé, d'étourdir le spectateur et de l'entraîner de force dans un jeu invraisemblable, sans qu'il ait le temps de se rendre compte de cette invraisemblance. Ce « gag » excellent sera repris dans *le Malade imaginaire*.

Molière a emprunté le thème du *Médecin volant* à un canevas italien, joué sans doute par Scaramouche. Un rival de Molière, Boursault, fera jouer en 1661, sous le même titre, une comédie en vers à l'Hôtel de Bourgogne. L'Arlequin Dominique Biancolelli a écrit, lui aussi, mais plus tard, un scénario sur le même sujet. Les thèmes de farce constituaient un fonds commun où puisaient librement comédiens français et italiens.

La farce de Molière a été jouée encore seize fois à Paris de 1659 à 1664. Comme il l'avait fait pour *la Jalousie du*

Barbouillé, Molière emprunta plusieurs traits à son *Médecin volant,* que l'on retrouve dans *l'Amour médecin, le Médecin malgré lui* et *le Malade imaginaire :* nouvelle preuve que toute son œuvre comique est nourrie du souvenir de ses premières farces.

LE
MÉDECIN VOLANT

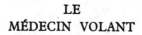

PERSONNAGES

VALÈRE, amant de Lucile.
SABINE, cousine de Lucile.
SGANARELLE, valet de Valère.
GORGIBUS, père de Lucile.
GROS-RENÉ, valet de Gorgibus.
LUCILE, fille de Gorgibus.
Un AVOCAT.

SCÈNE I

VALÈRE, SABINE

VALÈRE. — Hé bien! Sabine, quel conseil me donne-ras-tu?

SABINE. — Vraiment, il y a bien des nouvelles. Mon oncle veut résolument que ma cousine épouse Villebrequin, et les affaires sont tellement avancées que je crois qu'ils eussent été mariés dès aujourd'hui, si vous n'étiez aimé; mais comme ma cousine m'a confié le secret de l'amour qu'elle vous porte, et que nous nous sommes vues à l'extrémité par l'avarice de mon vilain oncle, nous nous sommes avisées d'une bonne invention pour différer le mariage. C'est que ma cousine, dès l'heure que je vous parle, contrefait la malade; et le bon vieillard, qui est assez crédule, m'envoie querir un médecin. Si vous en pouviez envoyer quelqu'un qui fût de vos bons amis, et qui fût de notre intelligence, il conseillerait à la malade de prendre l'air à la campagne. Le bonhomme ne manquera pas de faire loger ma cousine à ce pavillon qui est au bout de notre jardin, et par ce moyen vous pourriez l'entretenir à l'insu de notre vieillard, l'épouser, et le laisser pester tout son soûl avec Villebrequin.

VALÈRE. — Mais le moyen de trouver sitôt un médecin à ma poste, et qui voulût tant hasarder pour mon service? Je te le dis franchement, je n'en connais pas un.

SABINE. — Je songe une chose: si vous faisiez habiller votre valet en médecin? Il n'y a rien de si facile à duper que le bonhomme.

VALÈRE. — C'est un lourdaud qui gâtera tout; mais il faut s'en servir faute d'autre. Adieu, je le vais chercher.

Où diable trouver ce maroufle à présent ? Mais le voici
tout à propos.

SCÈNE II

VALÈRE, SGANARELLE

VALÈRE. — Ah! mon pauvre Sganarelle, que j'ai de joie
de te voir! J'ai besoin de toi dans une affaire de conséquence; mais, comme que je ne sais pas ce que tu sais faire...

SGANARELLE. — Ce que je sais faire, Monsieur ? Em-
ployez-moi seulement en vos affaires de conséquence, en
quelque chose d'importance : par exemple, envoyez-moi
voir quelle heure il est à une horloge, voir combien le
beurre vaut au marché, abreuver un cheval; c'est alors
que vous connaîtrez ce que je sais faire.

VALÈRE. — Ce n'est pas cela : c'est qu'il faut que tu
contrefasses le médecin.

SGANARELLE. — Moi, médecin, Monsieur! Je suis prêt
à faire tout ce qu'il vous plaira; mais pour faire le médecin,
je suis assez votre serviteur pour n'en rien faire du tout;
et par quel bout m'y prendre, bon Dieu ? Ma foi! Monsieur, vous vous moquez de moi.

VALÈRE. — Si tu veux entreprendre cela, va, je te donnerai dix pistoles.

SGANARELLE. — Ah! pour dix pistoles, je ne dis pas que
je ne sois médecin; car, voyez-vous bien, Monsieur ?
je n'ai pas l'esprit tant, tant subtil, pour vous dire la vérité;
mais, quand je serai médecin, où irai-je ?

VALÈRE. — Chez le bonhomme Gorgibus, voir sa fille,
qui est malade; mais tu es un lourdaud qui, au lieu de
bien faire, pourrais bien...

SGANARELLE. — Hé! mon Dieu, Monsieur, ne soyez
point en peine; je vous réponds que je ferai aussi bien
mourir une personne qu'aucun médecin qui soit dans la
ville. On dit un proverbe, d'ordinaire : *Après la mort le
médecin ;* mais vous verrez que, si je m'en mêle, on dira :
Après le médecin, gare la mort ! Mais néanmoins, quand je
songe, cela est bien difficile de faire le médecin; et si je ne
fais rien qui vaille... ?

VALÈRE. — Il n'y a rien de si facile en cette rencontre :
Gorgibus est un homme simple, grossier, qui se laissera
étourdir de ton discours, pourvu que tu parles d'Hippocrate et de Galien, et que tu sois un peu effronté.

SGANARELLE. — C'est-à-dire qu'il lui faudra parler philosophie, mathématique. Laissez-moi faire; s'il est un homme facile, comme vous le dites, je vous réponds de tout; venez seulement me faire avoir un habit de médecin, et m'instruire de ce qu'il faut faire, et me donner mes licences, qui sont les dix pistoles promises.

SCÈNE III

GORGIBUS, GROS-RENÉ

GORGIBUS. — Allez vitement chercher un médecin; car ma fille est bien malade, et dépêchez-vous.

GROS-RENÉ. — Que diable aussi! pourquoi vouloir donner votre fille à un vieillard? Croyez-vous que ce ne soit pas le désir qu'elle a d'avoir un jeune homme qui la travaille? Voyez-vous la connexité qu'il y a, etc. *(Galimatias)*.

GORGIBUS. — Va-t'en vite : je vois bien que cette maladie-là reculera bien les noces.

GROS-RENÉ. — Et c'est ce qui me fait enrager : je croyais refaire mon ventre d'une bonne carrelure, et m'en voilà sevré. Je m'en vais chercher un médecin pour moi aussi bien que pour votre fille; je suis désespéré.

SCÈNE IV

SABINE, GORGIBUS, SGANARELLE

SABINE. — Je vous trouve à propos, mon oncle, pour vous apprendre une bonne nouvelle. Je vous amène le plus habile médecin du monde, un homme qui vient des pays étrangers, qui sait les plus beaux secrets, et qui sans doute guérira ma cousine. On me l'a indiqué par bonheur, et je vous l'amène. Il est si savant que je voudrais de bon cœur être malade, afin qu'il me guérît.

GORGIBUS. — Où est-il donc?

SABINE. — Le voilà qui me suit; tenez, le voilà.

GORGIBUS. — Très humble serviteur à Monsieur le médecin! Je vous envoie querir pour voir ma fille, qui est malade; je mets toute mon espérance en vous.

SGANARELLE. — Hippocrate dit, et Galien par vives raisons persuade qu'une personne ne se porte pas bien quand elle est malade. Vous avez raison de mettre votre espérance en moi ; car je suis le plus grand, le plus habile, le plus docte médecin qui soit dans la faculté végétale, sensitive et minérale.

GORGIBUS. — J'en suis fort ravi.

SGANARELLE. — Ne vous imaginez pas que je sois un médecin ordinaire, un médecin du commun. Tous les autres médecins ne sont, à mon égard, que des avortons de médecine. J'ai des talents particuliers, j'ai des secrets. *Salamalec, salamalec.* « Rodrigue, as-tu du cœur ? » *Signor, si ; signor, non. Per omnia saecula saeculorum.* Mais encore voyons un peu.

SABINE. — Hé ! ce n'est pas lui qui est malade, c'est sa fille.

SGANARELLE. — Il n'importe : le sang du père et de la fille ne sont qu'une même chose ; et par l'altération de celui du père, je puis connaître la maladie de la fille. Monsieur Gorgibus, y aurait-il moyen de voir de l'urine de l'égrotante ?

GORGIBUS. — Oui-da ; Sabine, vite allez querir de l'urine de ma fille. Monsieur le médecin, j'ai grand'peur qu'elle ne meure.

SGANARELLE. — Ah ! qu'elle s'en garde bien ! il ne faut pas qu'elle s'amuse à se laisser mourir sans l'ordonnance du médecin. Voilà de l'urine qui marque grande chaleur, grande inflammation dans les intestins : elle n'est pas tant mauvaise pourtant.

GORGIBUS. — Hé quoi ? Monsieur, vous l'avalez ?

SGANARELLE. — Ne vous étonnez pas de cela ; les médecins, d'ordinaire, se contentent de la regarder ; mais moi, qui suis un médecin hors du commun, je l'avale, parce qu'avec le goût je discerne bien mieux la cause et les suites de la maladie. Mais, à vous dire la vérité, il y en avait trop peu pour asseoir un bon jugement : qu'on la fasse encore pisser.

SABINE. — J'ai bien eu de la peine à la faire pisser.

SGANARELLE. — Que cela ? voilà bien de quoi ! Faites-la pisser copieusement, copieusement. Si tous les malades pissent de la sorte, je veux être médecin toute ma vie.

SABINE. — Voilà tout ce qu'on peut avoir : elle ne peut pas pisser davantage.

SGANARELLE. — Quoi ? Monsieur Gorgibus, votre fille ne pisse que des gouttes ! voilà une pauvre pisseuse que

votre fille; je vois bien qu'il faudra que je lui ordonne
une potion pissative. N'y aurait-il pas moyen de voir la
malade ?

SABINE. — Elle est levée; si vous voulez, je la ferai
venir.

SCÈNE V

LUCILE, SABINE, GORGIBUS, SGANARELLE

SGANARELLE. — Hé bien! Mademoiselle, vous êtes
malade ?

LUCILE. — Oui, Monsieur.

SGANARELLE. — Tant pis! c'est une marque que vous
ne vous portez pas bien. Sentez-vous de grandes douleurs
à la tête, aux reins ?

LUCILE. — Oui, Monsieur.

SGANARELLE. — C'est fort bien fait. Oui, ce grand médecin, au chapitre qu'il a fait de la nature des animaux, dit...
cent belles choses; et comme les humeurs qui ont de la
connexité ont beaucoup de rapport; car, par exemple,
comme la mélancolie est ennemie de la joie, et que la
bile qui se répand par le corps nous fait devenir jaunes,
et qu'il n'est rien plus contraire à la santé que la maladie,
nous pouvons dire, avec ce grand homme, que votre fille
est fort malade. Il faut que je vous fasse une ordonnance.

GORGIBUS. — Vite une table, du papier, de l'encre.

SGANARELLE. — Y a-t-il ici quelqu'un qui sache écrire ?

GORGIBUS. — Est-ce que vous ne le savez point ?

SGANARELLE. — Ah! je ne m'en souvenais pas; j'ai tant
d'affaires dans la tête, que j'oublie la moitié... — Je crois
qu'il serait nécessaire que votre fille prît un peu l'air, qu'elle
se divertît à la campagne.

GORGIBUS. — Nous avons un fort beau jardin, et
quelques chambres qui y répondent; si vous le trouvez à
propos, je l'y ferai loger.

SGANARELLE. — Allons, allons visiter les lieux.

SCÈNE VI

L'AVOCAT

J'ai ouï dire que la fille de M. Gorgibus était malade :
il faut que je m'informe de sa santé, et que je lui offre
mes services comme ami de toute sa famille. Holà ! holà !
M. Gorgibus y est-il ?

SCÈNE VII

GORGIBUS, L'AVOCAT

GORGIBUS. — Monsieur, votre très humble, etc.

L'AVOCAT. — Ayant appris la maladie de Mademoiselle
votre fille, je vous suis venu témoigner la part que j'y
prends, et vous faire offre de tout ce qui dépend de moi.

GORGIBUS. — J'étais là dedans avec le plus savant
homme.

L'AVOCAT. — N'y aurait-il pas moyen de l'entretenir
un moment ?

SCÈNE VIII

GORGIBUS, L'AVOCAT, SGANARELLE

GORGIBUS. — Monsieur, voilà un fort habile homme de
mes amis qui souhaiterait de vous parler et vous entretenir.

SGANARELLE. — Je n'ai pas le loisir, monsieur Gorgibus : il faut aller à mes malades. Je ne prendrai pas la
droite avec vous, Monsieur.

L'AVOCAT. — Monsieur, après ce que m'a dit M. Gorgibus de votre mérite et de votre savoir, j'ai eu la plus
grande passion du monde d'avoir l'honneur de votre
connaissance, et j'ai pris la liberté de vous saluer à ce
dessein : je crois que vous ne le trouverez pas mauvais.
Il faut avouer que tous ceux qui excellent en quelque
science sont dignes de grande louange, et particulièrement ceux qui font profession de la médecine, tant à cause

de son utilité, que parce qu'elle contient en elle plusieurs autres sciences, ce qui rend sa parfaite connaissance fort difficile; et c'est fort à propos qu'Hippocrate dit dans son premier aphorisme : *Vita brevis, ars vero longa, occasio autem praeceps, experimentum periculosum, judicium difficile.*

SGANARELLE, *à Gorgibus.* — *Ficile tantina pota baril cambustibus.*

L'AVOCAT. — Vous n'êtes pas de ces médecins qui ne vous appliquez qu'à la médecine qu'on appelle rationale ou dogmatique, et je crois que vous l'exercez tous les jours avec beaucoup de succès : *experentia magistra rerum.* Les premiers hommes qui firent profession de la médecine furent tellement estimés d'avoir cette belle science, qu'on les mit au nombre des Dieux pour les belles cures qu'ils faisaient tous les jours. Ce n'est pas qu'on doive mépriser un médecin qui n'aurait pas rendu la santé à son malade, parce qu'elle ne dépend pas absolument de ses remèdes, ni de son savoir :

Interdum docta plus valet arte malum.

Monsieur, j'ai peur de vous être importun : je prends congé de vous, dans l'espérance que j'ai qu'à la première vue j'aurai l'honneur de converser avec vous avec plus de loisir. Vos heures vous sont précieuses, etc. *(Il sort).*

GORGIBUS. — Que vous semble de cet homme-là ?

SGANARELLE. — Il sait quelque petite chose. S'il fût demeuré tant soit peu davantage, je l'allais mettre sur une matière sublime et relevée. Cependant, je prends congé de vous. *(Gorgibus lui donne de l'argent).* Hé! que voulez-vous faire ?

GORGIBUS. — Je sais bien ce que je vous dois.

SGANARELLE. — Vous vous moquez, monsieur Gorgibus. Je n'en prendrai pas, je ne suis pas un homme mercenaire. *(Il prend l'argent).* Votre très humble serviteur. *(Sganarelle sort et Gorgibus rentre dans sa maison).*

SCÈNE IX

VALÈRE

Je ne sais ce qu'aura fait Sganarelle : je n'ai point eu de ses nouvelles, et je suis fort en peine où je le pourrais rencontrer. *(Sganarelle revient en habit de valet).* Mais

bon, le voici. Hé bien! Sganarelle, qu'as-tu fait depuis
que je ne t'ai point vu ?

SCÈNE X

SGANARELLE, VALÈRE

SGANARELLE. — Merveille sur merveille : j'ai si bien
fait que Gorgibus me prend pour un habile médecin. Je me
suis introduit chez lui, et lui ai conseillé de faire prendre
l'air à sa fille, laquelle est à présent dans un appartement
qui est au bout de leur jardin, tellement qu'elle est fort
éloignée du vieillard, et que vous pouvez l'aller voir commodément.

VALÈRE. — Ah! que tu me donnes de joie! Sans perdre
de temps, je la vais trouver de ce pas.

SGANARELLE. — Il faut avouer que ce bonhomme Gorgibus est un vrai lourdaud de se laisser tromper de la
sorte. *(Apercevant Gorgibus)* Ah! ma foi, tout est perdu :
c'est à ce coup que voilà la médecine renversée, mais il
faut que je le trompe.

SCÈNE XI

SGANARELLE, GORGIBUS

GORGIBUS. — Bonjour, Monsieur.

SGANARELLE. — Monsieur, votre serviteur. Vous voyez
un pauvre garçon au désespoir; ne connaissez-vous pas
un médecin qui est arrivé depuis peu en cette ville, qui
fait des cures admirables ?

GORGIBUS. — Oui, je le connais : il vient de sortir de
chez moi.

SGANARELLE. — Je suis son frère, monsieur; nous
sommes gémeaux; et comme nous nous ressemblons fort,
on nous prend quelquefois l'un pour l'autre.

GORGIBUS. — Je [me] dédonne au diable si je n'y ai été
trompé. Et comme vous nommez-vous ?

SGANARELLE. — Narcisse, Monsieur, pour vous rendre
service. Il faut que vous sachiez qu'étant dans son cabinet, j'ai répandu deux fioles d'essence qui étaient sur le
bout de sa table; aussitôt il s'est mis dans une colère si

étrange contre moi, qu'il m'a mis hors du logis, et ne
me veut plus jamais voir, tellement que je suis un pauvre
garçon à présent sans appui, sans support, sans aucune
connaissance.

GORGIBUS. — Allez, je ferai votre paix : je suis de ses
amis, et je vous promets de vous remettre avec lui. Je
lui parlerai d'abord que je le verrai.

SGANARELLE. — Je vous serai bien obligé, monsieur
Gorgibus. *(Sganarelle sort et rentre aussitôt avec sa robe
de médecin.)*

SCÈNE XII

SGANARELLE, GORGIBUS

SGANARELLE. — Il faut avouer que, quand les malades
ne veulent pas suivre l'avis du médecin, et qu'ils s'aban-
donnent à la débauche que...

GORGIBUS. — Monsieur le Médecin, votre très humble
serviteur. Je vous demande une grâce.

SGANARELLE. — Qu'y a-t-il, Monsieur ? est-il question
de vous rendre service ?

GORGIBUS. — Monsieur, je viens de rencontrer Monsieur
votre frère, qui est tout à fait fâché de...

SGANARELLE. — C'est un coquin, monsieur Gorgibus.

GORGIBUS. — Je vous réponds qu'il est tellement contrit
de vous avoir mis en colère...

SGANARELLE. — C'est un ivrogne, monsieur Gorgibus.

GORGIBUS. — Hé! Monsieur, vous voulez désespérer ce
pauvre garçon ?

SGANARELLE. — Qu'on ne m'en parle plus; mais voyez
l'impudence de ce coquin-là, de vous aller trouver pour
faire son accord; je vous prie de ne m'en pas parler.

GORGIBUS. — Au nom de Dieu, Monsieur le Médecin!
et faites cela pour l'amour de moi. Si je suis capable de
vous obliger en autre chose, je le ferai de bon cœur. Je
m'y suis engagé, et...

SGANARELLE. — Vous m'en priez avec tant d'insistance
que, quoique j'eusse fait serment de ne lui pardonner
jamais, allez, touchez là : je lui pardonne. Je vous assure
que je me fais grande violence, et qu'il faut que j'aie bien
de la complaisance pour vous. Adieu, monsieur Gorgibus.

GORGIBUS. — Monsieur, votre très humble serviteur;
je m'en vais chercher ce pauvre garçon pour lui apprendre
cette bonne nouvelle.

SCÈNE XIII

VALÈRE, SGANARELLE

VALÈRE. — Il faut que j'avoue que je n'eusse jamais
cru que Sganarelle se fût si bien acquitté de son devoir.
(Sganarelle rentre avec ses habits de valet.) Ah! mon pauvre
garçon, que je t'ai d'obligation! que j'ai de joie! et que...
SGANARELLE. — Ma foi, vous parlez fort à votre aise.
Gorgibus m'a rencontré; et sans une invention que j'ai
trouvée, toute la mèche était découverte. Mais fuyez-
vous-en, le voici.

SCÈNE XIV

GORGIBUS, SGANARELLE

GORGIBUS. — Je vous cherchais partout pour vous
dire que j'ai parlé à votre frère : il m'a assuré qu'il vous
pardonnait; mais, pour en être plus assuré, je veux qu'il
vous embrasse en ma présence; entrez dans mon logis, et
je l'irai chercher.
SGANARELLE. — Ah! Monsieur Gorgibus, je ne crois
pas que vous le trouviez à présent; et puis je ne resterai
pas chez vous; je crains trop sa colère.
GORGIBUS. — Ah! vous demeurerez, car je vous
enfermerai. Je m'en vais à présent chercher votre frère :
ne craignez rien, je vous réponds qu'il n'est plus fâché.
(Il sort.)
SGANARELLE, de la fenêtre. — Ma foi, me voilà attrapé
ce coup-là; il n'y a plus moyen de m'en échapper. Le
nuage est fort épais, et j'ai bien peur que, s'il vient à
crever, il ne grêle sur mon dos force coups de bâton, ou
que, par quelque ordonnance plus forte que toutes celles
des médecins, on m'applique tout au moins un cautère
royal sur les épaules. Mes affaires vont mal; mais pourquoi
se désespérer ? Puisque j'ai tant fait, poussons la fourbe
jusques au bout. Oui, oui, il en faut encore sortir, et faire
voir que Sganarelle est le roi des fourbes. (Il saute de la
fenêtre et s'en va.)

SCÈNE XV

GROS-RENÉ, GORGIBUS, SGANARELLE

GROS-RENÉ. — Ah! ma foi, voilà qui est drôle! comme diable on saute ici par les fenêtres! Il faut que je demeure ici, et que je voie à quoi tout cela aboutira.

GORGIBUS. — Je ne saurais trouver ce médecin; je ne sais où diable il s'est caché. *(Apercevant Sganarelle qui revient en habit de médecin.)* Mais le voici, Monsieur, ce n'est pas assez d'avoir pardonné à votre frère; je vous prie, pour ma satisfaction, de l'embrasser : il est chez moi, et je vous cherchais partout pour vous prier de faire cet accord en ma présence.

SGANARELLE. — Vous vous moquez, monsieur Gorgibus : n'est-ce pas assez que je lui pardonne ? Je ne le veux jamais voir.

GORGIBUS. — Mais, Monsieur, pour l'amour de moi.

SGANARELLE. — Je ne saurais rien refuser : dites-lui qu'il descende. *(Pendant que Gorgibus rentre dans sa maison par la porte, Sganarelle y rentre par la fenêtre.)*

GORGIBUS, *à la fenêtre.* — Voilà votre frère qui vous attend là-bas : il m'a promis qu'il fera tout ce que je voudrai.

SGANARELLE, *à la fenêtre.* — Monsieur Gorgibus, je vous prie de le faire venir ici : je vous conjure que ce soit en particulier que je lui demande pardon, parce que sans doute il me ferait cent hontes et cent opprobres devant tout le monde. *(Gorgibus sort de sa maison par la porte, et Sganarelle par la fenêtre.)*

GORGIBUS. — Oui-da, je m'en vais lui dire. Monsieur, il dit qu'il est honteux, et qu'il vous prie d'entrer, afin qu'il vous demande pardon en particulier. Voilà la clef, vous pouvez entrer; je vous supplie de ne me pas refuser et de me donner ce contentement.

SGANARELLE. — Il n'y a rien que je ne fasse pour votre satisfaction : vous allez entendre de quelle manière je le vais traiter. *(A la fenêtre).* Ah! te voilà, coquin. — Monsieur mon frère, je vous demande pardon, je vous promets qu'il n'y a point de ma faute. — Il n'y a point de ta faute, pilier de débauche, coquin ? Va, je t'apprendrai à vivre. Avoir la hardiesse d'importuner M. Gorgibus, de lui rompre la tête de tes sottises! — Monsieur mon frère... — Tais-toi, te dis-je. — Je ne vous désoblig... — Tais-toi, coquin.

GROS-RENÉ. — Qui diable pensez-vous qui soit chez vous à présent ?

GORGIBUS. — C'est le médecin et Narcisse son frère; ils avaient quelque différend, et ils font leur accord.

GROS-RENÉ. — Le diable emporte! ils ne sont qu'un.

SGANARELLE, *à la fenêtre*. — Ivrogne que tu és, je t'apprendrai à vivre. Comme il baisse la vue! il voit bien qu'il a failli, le pendard. Ah! l'hypocrite, comme il fait le bon apôtre!

GROS-RENÉ. — Monsieur, dites-lui un peu par plaisir qu'il fasse mettre son frère à la fenêtre.

GORGIBUS. — Oui-da, Monsieur le Médecin, je vous prie de faire paraître votre frère à la fenêtre.

SGANARELLE, *de la fenêtre*. — Il est indigne de la vue des gens d'honneur, et puis je ne le saurais souffrir auprès de moi.

GORGIBUS. — Monsieur, ne me refusez pas cette grâce, après toutes celles que vous m'avez faites.

SGANARELLE, *de la fenêtre*. — En vérité, Monsieur Gorgibus, vous avez un tel pouvoir sur moi que je ne vous puis rien refuser. Montre, montre-toi, coquin. (*Après avoir disparu un moment, il se remonte en habit de valet.*) — Monsieur Gorgibus, je suis votre obligé. — (*Il disparaît encore, et reparaît aussitôt en robe de médecin.*) Hé bien! avez-vous vu cette image de la débauche ?

GROS-RENÉ. — Ma foi, ils ne sont qu'un, et, pour vous le prouver, dites-lui un peu que vous les voulez voir ensemble.

GORGIBUS. — Mais faites-moi la grâce de le faire paraître avec vous, et de l'embrasser devant moi à la fenêtre.

SGANARELLE, *de la fenêtre*. — C'est une chose que je refuserais à tout autre qu'à vous : mais pour vous montrer que je veux tout faire pour l'amour de vous, je m'y résous, quoique avec peine, et veux auparavant qu'il vous demande pardon de toutes les peines qu'il vous a données. — Oui, Monsieur Gorgibus, je vous demande pardon de vous avoir tant importuné, et vous promets, mon frère, en présence de M. Gorgibus que voilà, de faire si bien désormais, que vous n'aurez plus lieu de vous plaindre, vous priant de ne plus songer à ce qui s'est passé. (*Il embrasse son chapeau et sa fraise qu'il a mis au bout de son coude.*)

GORGIBUS. — Hé bien! ne les voilà pas tous deux ?

GROS-RENÉ. — Ah! par ma foi, il est sorcier.

SGANARELLE, *sortant de la maison, en médecin.* — Monsieur, voilà la clef de votre maison que je vous rends; je n'ai pas voulu que ce coquin soit descendu avec moi, parce qu'il me fait honte : je ne voudrais pas qu'on le vît en ma compagnie dans la ville, où je suis en quelque réputation. Vous irez le faire sortir quand bon vous semblera. Je vous donne le bonjour, et suis votre, etc. *(Il feint de s'en aller, et, après avoir mis sa robe, rentre dans la maison par la fenêtre.)*

GORGIBUS. — Il faut que j'aille délivrer ce pauvre garçon; en vérité, s'il lui a pardonné, ce n'a pas été sans le bien maltraiter. *(Il entre dans sa maison, et en sort avec Sganarelle, en habit de valet.)*

SGANARELLE. — Monsieur, je vous remercie de la peine que vous avez prise et de la bonté que vous avez eue : je vous en serai obligé toute ma vie.

GROS-RENÉ. — Où pensez-vous que soit à présent le médecin ?

GORGIBUS. — Il s'en est allé.

GROS-RENÉ, *qui a ramassé la robe de Sganarelle.* — Je le tiens sous mon bras. Voilà le coquin qui faisait le médecin, et qui vous trompe. Cependant qu'il vous trompe et joue la farce chez vous, Valère et votre fille sont ensemble, qui s'en vont à tous les diables.

GORGIBUS. — Ah! que je suis malheureux! mais tu seras pendu, fourbe, coquin.

SGANARELLE. — Monsieur, qu'allez-vous faire de me pendre ? Écoutez un mot, s'il vous plaît : il est vrai que c'est par mon invention que mon maître est avec votre fille; mais en le servant, je ne vous ai point désobligé : c'est un parti sortable pour elle, tant pour la naissance que pour les biens. Croyez-moi, ne faites point un vacarme qui tournerait à votre confusion, et envoyez à tous les diables ce coquin-là, avec Villebrequin. Mais voici nos amants.

SCÈNE DERNIÈRE

VALÈRE, LUCILE, GORGIBUS, SGANARELLE

SGANARELLE. — Nous nous jetons à vos pieds.

GORGIBUS. — Je vous pardonne, et suis heureusement trompé par Sganarelle, ayant un si brave gendre. Allons tous faire noces, et boire à la santé de toute la compagnie.

Pendant le temps de ses pérégrinations provinciales, Molière n'écrivit pas seulement des farces. A la tête d'une troupe qui avait alors surclassé les autres « bandes » de comédiens circulants et qui avait obtenu la protection du prince de Conti, frère du Grand Condé, il s'était essayé aussi dans la comédie. Il en composa deux, en cinq actes et en vers, œuvres littéraires qui attestaient son dessein de se libérer du cadre trop étroit de la farce.

La première est l'*Étourdi*, qui fut créé à Lyon en 1655. Il ne s'agit encore que d'une simple comédie d'intrigue, sans aucune prétention à l'étude des caractères. Ce n'est plus le ton de la farce, mais ce n'est pas encore la matière d'une comédie de mœurs. Les personnages cessent d'être des pantins, mais n'ont encore aucune épaisseur humaine. Ce n'est pas eux-mêmes qui constituent le sujet de la comédie, mais les aventures auxquelles ils sont mêlés. Molière ne dépasse pas encore le stade de la comédie d'intrigue, romanesque, du genre de celle qui règne alors à Paris avec Scarron ou Boisrobert.

Le sujet lui-même n'est pas de l'invention de Molière; il l'a emprunté à un modèle italien, l'*Inavvertito* (le Mala-visé) de Barbieri (1629) auquel s'ajoutent quelques autres sources italiennes, espagnoles et françaises. Comme tous les contemporains, Molière pille ses devanciers sans vergogne. Le thème fut repris plus tard par Quinault dans l'*Amant indiscret*, dont la psychologie est moins sommaire. L'essentiel de la comédie de Molière tient dans la création du personnage de Mascarille, type de valet qui reparaîtra dans *le Dépit amoureux* et dans *les Précieuses ridicules* et que Molière jouait sous le masque (*mascara*, petit masque, en italien). Lui seul a quelque réalité, et une vie intense, au moins théâtrale, dans la pièce; les autres personnages,

jeune esclave, galants, couples d'amoureux, vieillards
fantoches, sont encore tout proches des types de la farce
et de la comédie italienne.

Mascarille, lui, préfigure déjà Scapin et Figaro. C'est
le valet rusé, adroit, tout à son aise dans les intrigues les
plus compliquées. Toute la pièce repose sur un jeu comique
à répétition, dont le principe même relève de la farce :
Mascarille multiplie ses efforts pour joindre son maître
Lélie à la belle esclave, Célie, qu'il aime. A chaque fois
qu'il met en œuvre une ruse habile, Lélie intervient mala-
droitement pour jeter par terre tous les projets de l'officieux valet. Dix fois de suite, la même situation se répète;
ce sont dix étourderies successives, mais non enchaînées.
Molière, qui sait que la répétition est une des sources du
comique, reprendra le procédé dans *les Fâcheux* et dans
l'École des femmes, avec les intempestives confidences
amoureuses d'Horace à Arnolphe. Le comique naît donc
d'un procédé mécanique dont l'effet a été éprouvé sur le
public, mais non d'une étude de caractère.

L'agencement des scènes, la nécessité du dénouement
heureux apparaissent mieux dans la pièce de Barbieri
que dans l'imitation qu'en a faite Molière; mais, si la
structure de sa pièce est encore incertaine et parfois mala-
droite, ce que Molière a créé, c'est un personnage nouveau
de comédie, le valet meneur du jeu de l'amour, aux ressources infinies, à la parole alerte et joyeuse, un virtuose
du style, vif, jaillissant, plein de formules pittoresques et
de trouvailles heureuses, de ce que Victor Hugo appelait
justement « le style lumineux de *l'Étourdi* ».

Après son retour à Paris, Molière reprit *l'Étourdi* avec
un très vif succès et la pièce resta, depuis lors, au répertoire
du Palais-Royal.

L'ÉTOURDI
ou
LES CONTRETEMPS

PERSONNAGES

LÉLIE, fils de Pandolfe.
CÉLIE, esclave de Trufaldin.
MASCARILLE, valet de Lélie.
HIPPOLYTE, fille d'Anselme.
ANSELME, vieillard.
TRUFALDIN, vieillard.
PANDOLFE, vieillard.
LÉANDRE, fils de famille.
ANDRÈS, cru égyptien.
ERGASTE, valet.
UN COURRIER.
DEUX TROUPES DE MASQUES.

La scène est à Messine.

ACTE PREMIER

SCÈNE I

LÉLIE

Hé bien! Léandre, hé bien! il faudra contester :
Nous verrons de nous deux qui pourra l'emporter,
Qui dans nos soins communs pour ce jeune miracle,
Aux vœux de son rival portera plus d'obstacle.
Préparez vos efforts, et vous défendez bien,   5
Sûr que de mon côté je n'épargnerai rien.

SCÈNE II

LÉLIE, MASCARILLE

LÉLIE

Ah! Mascarille.

MASCARILLE

   Quoi ?

LÉLIE

    Voici bien des affaires;
J'ai dans ma passion toutes choses contraires :
Léandre aime Célie, et par un trait fatal,
Malgré mon changement, est toujours mon rival.   10

MASCARILLE

Léandre aime Célie!

LÉLIE

   Il l'adore, te dis-je.

MASCARILLE

Tant pis.

LÉLIE

Hé! oui, tant pis, c'est là ce qui m'afflige.
Toutefois j'aurais tort de me désespérer;
Puisque j'ai ton secours, je puis me rassurer :
Je sais que ton esprit, en intrigues fertile,   15
N'a jamais rien trouvé qui lui fût difficile,
Qu'on te peut appeler le roi des serviteurs,
Et qu'en toute la terre...

MASCARILLE

Hé! trêve de douceurs.
Quand nous faisons besoin, nous autres misérables,
Nous sommes les chéris et les incomparables;   20
Et dans un autre temps, dès le moindre courroux,
Nous sommes les coquins, qu'il faut rouer de coups.

LÉLIE

Ma foi, tu me fais tort avec cette invective.
Mais enfin discourons un peu de ma captive;
Dis si les plus cruels et plus durs sentiments   25
Ont rien d'impénétrable à des traits si charmants :
Pour moi, dans ses discours, comme dans son visage,
Je vois pour sa naissance un noble témoignage,
Et je crois que le Ciel dedans un rang si bas
Cache son origine, et ne l'en tire pas.   30

MASCARILLE

Vous êtes romanesque avec vos chimères.
Mais que fera Pandolfe en toutes ces affaires ?
C'est, Monsieur, votre père, au moins à ce qu'il dit;
Vous savez que sa bile assez souvent s'aigrit,
Qu'il peste contre vous d'une belle manière,   35
Quand vos déportements lui blessent la visière.
Il est avec Anselme en parole pour vous
Que de son Hippolyte on vous fera l'époux,
S'imaginant que c'est dans le seul mariage
Qu'il pourra rencontrer de quoi vous faire sage;   40
Et s'il vient à savoir que, rebutant son choix,
D'un objet inconnu vous recevez les lois,
Que de ce fol amour la fatale puissance
Vous soustrait au devoir de votre obéissance,
Dieu sait quelle tempête alors éclatera,   45
Et de quels beaux sermons on vous régalera.

LÉLIE

Ah! trêve, je vous prie, à votre rhétorique.

MASCARILLE

Mais vous, trêve plutôt à votre politique :
Elle n'est pas fort bonne, et vous devriez tâcher...

LÉLIE

Sais-tu qu'on n'acquiert rien de bon à me fâcher ?   50
Que chez moi les avis ont de tristes salaires ?
Qu'un valet conseiller y fait mal ses affaires ?

MASCARILLE

Il se met en courroux ! Tout ce que j'en ai dit
N'était rien que pour rire et vous sonder l'esprit :
D'un censeur de plaisirs ai-je fort l'encolure,   55
Et Mascarille est-il ennemi de nature ?
Vous savez le contraire, et qu'il est très certain
Qu'on ne peut me taxer que d'être trop humain.
Moquez-vous des sermons d'un vieux barbon de père,
Poussez votre bidet, vous dis-je, et laissez faire.   60
Ma foi, j'en suis d'avis, que ces penards chagrins
Nous viennent étourdir de leurs contes badins,
Et vertueux par force, espèrent par envie
Oter aux jeunes gens les plaisirs de la vie !
Vous savez mon talent : je m'offre à vous servir.   65

LÉLIE

Ah ! c'est par ces discours que tu peux me ravir.
Au reste, mon amour, quand je l'ai fait paraître,
N'a point été mal vu des yeux qui l'ont fait naître ;
Mais Léandre à l'instant vient de me déclarer
Qu'à me ravir Célie il se va préparer.   70
C'est pourquoi dépêchons, et cherche dans ta tête
Les moyens les plus prompts d'en faire ma conquête ;
Trouve ruses, détours, fourbes, inventions,
Pour frustrer un rival de ses prétentions.

MASCARILLE

Laissez-moi quelque temps rêver à cette affaire.   75
Que pourrais-je inventer pour ce coup nécessaire ?

LÉLIE

Hé bien ! le stratagème ?

MASCARILLE

                    Ah ! comme vous courez !
Ma cervelle toujours marche à pas mesurés.
J'ai trouvé votre fait : il faut... Non, je m'abuse.
Mais si vous alliez...

LÉLIE

Où ?

MASCARILLE

C'est une faible ruse.   80
J'en songeais une.

LÉLIE

Et quelle ?

MASCARILLE

Elle n'irait pas bien.
Mais ne pourriez-vous pas... ?

LÉLIE

Quoi ?

MASCARILLE

Vous ne pourriez rien.
Parlez avec Anselme.

LÉLIE

Et que lui puis-je dire ?

MASCARILLE

Il est vrai, c'est tomber d'un mal dedans un pire.
Il faut pourtant l'avoir. Allez chez Trufaldin.   85

LÉLIE

Que faire ?

MASCARILLE

Je ne sais.

LÉLIE

C'en est trop, à la fin ;
Et tu me mets à bout par ces contes frivoles.

MASCARILLE

Monsieur, si vous aviez en main force pistoles,
Nous n'aurions pas besoin maintenant de rêver
A chercher les biais que nous devons trouver,   90
Et pourrions, par un prompt achat de cette esclave,
Empêcher qu'un rival vous prévienne et vous brave.
De ces Égyptiens qui la mirent ici
Trufaldin, qui la garde, est en quelque souci ;
Et trouvant son argent, qu'ils lui font trop attendre,   95
Je sais bien qu'il serait très ravi de la vendre ;
Car enfin en vrai ladre il a toujours vécu :
Il se ferait fesser pour moins d'un quart d'écu,

Et l'argent est le Dieu que sur tout il révère;
Mais le mal, c'est...

LÉLIE

Quoi ? c'est ?

MASCARILLE

Que Monsieur votre père 100
Est un autre vilain qui ne vous laisse pas,
Comme vous voudriez bien, manier ses ducats;
Qu'il n'est point de ressort qui pour votre ressource
Pût faire maintenant ouvrir la moindre bourse.
Mais tâchons de parler à Célie un moment 105
Pour savoir là-dessus quel est son sentiment.
La fenêtre est ici.

LÉLIE

Mais Trufaldin pour elle
Fait de nuit et de jour exacte sentinelle :
Prends garde.

MASCARILLE

Dans ce coin demeurons en repos.
Oh bonheur! la voilà qui paraît à propos. 110

SCÈNE III

LÉLIE, CÉLIE, MASCARILLE

LÉLIE

Ah! que le Ciel m'oblige en offrant à ma vue
Les célestes attraits dont vous êtes pourvue!
Et quelque mal cuisant que m'aient causé vos yeux,
Que je prends de plaisir à les voir en ces lieux!

CÉLIE

Mon cœur, qu'avec raison votre discours étonne, 115
N'entend pas que mes yeux fassent mal à personne;
Et si dans quelque chose ils vous ont outragé,
Je puis vous assurer que c'est sans mon congé.

LÉLIE

Ah! leurs coups sont trop beaux pour me faire une injure;
Je mets toute ma gloire à chérir ma blessure, 120
Et...

MASCARILLE

Vous le prenez là d'un ton un peu trop haut :
Ce style maintenant n'est pas ce qu'il nous faut.
Profitons mieux du temps, et sachons vite d'elle
Ce que...

TRUFALDIN, *dans la maison.*

Célie!

MASCARILLE

Hé bien!

LÉLIE

Oh! rencontre cruelle!
Ce malheureux vieillard devait-il nous troubler ?   125

MASCARILLE

Allez, retirez-vous, je saurai lui parler.

SCÈNE IV

TRUFALDIN, CÉLIE, MASCARILLE,
ET LÉLIE, *retiré dans un coin.*

TRUFALDIN, *à Célie.*

Que faites-vous dehors ? et quel soin vous talonne,
Vous à qui je défends de parler à personne ?

CÉLIE

Autrefois j'ai connu cet honnête garçon,
Et vous n'avez pas lieu d'en prendre aucun soupçon.   130

MASCARILLE

Est-ce là le seigneur Trufaldin ?

CÉLIE

Oui, lui-même.

MASCARILLE

Monsieur, je suis tout vôtre, et ma joie est extrême
De pouvoir saluer en toute humilité
Un homme dont le nom est partout si vanté.

TRUFALDIN

Très humble serviteur.

MASCARILLE

J'incommode peut-être;   135
Mais je l'ai vue ailleurs, où m'ayant fait connaître

Les grands talents qu'elle a pour savoir l'avenir,
Je voulais sur un point un peu l'entretenir.

TRUFALDIN

Quoi ? te mêlerais-tu d'un peu de diablerie ?

CÉLIE

Non, tout ce que je sais n'est que blanche magie.   140

MASCARILLE

Voici donc ce que c'est. Le maître que je sers
Languit pour un objet qui le tient dans ses fers.
Il aurait bien voulu du feu qui le dévore
Pouvoir entretenir la beauté qu'il adore;
Mais un dragon veillant sur ce rare trésor   145
N'a pu, quoi qu'il ait fait, le lui permettre encor,
Et ce qui plus le gêne et le rend misérable,
Il vient de découvrir un rival redoutable :
Si bien que pour savoir si ses soins amoureux
Ont sujet d'espérer quelque succès heureux,   150
Je viens vous consulter, sûr que de votre bouche
Je puis apprendre au vrai le secret qui nous touche.

CÉLIE

Sous quel astre ton maître a-t-il reçu le jour ?

MASCARILLE

Sous un astre à jamais ne changer son amour.

CÉLIE

Sans me nommer l'objet pour qui son cœur soupire,   155
La science que j'ai m'en peut assez instruire.
Cette fille a du cœur, et dans l'adversité
Elle sait conserver une noble fierté;
Elle n'est pas d'humeur à trop faire connaître
Les secrets sentiments qu'en son cœur on fait naître; 160
Mais je les sais comme elle, et d'un esprit plus doux
Je vais en peu de mots vous les découvrir tous.

MASCARILLE

Oh! merveilleux pouvoir de la vertu magique!

CÉLIE

Si ton maître en ce point de constance se pique,
Et que la vertu seule anime son dessein,   165
Qu'il n'appréhende pas de soupirer en vain :

Il a lieu d'espérer, et le fort qu'il veut prendre
N'est pas sourd aux traités, et voudra bien se rendre.

MASCARILLE

C'est beaucoup, mais ce fort dépend d'un gouverneur
Difficile à gagner.

CÉLIE

C'est là tout le malheur.   170

MASCARILLE

Au diable le fâcheux qui toujours nous éclaire.

CÉLIE

Je vais vous enseigner ce que vous devez faire.

LÉLIE, *les joignant*.

Cessez, ô Trufaldin, de vous inquiéter :
C'est par mon ordre seul qu'il vous vient visiter,
Et je vous l'envoyais, ce serviteur fidèle,   175
Vous offrir mon service, et vous parler pour elle,
Dont je vous veux dans peu payer la liberté,
Pourvu qu'entre nous deux le prix soit arrêté.

MASCARILLE

La peste soit la bête!

TRUFALDIN

Ho! ho! qui des deux croire ?
Ce discours au premier est fort contradictoire.   180

MASCARILLE

Monsieur, ce galant homme a le cerveau blessé :
Ne le savez-vous pas ?

TRUFALDIN

Je sais ce que je sais;
J'ai crainte ici dessous de quelque manigance.
Rentrez, et ne prenez jamais cette licence;
Et vous, filous fieffés (ou je me trompe fort),   185
Mettez pour me jouer vos flûtes mieux d'accord.

MASCARILLE

C'est bien fait; je voudrais qu'encor, sans flatterie,
Il nous eût d'un bâton chargés de compagnie;
A quoi bon se montrer ? et comme un Étourdi
Me venir démentir de tout ce que je di ?   190

LÉLIE

Je pensais faire bien.

MASCARILLE

Oui, c'était fort l'entendre.
Mais quoi ? cette action ne me doit point surprendre :
Vous êtes si fertile en pareils contretemps,
Que vos écarts d'esprit n'étonnent plus les gens.

LÉLIE

Ah! mon Dieu, pour un rien me voilà bien coupable! 195
Le mal est-il si grand qu'il soit irréparable ?
Enfin, si tu ne mets Célie entre mes mains,
Songe au moins de Léandre à rompre les desseins,
Qu'il ne puisse acheter avant moi cette belle.
De peur que ma présence encor soit criminelle,   200
Je te laisse.

MASCARILLE

Fort bien. A vrai dire, l'argent
Serait dans notre affaire un sûr et fort agent;
Mais ce ressort manquant, il faut user d'un autre.

SCÈNE V

ANSELME, MASCARILLE

ANSELME

Par mon chef, c'est un siècle étrange que le nôtre!
J'en suis confus : jamais tant d'amour pour le bien,   205
Et jamais tant de peine à retirer le sien.
Les dettes aujourd'hui, quelque soin qu'on emploie,
Sont comme les enfants que l'on conçoit en joie,
Et dont avec peine on fait l'accouchement.
L'argent dans une bourse entre agréablement;   210
Mais le terme venu que nous devons le rendre,
C'est lors que les douleurs commencent à nous prendre.
Baste, ce n'est pas peu que deux mille francs dus
Depuis deux ans entiers me soient enfin rendus;
Encore est-ce un bonheur.

MASCARILLE

O Dieu! la belle proie   215
A tirer en volant! chut : il faut que je voie
Si je pourrais un peu de près le caresser.
Je sais bien les discours dont il le faut bercer.
Je viens de voir, Anselme...

ANSELME
Et qui ?

MASCARILLE
Votre Nérine.

ANSELME
Que dit-elle de moi, cette gente assassine ?   220

MASCARILLE
Pour vous elle est de flamme.

ANSELME
Elle ?

MASCARILLE
Et vous aime tant,
Que c'est grande pitié.

ANSELME
Que tu me rends content!

MASCARILLE
Peu s'en faut que d'amour la pauvrette ne meure :
« Anselme, mon mignon, crie-t-elle à toute heure,
Quand est-ce que l'hymen unira nos deux cœurs,   225
Et que tu daigneras éteindre mes ardeurs ? »

ANSELME
Mais pourquoi jusqu'ici me les avoir celées ?
Les filles, par ma foi, sont bien dissimulées!
Mascarille, en effet, qu'en dis-tu ? quoique vieux,
J'ai de la mine encore assez pour plaire aux yeux.   230

MASCARILLE
Oui, vraiment, ce visage est encor fort mettable;
S'il n'est pas des plus beaux, il est désagréable.

ANSELME
Si bien donc...

MASCARILLE
Si bien donc qu'elle est sotte de vous,
Ne vous regarde plus...

ANSELME
Quoi ?

MASCARILLE
Que comm'e un époux.
Et vous veut...

ANSELME

Et me veut... ?

MASCARILLE

  Et vous veut, quoi qu'il tienne, 235
Prendre la bourse.

ANSELME

La... ?

MASCARILLE

La bouche avec la sienne.

ANSELME

Ah! je t'entends. Viens çà : lorsque tu la verras,
Vante-lui mon mérite autant que tu pourras.

MASCARILLE

Laissez-moi faire.

ANSELME

Adieu.

MASCARILLE

Que le Ciel te conduise!

ANSELME

Ah! vraiment je faisais une étrange sottise,   240
Et tu pouvais pour toi m'accuser de froideur :
Je t'engage à servir mon amoureuse ardeur,
Je reçois par ta bouche une bonne nouvelle,
Sans du moindre présent récompenser ton zèle.
Tiens, tu te souviendras...

MASCARILLE

Ah! non pas, s'il vous plaît. 245

ANSELME

Laisse-moi.

MASCARILLE

Point du tout, j'agis sans intérêt.

ANSELME

Je le sais, mais pourtant...

MASCARILLE

Non, Anselme, vous dis-je :
Je suis homme d'honneur, cela me désoblige.

ANSELME

Adieu donc, Mascarille.

MASCARILLE

O long discours!

ANSELME

Je veux
Régaler par tes mains cet objet de mes vœux;   250
Et je vais te donner de quoi faire pour elle
L'achat de quelque bague, ou telle bagatelle
Que tu trouveras bon.

MASCARILLE

Non, laissez votre argent;
Sans vous mettre en souci, je ferai le présent,
Et l'on m'a mis en main une bague à la mode,   255
Qu'après vous payerez si cela l'accommode.

ANSELME

Soit, donne-la pour moi; mais surtout fais si bien,
Qu'elle garde toujours l'ardeur de me voir sien.

SCÈNE VI

LÉLIE, ANSELME, MASCARILLE

LÉLIE

A qui la bourse ?

ANSELME

Ah! Dieux! elle m'était tombée,
Et j'aurais après cru qu'on me l'eût dérobée.   260
Je vous suis bien tenu de ce soin obligeant,
Qui m'épargne un grand trouble, et me rend mon argent :
Je vais m'en décharger au logis tout à l'heure.

MASCARILLE

C'est être officieux, et très fort, ou je meure!

LÉLIE

Ma foi, sans moi, l'argent était perdu pour lui.   265

MASCARILLE

Certes, vous faites rage, et payez aujourd'hui
D'un jugement très rare, et d'un bonheur extrême :
Nous avancerons fort, continuez de même.

LÉLIE

Qu'est-ce donc ? qu'ai-je fait ?

MASCARILLE

Le sot, en bon français,
Puisque je puis le dire, et qu'enfin je le dois.   270
Il sait bien l'impuissance où son père le laisse,
Qu'un rival qu'il doit craindre étrangement nous presse :
Cependant, quand je tente un coup pour l'obliger,
Dont je cours, moi tout seul, la honte et le danger...

LÉLIE

Quoi ? C'était... ?

MASCARILLE

Oui, bourreau, c'était pour la captive, 275
Que j'attrapais l'argent dont votre soin nous prive.

LÉLIE

S'il est ainsi, j'ai tort ; mais qui l'eût deviné ?

MASCARILLE

Il fallait, en effet, être bien raffiné.

LÉLIE

Tu me devais par signe avertir de l'affaire.

MASCARILLE

Oui, je devais au dos avoir mon luminaire ;   280
Au nom de Jupiter, laissez-nous en repos,
Et ne nous chantez plus d'impertinents propos.
Un autre après cela quitterait tout peut-être ;
Mais j'avais médité tantôt un coup de maître,
Dont tout présentement je veux voir les effets,   285
A la charge que si...

LÉLIE

Non, je te le promets,
De ne me mêler plus de rien dire ou rien faire.

MASCARILLE

Allez donc, votre vue excite ma colère.

LÉLIE

Mais surtout hâte-toi, de peur qu'en ce dessein...

MASCARILLE

Allez, encore un coup, j'y vais mettre la main.   290

Menons bien ce projet; la fourbe sera fine,
S'il faut qu'elle succède ainsi que j'imagine.
Allons voir... Bon, voici mon homme justement.

SCÈNE VII

PANDOLFE, MASCARILLE

PANDOLFE

Mascarille.

MASCARILLE

  Monsieur ?

PANDOLFE

    A parler franchement,
Je suis mal satisfait de mon fils.

MASCARILLE

     De mon maître ? 295
Vous n'êtes pas le seul qui se plaigne de l'être :
Sa mauvaise conduite, insupportable en tout,
Met à chaque moment ma patience à bout.

PANDOLFE

Je vous croirais pourtant assez d'intelligence
Ensemble.

MASCARILLE

  Moi ? Monsieur, perdez cette croyance; 300
Toujours de son devoir je tâche à l'avertir;
Et l'on nous voit sans cesse avoir maille à partir.
A l'heure même encor nous avons eu querelle
Sur l'hymen d'Hippolyte, où je le vois rebelle,
Où par l'indignité d'un refus criminel, 305
Je le vois offenser le respect paternel.

PANDOLFE

Querelle ?

MASCARILLE

  Oui, querelle, et bien avant poussée.

PANDOLFE

Je me trompais donc bien; car j'avais la pensée
Qu'à tout ce qu'il faisait tu donnais de l'appui.

MASCARILLE

Moi! Voyez ce que c'est que du monde aujourd'hui, 310
Et comme l'innocence est toujours opprimée.
Si mon intégrité vous était confirmée,
Je suis auprès de lui gagé pour serviteur,
Vous me voudriez encor payer pour précepteur.
Oui, vous ne pourriez pas lui dire davantage 315
Que ce que je lui dis pour le faire être sage.
« Monsieur, au nom de Dieu, lui fais-je assez souvent,
Cessez de vous laisser conduire au premier vent,
Réglez-vous. Regardez l'honnête homme de père
Que vous avez du Ciel, comme on le considère; 320
Cessez de lui vouloir donner la mort au cœur,
Et comme lui vivez en personne d'honneur. »

PANDOLFE

C'est parler comme il faut. Et que peut-il répondre ?

MASCARILLE

Répondre ? Des chansons, dont il me vient confondre.
Ce n'est pas qu'en effet, dans le fond de son cœur, 325
Il ne tienne de vous des semences d'honneur;
Mais sa raison n'est pas maintenant la maîtresse.
Si je pouvais parler avecque hardiesse,
Vous le verriez dans peu soumis sans nul effort.

PANDOLFE

Parle.

MASCARILLE

C'est un secret qui m'importerait fort, 330
S'il était découvert; mais à votre prudence
Je puis le confier avec toute assurance.

PANDOLFE

Tu dis bien.

MASCARILLE

Sachez donc que vos vœux sont trahis
Par l'amour qu'une esclave imprime à votre fils.

PANDOLFE

On m'en avait parlé; mais l'action me touche, 335
De voir que je l'apprenne encore par ta bouche.

MASCARILLE

Vous voyez si je suis le secret confident...

PANDOLFE

Vraiment, je suis ravi de cela.

MASCARILLE

Cependant
A son devoir, sans bruit, désirez-vous le rendre ?
Il faut... (j'ai toujours peur qu'on nous vienne surprendre :
Ce serait fait de moi s'il savait ce discours),   [340
Il faut, dis-je, pour rompre à toute chose cours,
Acheter sourdement l'esclave idolâtrée,
Et la faire passer en une autre contrée.
Anselme a grand accès auprès de Trufaldin :   345
Qu'il aille l'acheter pour vous dès ce matin.
Après, si vous voulez en mes mains la remettre,
Je connais des marchands, et puis bien vous promettre
D'en retirer l'argent qu'elle pourra coûter,
Et malgré votre fils de la faire écarter.   350
Car enfin, si l'on veut qu'à l'hymen il se range,
A cette amour naissante il faut donner le change ;
Et de plus, quand bien même il serait résolu,
Qu'il aurait pris le joug que vous avez voulu,
Cet autre objet, pouvant réveiller son caprice,   355
Au mariage encor peut porter préjudice.

PANDOLFE

C'est très bien raisonné ; ce conseil me plaît fort.
Je vois Anselme ; va, je m'en vais faire effort
Pour avoir promptement cette esclave funeste,
Et la mettre en tes mains pour achever le reste.   360

MASCARILLE

Bon, allons avertir mon maître de ceci.
Vive la fourberie, et les fourbes aussi !

SCÈNE VIII

HIPPOLYTE, MASCARILLE

HIPPOLYTE

Oui, traître ? c'est ainsi que tu me rends service ?
Je viens de tout entendre et voir ton artifice :
A moins que de cela, l'eussé-je soupçonné ?   365
Tu couches d'imposture, et tu m'en as donné !

Tu m'avais promis, lâche, et j'avais lieu d'attendre
Qu'on te verrait servir mes ardeurs pour Léandre,
Que du choix de Lélie, où l'on veut m'obliger,
Ton adresse et tes soins sauraient me dégager,   370
Que tu m'affranchirais du projet de mon père;
Et cependant ici tu fais tout le contraire.
Mais tu t'abuscras : je sais un sûr moyen
Pour rompre cet achat où tu pousses si bien;
Et je vais de ce pas...

MASCARILLE

           Ah! que vous êtes prompte!   375
La mouche tout d'un coup à la tête vous monte
Et sans considérer s'il a raison ou non,
Votre esprit contre moi fait le petit démon.
J'ai tort, et je devrais, sans finir mon ouvrage,
Vous faire dire vrai, puisqu'ainsi l'on m'outrage.   380

HIPPOLYTE

Par quelle illusion penses-tu m'éblouir ?
Traître, peux-tu nier ce que je viens d'ouïr ?

MASCARILLE

Non, mais il faut savoir que tout cet artifice
Ne va directement qu'à vous rendre service;
Que ce conseil adroit, qui semble être sans fard,   385
Jette dans le panneau l'un et l'autre vieillard;
Que mon soin par leurs mains ne veut avoir Célie
Qu'à dessein de la mettre au pouvoir de Lélie,
Et faire que l'effet de cette invention
Dans le dernier excès portant sa passion,   390
Anselme, rebuté de son prétendu gendre,
Puisse tourner son choix du côté de Léandre.

HIPPOLYTE

Quoi ? tout ce grand projet qui m'a mise en courroux,
Tu l'as formé pour moi, Mascarille ?

MASCARILLE

                    Oui, pour vous;
Mais puisqu'on reconnaît si mal mes bons offices,   395
Qu'il me faut de la sorte essuyer vos caprices,
Et que pour récompense on s'en vient de hauteur
Me traiter de faquin, de lâche, d'imposteur,
Je m'en vais réparer l'erreur que j'ai commise,
Et dès ce même pas rompre mon entreprise.   400

HIPPOLYTE, *l'arrêtant.*

Hé! ne me traite pas si rigoureusement,
Et pardonne aux transports d'un premier mouvement.

MASCARILLE

Non, non, laissez-moi faire, il est en ma puissance
De détourner le coup qui si fort vous offense.
Vous ne vous plaindrez point de mes soins désormais : 405
Oui, vous aurez mon maître, et je vous le promets.

HIPPOLYTE

Hé! mon pauvre garçon, que ta colère cesse :
J'ai mal jugé de toi, j'ai tort, je le confesse;
                    (Tirant sa bourse.)
Mais je veux réparer ma faute avec ceci.
Pourrais-tu te résoudre à me quitter ainsi ?   410

MASCARILLE

Non, je ne le saurais, quelque effort que je fasse,
Mais votre promptitude est de mauvaise grâce.
Apprenez qu'il n'est rien qui blesse un noble cœur
Comme quand il peut voir qu'on le touche en l'honneur.

HIPPOLYTE

Il est vrai, je t'ai dit de trop grosses injures;   415
Mais que ces deux louis guérissent tes blessures.

MASCARILLE

Hé! tout cela n'est rien : je suis tendre à ces coups;
Mais déjà je commence à perdre mon courroux :
Il faut de ses amis endurer quelque chose.

HIPPOLYTE

Pourras-tu mettre à fin ce que je me propose,   420
Et crois-tu que l'effet de tes desseins hardis
Produise à mon amour le succès que tu dis ?

MASCARILLE

N'ayez point pour ce fait l'esprit sur des épines;
J'ai des ressorts tout prêts pour diverses machines;
Et quand ce stratagème à nos vœux manquerait,   425
Ce qu'il ne ferait pas, un autre le ferait.

HIPPOLYTE

Crois qu'Hippolyte au moins ne sera pas ingrate.

MASCARILLE

L'espérance du gain n'est pas ce qui me flatte.

HIPPOLYTE

Ton maître te fait signe, et veut parler à toi :
Je te quitte; mais songe à bien agir pour moi.   430

SCÈNE IX

MASCARILLE, LÉLIE

LÉLIE

Que diable fais-tu là ? Tu me promets merveille;
Mais ta lenteur d'agir est pour moi sans pareille.
Sans que mon bon génie au-devant m'a poussé,
Déjà tout mon bonheur eût été renversé :
C'était fait de mon bien, c'était fait de ma joie;   435
D'un regret éternel je devenais la proie :
Bref, si je ne me fusse en ce lieu rencontré,
Anselme avait l'esclave, et j'en étais frustré :
Il l'emmenait chez lui; mais j'ai paré l'atteinte,
J'ai détourné le coup, et tant fait, que par crainte
Le pauvre Trufaldin l'a retenue.   440

MASCARILLE

                Et trois :
Quand nous serons à dix, nous ferons une croix.
C'était par mon adresse, ô cervelle incurable!
Qu'Anselme entreprenait cet achat favorable.
Entre mes propres mains on la devait livrer,   445
Et vos soins endiablés nous en viennent sevrer;
Et puis pour votre amour je m'emploîrais encore ?
J'aimerais mieux cent fois être grosse pécore,
Devenir cruche, chou, lanterne, loup-garou,
Et que Monsieur Satan vous vînt tordre le cou.   450

LÉLIE

Il nous le faut mener en quelque hôtellerie,
Et faire sur les pots décharger sa furie.

ACTE II

SCÈNE I

MASCARILLE, LÉLIE

MASCARILLE

A vos désirs enfin il a fallu se rendre :
Malgré tous mes serments je n'ai pu m'en défendre,
Et pour vos intérêts, que je voulais laisser,   455
En de nouveaux périls viens de m'embarrasser.
Je suis ainsi facile, et si de Mascarille
Madame la Nature avait fait une fille,
Je vous laisse à penser ce que ç'aurait été.
Toutefois n'allez pas sur cette sûreté   460
Donner de vos revers au projet que je tente,
Me faire une bévue, et rompre mon attente.
Auprès d'Anselme encor nous vous excuserons,
Pour en pouvoir tirer ce que nous désirons;
Mais si dorénavant votre imprudence éclate,   465
Adieu vous dis mes soins pour l'objet qui vous flatte.

LÉLIE

Non, je serai prudent, te dis-je, ne crains rien :
Tu verras seulement...

MASCARILLE

                        Souvenez-vous-en bien :
J'ai commencé pour vous un hardi stratagème :
Votre père fait voir une paresse extrême   470
A rendre par sa mort tous vos désirs contents;
Je viens de le tuer, de parole, j'entends :
Je fais courir le bruit que d'une apoplexie
Le bonhomme surpris a quitté cette vie.
Mais avant, pour pouvoir mieux feindre ce trépas,   475
J'ai fait que vers sa grange il a porté ses pas :
On est venu lui dire, et par mon artifice,
Que les ouvriers qui sont après son édifice,
Parmi les fondements qu'ils en jettent encor,
Avaient fait par hasard rencontre d'un trésor;   480

Il a volé d'abord, et comme à la campagne
Tout son monde à présent, hors nous deux, l'accompagne,
Dans l'esprit d'un chacun je le tue aujourd'hui,
Et produis un fantôme enseveli pour lui.
Enfin je vous ai dit à quoi je vous engage :   485
Jouez bien votre rôle ; et pour mon personnage,
Si vous apercevez que j'y manque d'un mot,
Dites absolument que je ne suis qu'un sot.

LÉLIE, *seul*.

Son esprit, il est vrai, trouve une étrange voie
Pour adresser mes vœux au comble de leur joie ;   490
Mais quand d'un bel objet on est bien amoureux,
Que ne ferait-on pas pour devenir heureux ?
Si l'amour est au crime une assez belle excuse,
Il en peut bien servir à la petite ruse
Que sa flamme aujourd'hui me force d'approuver   495
Par la douceur du bien qui m'en doit arriver.
Juste ciel ! qu'ils sont prompts ! je les vois en parole :
Allons nous préparer à jouer notre rôle.

SCÈNE II

MASCARILLE, ANSELME

MASCARILLE
La nouvelle a sujet de vous surprendre fort.

ANSELME
Être mort de la sorte !

MASCARILLE
                        Il a certes grand tort :   500
Je lui sais mauvais gré d'une telle incartade.

ANSELME
N'avoir pas seulement le temps d'être malade !

MASCARILLE
Non, jamais homme n'eut si hâte de mourir.

ANSELME
Et Lélie ?

MASCARILLE
           Il se bat, et ne peut rien souffrir :
Il s'est fait en maints lieux contusion et bosse,   505

Et veut accompagner son papa dans la fosse;
Enfin, pour achever, l'excès de son transport
M'a fait en grande hâte ensevelir le mort,
De peur que cet objet, qui le rend hypocondre,
A faire un vilain coup ne me l'allât semondre.   510

ANSELME

N'importe, tu devais attendre jusqu'au soir.
Outre qu'encore un coup j'aurais voulu le voir,
Qui tôt ensevelit bien souvent assassine,
Et tel est cru défunt, qui n'en a que la mine.

MASCARILLE

Je vous le garantis trépassé comme il faut.   515
Au reste, pour venir au discours de tantôt,
Lélie (et l'action lui sera salutaire)
D'un bel enterrement veut régaler son père,
Et consoler un peu ce défunt de son sort
Par le plaisir de voir faire honneur à sa mort.   520
Il hérite beaucoup; mais comme en ses affaires
Il se trouve assez neuf et ne voit encor guères,
Que son bien, la plupart, n'est point en ces quartiers,
Ou que ce qu'il y tient consiste en des papiers,
Il voudrait vous prier, ensuite de l'instance   525
D'excuser de tantôt son trop de violence,
De lui prêter au moins pour ce dernier devoir...

ANSELME

Tu me l'as déjà dit, et je m'en vais le voir.

MASCARILLE

Jusques ici du moins tout va le mieux du monde;
Tâchons à ce progrès que le reste réponde,   530
Et de peur de trouver dans le port un écueil,
Conduisons le vaisseau de la main et de l'œil.

SCÈNE III

LÉLIE, ANSELME, MASCARILLE

ANSELME

Sortons, je ne saurais qu'avec douleur très forte
Le voir empaqueté de cette étrange sorte :
Las! en si peu de temps! il vivait ce matin!   535

MASCARILLE

En peu de temps parfois on fait bien du chemin.

LÉLIE

Ah!

ANSELME

Mais quoi ? cher Lélie, enfin il était homme :
On n'a point pour la mort de dispense de Rome.

LÉLIE

Ah!

ANSELME

Sans leur dire gare elle abat les humains,
Et contre eux de tout temps a de mauvais desseins.   540

LÉLIE

Ah!

ANSELME

Ce fier animal, pour toutes les prières,
Ne perdrait pas un coup de ses dents meurtrières :
Tout le monde y passe.

LÉLIE

Ah!

MASCARILLE

Vous avez beau prêcher,
Ce deuil enraciné ne se peut arracher.

ANSELME

Si malgré ces raisons votre ennui persévère,   545
Mon cher Lélie, au moins, faites qu'il se modère.

LÉLIE

Ah!

MASCARILLE

Il n'en fera rien, je connais son humeur.

ANSELME

Au reste, sur l'avis de votre serviteur,
J'apporte ici l'argent qui vous est nécessaire
Pour faire célébrer les obsèques d'un père...   550

LÉLIE

Ah! Ah!

MASCARILLE

Comme à ce mot s'augmente sa douleur !
Il ne peut sans mourir songer à ce malheur.

ANSELME

Je sais que vous verrez aux papiers du bonhomme
Que je suis débiteur d'une plus grande somme ;
Mais quand par ces raisons je ne vous devrais rien,   555
Vous pourriez librement disposer de mon bien.
Tenez, je suis tout vôtre, et le ferai paraître.

LÉLIE, *s'en allant.*

Ah !

MASCARILLE

Le grand déplaisir que sent Monsieur mon maître !

ANSELME

Mascarille, je crois qu'il serait à propos
Qu'il me fît de sa main un reçu de deux mots.   560

MASCARILLE

Ah !

ANSELME

Des événements l'incertitude est grande.

MASCARILLE

Ah !

ANSELME

Faisons-lui signer le mot que je demande.

MASCARILLE

Las ! en l'état qu'il est, comment vous contenter ?
Donnez-lui le loisir de se désattrister ;
Et quand ses déplaisirs prendront quelque allégeance,   565
J'aurai soin d'en tirer d'abord votre assurance.
Adieu : je sens mon cœur qui se gonfle d'ennui,
Et m'en vais tout mon soûl pleurer avecque lui !
Ah !

ANSELME, *seul.*

Le monde est rempli de beaucoup de traverses,
Chaque homme tous les jours en ressent de diverses,   570
Et jamais ici-bas...

SCÈNE IV

PANDOLFE, ANSELME

ANSELME

Ah! bons Dieux! je frémis!
Pandolfe qui revient! fût-il bien endormi!
Comme depuis sa mort sa face est amaigrie!
Las! ne m'approchez pas de plus près, je vous prie;
J'ai trop de répugnance à coudoyer un mort.   575

PANDOLFE

D'où peut donc provenir ce bizarre transport ?

ANSELME

Dites-moi de bien loin quel sujet vous amène.
Si pour me dire adieu vous prenez tant de peine,
C'est trop de courtoisie, et véritablement
Je me serais passé de votre compliment.   580
Si votre âme est en peine et cherche des prières,
Las! je vous en promets, et ne m'effrayez guères!
Foi d'homme épouvanté, je vais faire à l'instant
Prier tant Dieu pour vous que vous serez content.
   Disparaissez donc, je vous prie;   585
   Et que le Ciel par sa bonté
   Comble de joie et de santé
   Votre défunte seigneurie!

PANDOLFE, *riant.*

Malgré tout mon dépit, il m'y faut prendre part.

ANSELME

Las! pour un trépassé vous êtes bien gaillard!   590

PANDOLFE

Est-ce jeu ? dites-nous, ou bien si c'est folie,
Qui traite de défunt une personne en vie ?

ANSELME

Hélas! vous êtes mort, et je viens de vous voir.

PANDOLFE

Quoi ? j'aurais trépassé sans m'en apercevoir ?

ANSELME

Sitôt que Mascarille en a dit la nouvelle,   595
J'en ai senti dans l'âme une douleur mortelle.

PANDOLFE

Mais enfin, dormez-vous ? êtes-vous éveillé ?
Me connaissez-vous pas ?

ANSELME

                              Vous êtes habillé
D'un corps aérien qui contrefait le vôtre,
Mais qui dans un moment peut devenir tout autre.   600
Je crains fort de vous voir comme un géant grandir,
Et tout votre visage affreusement laidir.
Pour Dieu, ne prenez point de vilaine figure ;
J'ai prou de ma frayeur en cette conjoncture.

PANDOLFE

En une autre saison, cette naïveté   605
Dont vous accompagnez votre crédulité,
Anselme, me serait un charmant badinage,
Et j'en prolongerais le plaisir davantage ;
Mais avec cette mort un trésor supposé,
Dont parmi les chemins on m'a désabusé,   610
Fomente dans mon âme un soupçon légitime :
Mascarille est un fourbe, et fourbe fourbissime,
Sur qui ne peuvent rien la crainte et le remords,
Et qui pour ses desseins a d'étranges ressorts.

ANSELME

M'aurait-on joué pièce et fait supercherie ?   615
Ah ! vraiment, ma raison, vous seriez fort jolie !
Touchons un peu pour voir : en effet, c'est bien lui.
Malepeste du sot que je suis aujourd'hui !
De grâce, n'allez pas divulguer un tel conte :
On en ferait jouer quelque farce à ma honte.   620
Mais, Pandolfe, aidez-moi vous-même à retirer
L'argent que j'ai donné pour vous faire enterrer.

PANDOLFE

De l'argent, dites-vous ? ah ! c'est donc l'enclouure ?
Voilà le nœud secret de toute l'aventure ?
A votre dam. Pour moi, sans m'en mettre en souci,   625
Je vais faire informer de cette affaire-ci
Contre ce Mascarille, et si l'on peut le prendre,
Quoi qu'il puisse coûter, je veux le faire pendre.

ANSELME

Et moi, la bonne dupe, à trop croire un vaurien,
Il faut donc qu'aujourd'hui je perde et sens et bien ?   630
Il me sied bien, ma foi, de porter tête grise,
Et d'être encor si prompt à faire une sottise,
D'examiner si peu sur un premier rapport...!
Mais je vois...

SCÈNE V

LÉLIE, ANSELME

LÉLIE

Maintenant, avec ce passeport,
Je puis à Trufaldin rendre aisément visite.   635

ANSELME

A ce que je puis voir, votre douleur vous quitte.

LÉLIE

Que dites-vous ? jamais elle ne quittera
Un cœur qui chèrement toujours la nourrira.

ANSELME

Je reviens sur mes pas vous dire avec franchise
Que tantôt avec vous j'ai fait une méprise;   640
Que parmi ces louis, quoiqu'ils semblent très beaux,
J'en ai, sans y penser, mêlé que je tiens faux,
Et j'apporte sur moi de quoi mettre en leur place.
De nos faux-monnayeurs l'insupportable audace
Pullule en cet État d'une telle façon,   645
Qu'on ne reçoit plus rien qui soit hors de soupçon :
Mon Dieu! qu'on ferait bien de les faire tous pendre!

LÉLIE

Vous me faites plaisir de les vouloir reprendre;
Mais je n'en ai point vu de faux, comme je croi.

ANSELME

Je les connaîtrai bien; montrez, montrez-les-moi :   650
Est-ce tout ?

LÉLIE

Oui.

ANSELME

Tant mieux. Enfin je vous raccroche,
Mon argent bien-aimé : rentrez dedans ma poche.

Et vous, mon brave escroc, vous ne tenez plus rien.
Vous tuez donc des gens qui se portent fort bien ?
Et qu'auriez-vous donc fait sur moi, chétif beau-père ? 655
Ma foi, je m'engendrais d'une belle manière,
Et j'allais prendre en vous un beau-fils fort discret !
Allez, allez mourir de honte et de regret.

LÉLIE

Il faut dire : « J'en tiens. » Quelle surprise extrême !
D'où peut-il avoir su sitôt le stratagème ?   660

SCÈNE VI

MASCARILLE, LÉLIE

MASCARILLE

Quoi ? vous étiez sorti ? je vous cherchais partout.
Hé bien ! en sommes-nous enfin venus à bout ?
Je le donne en six coups au fourbe le plus brave.
Çà, donnez-moi que j'aille acheter notre esclave :
Votre rival après sera bien étonné.   665

LÉLIE

Ah ! mon pauvre garçon, la chance a bien tourné !
Pourrais-tu de mon sort deviner l'injustice ?

MASCARILLE

Quoi ? que serait-ce ?

LÉLIE

                    Anselme, instruit de l'artifice,
M'a repris maintenant tout ce qu'il nous prêtait,
Sous couleur de changer de l'or que l'on doutait.   670

MASCARILLE

Vous vous moquez peut-être ?

LÉLIE

                          Il est trop véritable.

MASCARILLE

Tout de bon ?

LÉLIE

              Tout de bon ; j'en suis inconsolable.
Tu te vas emporter d'un courroux sans égal.

MASCARILLE

Moi, Monsieur ? Quelque sot! la colère fait mal;
Et je veux me choyer, quoi qu'enfin il arrive;   675
Que Célie après tout soit ou libre ou captive,
Que Léandre l'achète ou qu'elle reste là,
Pour moi, je m'en soucie autant que de cela.

LÉLIE

Ah! n'aie point pour moi si grande indifférence,
Et sois plus indulgent à ce peu d'imprudence.   680
Sans ce dernier malheur, ne m'avoueras-tu pas
Que j'avais fait merveille, et qu'en ce feint trépas
J'éludais un chacun d'un deuil si vraisemblable,
Que les plus clairvoyants l'auraient cru véritable ?

MASCARILLE

Vous avez en effet sujet de vous louer.   685

LÉLIE

Hé bien! je suis coupable, et je veux l'avouer
Mais si jamais mon bien te fut considérable,
Répare ce malheur, et me sois secourable.

MASCARILLE

Je vous baise les mains, je n'ai pas le loisir.

LÉLIE

Mascarille, mon fils.

MASCARILLE

              Point.

LÉLIE

                    Fais-moi ce plaisir.   690

MASCARILLE

Non, je n'en ferai rien.

LÉLIE

                  Si tu m'es inflexible,
Je m'en vais me tuer.

MASCARILLE

Soit, il vous est loisible.

LÉLIE

Je ne te puis fléchir ?

MASCARILLE

              Non.

LÉLIE

Vois-tu le fer prêt ?

MASCARILLE

Oui.

LÉLIE

Je vais le pousser.

MASCARILLE

Faites ce qu'il vous plaît.

LÉLIE

Tu n'auras pas regret de m'arracher la vie ?   695

MASCARILLE

Non.

LÉLIE

Adieu, Mascarille.

MASCARILLE

Adieu, Monsieur Lélie.

LÉLIE

Quoi... ?

MASCARILLE

Tuez-vous donc vite : ah ! que de longs devis !

LÉLIE

Tu voudrais bien, ma foi, pour avoir mes habits,
Que je fisse le sot, et que je me tuasse.

MASCARILLE

Savais-je pas qu'enfin ce n'était que grimace,   700
Et quoi que ces esprits jurent d'effectuer,
Qu'on n'est point aujourd'hui si prompt à se tuer ?

SCÈNE VII

LÉANDRE, TRUFALDIN, LÉLIE, MASCARILLE

LÉLIE

Que vois-je ? mon rival et Trufaldin ensemble !
Il achète Célie ! ah ! de frayeur je tremble.

MASCARILLE

Il ne faut point douter qu'il fera ce qu'il peut,   705
Et s'il a de l'argent, qu'il pourra ce qu'il veut.

Pour moi, j'en suis ravi : voilà la récompense
De vos brusques erreurs, de votre impatience.

LÉLIE

Que dois-je faire ? dis, veuille me conseiller.

MASCARILLE

Je ne sais.

LÉLIE

Laisse-moi, je vais le quereller.   710

MASCARILLE

Qu'en arrivera-t-il ?

LÉLIE

Que veux-tu que je fasse
Pour empêcher ce coup ?

MASCARILLE

Allez, je vous fais grâce ;
Je jette encore un œil pitoyable sur vous :
Laissez-moi l'observer ; par des moyens plus doux
Je vais, comme je crois, savoir ce qu'il projette.   715

TRUFALDIN

Quand on viendra tantôt, c'est une affaire faite.

MASCARILLE

Il faut que je l'attrape, et que de ses desseins
Je sois le confident, pour mieux les rendre vains.

LÉANDRE

Grâces au Ciel, voilà mon bonheur hors d'atteinte ;
J'ai su me l'assurer, et je n'ai plus de crainte.   720
Quoi que désormais puisse entreprendre un rival,
Il n'est plus en pouvoir de me faire du mal.

MASCARILLE

Ahi ! ahi ! à l'aide ! au meurtre ! au secours ! on m'assomme !
Ah ! ah ! ah ! ah ! ah ! ah ! ô traître ! ô bourreau d'homme !

LÉANDRE

D'où procède cela ? qu'est-ce ? que te fait-on ?   725

MASCARILLE

On vient de me donner deux cents coups de bâton.

LÉANDRE

Qui ?

MASCARILLE

Lélie.

LÉANDRE

Et pourquoi ?

MASCARILLE

Pour une bagatelle
Il me chasse et me bat d'une façon cruelle.

LÉANDRE

Ah! vraiment il a tort.

MASCARILLE

Mais, ou je ne pourrai,
Ou je jure bien fort que je m'en vengerai ;   730
Oui, je te ferai voir, batteur que Dieu confonde!
Que ce n'est pas pour rien qu'il faut rouer le monde,
Que je suis un valet, mais fort homme d'honneur,
Et qu'après m'avoir eu quatre ans pour serviteur,
Il ne me fallait pas payer en coups de gaules,   735
Et me faire un affront si sensible aux épaules.
Je te le dis encor, je saurai m'en venger :
Une esclave te plaît, tu voulais m'engager
A la mettre en tes mains, et je veux faire en sorte
Qu'un autre te l'enlève, ou le diable m'emporte!   740

LÉANDRE

Écoute, Mascarille, et quitte ce transport :
Tu m'as plu de tout temps, et je souhaitais fort
Qu'un garçon comme toi, plein d'esprit et fidèle,
A mon service un jour pût attacher son zèle :
Enfin, si le parti te semble bon pour toi,   745
Si tu veux me servir, je t'arrête avec moi.

MASCARILLE

Oui, Monsieur! d'autant mieux que le destin propice
M'offre à me bien venger en vous rendant service,
Et que dans mes efforts pour vos contentements
Je puis à mon brutal trouver des châtiments ;   750
De Célie, en un mot, par mon adresse extrême...

LÉANDRE

Mon amour s'est rendu cet office lui-même :
Enflammé d'un objet qui n'a point de défaut,
Je viens de l'acheter encor moins qu'il ne vaut.

MASCARILLE

Quoi ? Célie est à vous ?

LÉANDRE

Tu la verrais paraître,   755
Si de mes actions j'étais tout à fait maître ;
Mais quoi ? mon père l'est : comme il a volonté
(Ainsi que je l'apprends d'un paquet apporté)
De me déterminer à l'hymen d'Hippolyte,
J'empêche qu'un rapport de tout ceci l'irrite.   760
Donc avec Trufaldin, car je sors de chez lui,
J'ai voulu tout exprès agir au nom d'autrui ;
Et l'achat fait, ma bague est la marque choisie
Sur laquelle au premier il doit livrer Célie.
Je songe auparavant à chercher les moyens   765
D'ôter aux yeux de tous ce qui charme les miens,
A trouver promptement un endroit favorable
Où puisse être en secret cette captive aimable.

MASCARILLE

Hors de la ville un peu, je puis avec raison
D'un vieux parent que j'ai vous offrir la maison :   770
Là vous pourrez la mettre avec toute assurance,
Et de cette action nul n'aura connaissance.

LÉANDRE

Oui, ma foi, tu me fais un plaisir souhaité ;
Tiens donc, et va pour moi prendre cette beauté :
Dès que par Trufaldin ma bague sera vue,   775
Aussitôt en tes mains elle sera rendue,
Et dans cette maison tu me la conduiras
Quand... Mais chut, Hippolyte est ici sur nos pas.

SCÈNE VIII

HIPPOLYTE, LÉANDRE, MASCARILLE

HIPPOLYTE

Je dois vous annoncer, Léandre, une nouvelle ;
Mais la trouverez-vous agréable, ou cruelle ?   780

LÉANDRE

Pour en pouvoir juger, et répondre soudain,
Il faudrait la savoir.

HIPPOLYTE

Donnez-moi donc la main
Jusqu'au temple; en marchant je pourrai vous l'apprendre.

LÉANDRE

Va, va-t'en me servir sans davantage attendre.

MASCARILLE

Oui, je te vais servir d'un plat de ma façon.   785
Fut-il jamais au monde un plus heureux garçon ?
Oh ! que dans un moment Lélie aura de joie!
Sa maîtresse en nos mains tomber par cette voie!
Recevoir tout son bien d'où l'on attend le mal,
Et devenir heureux par la main d'un rival !   790
Après ce rare exploit, je veux que l'on s'apprête
A me peindre en héros, un laurier sur la tête,
Et qu'au bas du portrait on mette en lettres d'or :
Vivat Mascarillus, fourbum imperator !

SCÈNE IX

TRUFALDIN, MASCARILLE

MASCARILLE

Holà !

TRUFALDIN

Que voulez-vous ?

MASCARILLE

Cette bague connue   795
Vous dira le sujet qui cause ma venue.

TRUFALDIN

Oui, je reconnais bien la bague que voilà :
Je vais querir l'esclave; arrêtez un peu là.

SCÈNE X

LE COURRIER, TRUFALDIN, MASCARILLE

LE COURRIER

Seigneur, obligez-moi de m'enseigner un homme...

TRUFALDIN

Et qui ?

LE COURRIER

Je crois que c'est Trufaldin qu'il se nomme.   800

TRUFALDIN

Et que lui voulez-vous ? Vous le voyez ici.

LE COURRIER

Lui rendre seulement la lettre que voici.

LETTRE

« Le Ciel, dont la bonté prend souci de ma vie,
Vient de me faire ouïr par un bruit assez doux
Que ma fille, à quatre ans par des voleurs ravie,   805
Sous le nom de Célie est esclave chez vous.
« Si vous sûtes jamais ce que c'est qu'être père,
Et vous trouvez sensible aux tendresses du sang,
Conservez-moi chez vous cette fille si chère,
Comme si de la vôtre elle tenait le rang.   810
« Pour l'aller retirer je pars d'ici moi-même,
Et vous vais de vos soins récompenser si bien,
Que par votre bonheur, que je veux rendre extrême,
Vous bénirez le jour où vous causez le mien.
        « *De Madrid.*
            « Dom PEDRO DE GUSMAN,
                « marquis de MONTALCANE. »

TRUFALDIN

Quoiqu'à leur nation bien peu de foi soit due,   815
Ils me l'avaient bien dit, ceux qui me l'ont vendue,
Que je verrais dans peu quelqu'un la retirer,
Et que je n'aurais pas sujet d'en murmurer ;
Et cependant j'allais par mon impatience
Perdre aujourd'hui les fruits d'une haute espérance.   820
Un seul moment plus tard tous vos pas étaient vains,
J'allais mettre en l'instant cette fille en ses mains ;
Mais suffit, j'en aurai tout le soin qu'on désire.
Vous-même vous voyez ce que je viens de lire :
Vous direz à celui qui vous a fait venir   825
Que je ne lui saurais ma parole tenir ;
Qu'il vienne retirer son argent.

MASCARILLE

Mais l'outrage

Que vous lui faites...

TRUFALDIN

Va, sans causer davantage.

MASCARILLE

Ah! le fâcheux paquet que nous venons d'avoir!
Le sort a bien donné la baye à mon espoir,   830
Et bien à la maleheure est-il venu d'Espagne,
Ce courrier que la foudre ou la grêle accompagne :
Jamais, certes, jamais plus beau commencement
N'eut en si peu de temps plus triste événement.

SCÈNE XI

LÉLIE, MASCARILLE

MASCARILLE

Quel beau transport de joie à présent vous inspire ?   835

LÉLIE

Laisse-m'en rire encore avant que te le dire.

MASCARILLE

Çà, rions donc bien fort, nous en avons sujet.

LÉLIE

Ah! je ne serai plus de tes plaintes l'objet;
Tu ne me diras plus, toi qui toujours me cries,
Que je gâte en brouillon toutes tes fourberies :   840
J'ai bien joué moi-même un tour des plus adroits.
Il est vrai, je suis prompt, et m'emporte parfois;
Mais pourtant, quand je veux, j'ai l'imaginative
Aussi bonne en effet que personne qui vive;
Et toi-même avoueras que ce que j'ai fait part   845
D'une pointe d'esprit où peu de monde a part.

MASCARILLE

Sachons donc ce qu'a fait cette imaginative.

LÉLIE

Tantôt, l'esprit ému d'une frayeur bien vive
D'avoir vu Trufaldin avecque mon rival,
Je songeais à trouver un remède à ce mal,   850
Lorsque me ramassant tout entier en moi-même,
J'ai conçu, digéré, produit un stratagème

Devant qui tous les tiens, dont tu fais tant de cas,
Doivent sans contredit mettre pavillon bas.

MASCARILLE

Mais qu'est-ce ?

LÉLIE

Ah! s'il te plaît, donne-toi patience :   855
J'ai donc feint une lettre avec diligence
Comme d'un grand seigneur écrite à Trufaldin,
Qui mande qu'ayant su par un heureux destin
Qu'une esclave qu'il tient sous le nom de Célie
Est sa fille, autrefois par des voleurs ravie,   860
Il veut la venir prendre, et le conjure au moins
De la garder toujours, de lui rendre des soins;
Qu'à ce sujet il part d'Espagne, et doit pour elle
Par de si grands présents reconnaître son zèle,
Qu'il n'aura point regret de causer son bonheur.   865

MASCARILLE

Fort bien.

LÉLIE

Écoute donc, voici bien le meilleur :
La lettre que je dis a donc été remise;
Mais sais-tu bien comment ? en saison si bien prise,
Que le porteur m'a dit que sans ce trait falot
Un homme l'emmenait, qui s'est trouvé fort sot.   870

MASCARILLE

Vous avez fait ce coup sans vous donner au diable ?

LÉLIE

Oui; d'un tour si subtil m'aurais-tu cru capable ?
Loue au moins mon adresse, et la dextérité
Dont je romps d'un rival le dessein concerté.

MASCARILLE

A vous pouvoir louer selon votre mérite   875
Je manque d'éloquence, et ma force est petite;
Oui, pour bien étaler cet effort relevé,
Ce bel exploit de guerre à nos yeux achevé,
Ce grand et rare effet d'une imaginative
Qui ne cède en vigueur à personne qui vive,   880
Ma langue est impuissante, et je voudrais avoir
Celles de tous les gens du plus exquis savoir,
Pour vous dire en beaux vers, ou bien en docte prose,
Que vous serez toujours, quoi que l'on se propose,

Tout ce que vous avez été durant vos jours,   885
C'est-à-dire un esprit chaussé tout à rebours,
Une raison malade et toujours en débauche,
Un envers du bon sens, un jugement à gauche,
Un brouillon, une bête, un brusque, un étourdi,
Que sais-je ? un... cent fois plus encor que je ne dis : 890
C'est faire en abrégé votre panégyrique.

LÉLIE

Apprends-moi le sujet qui contre moi te pique.
Ai-je fait quelque chose ? éclaircis-moi ce point.

MASCARILLE

Non, vous n'avez rien fait; mais ne me suivez point.

LÉLIE

Je te suivrai partout, pour savoir ce mystère.   895

MASCARILLE

Oui ? sus donc, préparez vos jambes à bien faire,
Car je vais vous fournir de quoi les exercer.

LÉLIE

Il m'échappe! oh! malheur qui ne se peut forcer!
Au discours qu'il m'a fait que saurais-je comprendre ?
Et quel mauvais office aurais-je pu me rendre ?   900

ACTE III

SCÈNE I

MASCARILLE, seul.

Taisez-vous, ma bonté, cessez votre entretien :
Vous êtes une sotte, et je n'en ferai rien.
Oui, vous avez raison, mon courroux, je l'avoue :
Relier tant de fois ce qu'un brouillon dénoue,
C'est trop de patience, et je dois en sortir,   905
Après de si beaux coups qu'il a su divertir.
Mais aussi, raisonnons un peu sans violence :
Si je suis maintenant ma juste impatience,

On dira que je cède à la difficulté,
Que je me trouve à bout de ma subtilité ;   910
Et que deviendra lors cette publique estime
Qui te vante partout pour un fourbe sublime,
Et que tu t'es acquise en tant d'occasions,
A ne t'être jamais vu court d'inventions ?
L'honneur, ô Mascarille, est une belle chose :   915
A tes nobles travaux ne fais aucune pause ;
Et quoi qu'un maître ait fait pour te faire enrager,
Achève pour ta gloire, et non pour l'obliger.
Mais quoi ? que feras-tu, que de l'eau toute claire,
Traversé sans repos par ce démon contraire ?   920
Tu vois qu'à chaque instant il te fait déchanter,
Et que c'est battre l'eau de prétendre arrêter
Ce torrent effréné, qui de tes artifices
Renverse en un moment les plus beaux édifices.
Hé bien ! pour toute grâce, encore un coup du moins,   925
Au hasard du succès sacrifions des soins ;
Et s'il poursuit encore à rompre notre chance,
J'y consens, ôtons-lui toute notre assistance.
Cependant notre affaire encor n'irait pas mal,
Si par là nous pouvions perdre notre rival,   930
Et que Léandre enfin, lassé de sa poursuite,
Nous laissât jour entier pour ce que je médite.
Oui, je roule en ma tête un trait ingénieux,
Dont je promettrais bien un succès glorieux,
Si je puis n'avoir plus cet obstacle à combattre :   935
Bon, voyons si son feu se rend opiniâtre.

SCÈNE II

LÉANDRE, MASCARILLE

MASCARILLE

Monsieur, j'ai perdu temps, votre homme se dédit.

LÉANDRE

De la chose lui-même il m'a fait un récit ;
Mais c'est bien plus, j'ai su que tout ce beau mystère
D'un rapt d'Égyptiens, d'un grand seigneur pour père   940
Qui doit partir d'Espagne et venir en ces lieux,
N'est qu'un pur stratagème, un trait facétieux,
Une histoire à plaisir, un conte dont Lélie
A voulu détourner notre achat de Célie.

MASCARILLE

Voyez un peu la fourbe!

LÉANDRE

Et pourtant Trufaldin   945
Est si bien imprimé de ce conte badin,
Mord si bien à l'appât de cette faible ruse,
Qu'il ne veut point souffrir que l'on le désabuse.

MASCARILLE

C'est pourquoi désormais il la gardera bien,
Et je ne vois pas lieu d'y prétendre plus rien.   950

LÉANDRE

Si d'abord à mes yeux elle parut aimable,
Je viens de la trouver tout à fait adorable,
Et je suis en suspens si, pour me l'acquérir,
Aux extrêmes moyens je ne dois point courir,
Par le don de ma foi rompre sa destinée,   955
Et changer ses liens en ceux de l'hyménée.

MASCARILLE

Vous pourriez l'épouser!

LÉANDRE

Je ne sais; mais enfin
Si quelque obscurité se trouve en son destin,
Sa grâce et sa vertu sont de douces amorces,
Qui pour tirer les cœurs ont d'incroyables forces.   960

MASCARILLE

Sa vertu, dites-vous?

LÉANDRE

Quoi? que murmures-tu?
Achève, explique-toi sur ce mot de vertu.

MASCARILLE

Monsieur, votre visage en un moment s'altère,
Et je ferai bien mieux peut-être de me taire.

LÉANDRE

Non, non, parle.

MASCARILLE

Hé bien donc! très charitablement   965
Je vous veux retirer de votre aveuglement.
Cette fille...

LÉANDRE

Poursuis.

MASCARILLE

N'est rien moins qu'inhumaine ;
Dans le particulier elle oblige sans peine ;
Et son cœur, croyez-moi, n'est point roche, après tout,
A quiconque la sait prendre par le bon bout.   970
Elle fait la sucrée, et veut passer pour prude ;
Mais je puis en parler avec certitude :
Vous savez que je suis quelque peu d'un métier
A me devoir connaître en un pareil gibier.

LÉANDRE

Célie...

MASCARILLE

Oui, sa pudeur n'est que franche grimace, 975
Qu'une ombre de vertu qui garde mal la place,
Et qui s'évanouit, comme l'on peut savoir,
Aux rayons du soleil qu'une bourse fait voir.

LÉANDRE

Las ! que dis-tu ! croirai-je un discours de la sorte ?

MASCARILLE

Monsieur, les volontés sont libres : que m'importe ? 980
Non, ne me croyez pas, suivez votre dessein,
Prenez cette matoise, et lui donnez la main :
Toute la ville en corps reconnaîtra ce zèle,
Et vous épouserez le bien public en elle.

LÉANDRE

Quelle surprise étrange !

MASCARILLE

Il a pris l'hameçon ;   985
Courage : s'il s'y peut enferrer tout de bon,
Nous nous ôtons du pied une fâcheuse épine.

LÉANDRE

Oui, d'un coup étonnant ce discours m'assassine.

MASCARILLE

Quoi ? vous pourriez... ?

LÉANDRE

Va-t'en jusqu'à la poste, et voi
Je ne sais quel paquet qui doit venir pour moi.   990

Qui ne s'y fût trompé ? jamais l'air d'un visage,
Si ce qu'il dit est vrai, n'imposa davantage.

SCÈNE III

LÉLIE, LÉANDRE

LÉLIE

Du chagrin qui vous tient quel peut être l'objet ?

LÉANDRE

Moi ?

LÉLIE

Vous-même.

LÉANDRE

Pourtant je n'en ai point sujet.

LÉLIE

Je vois bien ce que c'est, Célie en est la cause.   995

LÉANDRE

Mon esprit ne court pas après si peu de chose.

LÉLIE

Pour elle vous aviez pourtant de grands desseins ;
Mais il faut dire ainsi lorsqu'ils se trouvent vains.

LÉANDRE

Si j'étais assez sot pour chérir ses caresses,
Je me moquerais bien de toutes vos finesses.   1000

LÉLIE

Quelles finesses donc ?

LÉANDRE

Mon Dieu ! nous savons tout.

LÉLIE

Quoi ?

LÉANDRE

Votre procédé de l'un à l'autre bout.

LÉLIE

C'est de l'hébreu pour moi, je n'y puis rien comprendre.

LÉANDRE

Feignez, si vous voulez, de ne me pas entendre ;
Mais, croyez-moi, cessez de craindre pour un bien   1005
Où je serais fâché de vous disputer rien ;
J'aime fort la beauté qui n'est point profanée,
Et ne veux point brûler pour une abandonnée.

LÉLIE

Tout beau, tout beau, Léandre.

LÉANDRE

Ah ! que vous êtes bon !
Allez, vous dis-je encor, servez-la sans soupçon :   1010
Vous pourrez vous nommer homme à bonnes fortunes.
Il est vrai, sa beauté n'est pas des plus communes ;
Mais en revanche aussi le reste est fort commun.

LÉLIE

Léandre, arrêtons là ce discours importun.
Contre moi tant d'efforts qu'il vous plaira pour elle ; 1015
Mais surtout retenez cette atteinte mortelle :
Sachez que je m'impute à trop de lâcheté
D'entendre mal parler de ma divinité,
Et que j'aurai toujours bien moins de répugnance
A souffrir votre amour qu'un discours qui l'offense. 1020

LÉANDRE

Ce que j'avance ici me vient de bonne part.

LÉLIE

Quiconque vous l'a dit est un lâche, un pendard :
On ne peut imposer de tache à cette fille ;
Je connais bien son cœur.

LÉANDRE

Mais enfin Mascarille
D'un semblable procès est juge compétent :   1025
C'est lui qui la condamne.

LÉLIE

Oui ?

LÉANDRE

Lui-même.

LÉLIE

Il prétend
D'une fille d'honneur insolemment médire,

Et que peut-être encor je n'en ferai que rire ?
Gage qu'il se dédit.

LÉANDRE

Et moi gage que non.

LÉLIE

Parbleu je le ferais mourir sous le bâton,   1030
S'il m'avait soutenu des faussetés pareilles.

LÉANDRE

Moi, je lui couperais sur-le-champ les oreilles,
S'il n'était pas garant de tout ce qu'il m'a dit.

SCÈNE IV

LÉLIE, LÉANDRE, MASCARILLE

LÉLIE

Ah! bon, bon, le voilà : venez çà, chien maudit.

MASCARILLE

Quoi ?

LÉLIE

Langue de serpent fertile en impostures,   1035
Vous osez sur Célie attacher vos morsures,
Et lui calomnier la plus rare vertu
Qui puisse faire éclat sous un sort abattu ?

MASCARILLE

Doucement, ce discours est de mon industrie.

LÉLIE

Non, non, point de clin d'œil et point de raillerie :   1040
Je suis aveugle à tout, sourd à quoi que ce soit;
Fût-ce mon propre frère, il me la payerait;
Et sur ce que j'adore oser porter le blâme,
C'est me faire une plaie au plus tendre de l'âme.
Tous ces signes sont vains : quels discours as-tu faits ? 1045

MASCARILLE

Mon Dieu, ne cherchons point querelle, ou je m'en vais.

LÉLIE

Tu n'échapperas pas.

MASCARILLE

Ahi !

LÉLIE

Parle donc, confesse.

MASCARILLE

Laissez-moi ; je vous dis que c'est un tour d'adresse.

LÉLIE

Dépêche, qu'as-tu dit ! vide entre nous ce point.

MASCARILLE

J'ai dit ce que j'ai dit, ne vous emportez point.   1050

LÉLIE

Ah ! je vous ferai bien parler d'une autre sorte.

LÉANDRE

Halte un peu : retenez l'ardeur qui vous emporte.

MASCARILLE

Fut-il jamais au monde un esprit moins sensé ?

LÉLIE

Laissez-moi contenter mon courage offensé.

LÉANDRE

C'est trop que de vouloir le battre en ma présence.   1055

LÉLIE

Quoi ? châtier mes gens n'est pas en ma puissance ?

LÉANDRE

Comment vos gens ?

MASCARILLE

Encore ! il va tout découvrir.

LÉLIE

Quand j'aurais volonté de le battre à mourir,
Hé bien ! c'est mon valet.

LÉANDRE

C'est maintenant le nôtre.

LÉLIE

Le trait est admirable ! et comment donc le vôtre ?   1060
Sans doute...

MASCARILLE, *bas.*

Doucement.

LÉLIE

Hem, que veux-tu conter ?

MASCARILLE, *bas.*

Ah ! le double bourreau, qui me va tout gâter,
Et qui ne comprend rien, quelque signe qu'on donne !

LÉLIE

Vous rêvez bien, Léandre, et me la baillez bonne.
Il n'est pas mon valet ?

LÉANDRE

Pour quelque mal commis,   1065
Hors de votre service il n'a pas été mis ?

LÉLIE

Je ne sais ce que c'est.

LÉANDRE

Et plein de violence,
Vous n'avez pas chargé son dos avec outrance ?

LÉLIE

Point du tout. Moi ? l'avoir chassé, roué de coups ?
Vous vous moquez de moi, Léandre, ou lui de vous.   1070

MASCARILLE

Pousse, pousse, bourreau, tu fais bien tes affaires.

LÉANDRE

Donc les coups de bâton ne sont qu'imaginaires ?

MASCARILLE

Il ne sait ce qu'il dit, sa mémoire...

LÉANDRE

Non, non.
Tous ces signes pour toi ne disent rien de bon ;
Oui, d'un tour délicat mon esprit te soupçonne ;   1075
Mais pour l'invention, va, je te le pardonne :
C'est bien assez pour moi qu'il m'a désabusé,
De voir par quels motifs tu m'avais imposé,
Et que m'étant commis à ton zèle hypocrite,
A si bon compte encor je m'en sois trouvé quitte.   1080
Ceci doit s'appeler un avis au lecteur.
Adieu, Lélie, adieu : très humble serviteur.

MASCARILLE

Courage, mon garçon : tout heur nous accompagne ;
Mettons flamberge au vent et bravoure en campagne,
Faisons *l'Olibrius, l'occiseur d'innocents.*   1085

LÉLIE

Il t'avait accusé de discours médisants
Contre...

MASCARILLE

          Et vous ne pouviez souffrir mon artifice ?
Lui laisser son erreur, qui vous rendait service,
Et par qui son amour s'en était presque allé ?
Non, il a l'esprit franc et point dissimulé.   1090
Enfin chez son rival je m'ancre avec adresse ;
Cette fourbe en mes mains va mettre sa maîtresse :
Il me la fait manquer avec de faux rapports ;
Je veux de son rival alentir les transports :
Mon brave incontinent vient, qui le désabuse ;   1095
J'ai beau lui faire signe, et montrer que c'est ruse :
Point d'affaire, il poursuit sa pointe jusqu'au bout,
Et n'est point satisfait qu'il n'ait découvert tout :
Grand et sublime effort d'une imaginative
Qui ne le cède point à personne qui vive !   1100
C'est une rare pièce, et digne, sur ma foi,
Qu'on en fasse présent au cabinet d'un roi !

LÉLIE

Je ne m'étonne pas si je romps tes attentes,
A moins d'être informé des choses que tu tentes,
J'en ferais encor cent de la sorte.

MASCARILLE

                              Tant pis.   1105

LÉLIE

Au moins, pour t'emporter à de justes dépits,
Fais-moi dans tes desseins entrer de quelque chose ;
Mais que de leurs ressorts la porte me soit close,
C'est ce qui fait toujours que je suis pris sans vert.

MASCARILLE

Je crois que vous seriez un maître d'arme expert :   1110
Vous savez à merveille, en toutes aventures,
Prendre les contretemps et rompre les mesures.

LÉLIE

Puisque la chose est faite, il n'y faut plus penser :
Mon rival en tout cas ne peut me traverser;
Et pourvu que tes soins, en qui je me repose...   1115

MASCARILLE

Laissons là ce discours, et parlons d'autre chose :
Je ne m'apaise pas, non, si facilement;
Je suis trop en colère. Il faut premièrement
Me rendre un bon office, et nous verrons ensuite
Si je dois de vos feux reprendre la conduite.   1120

LÉLIE

S'il ne tient qu'à cela, je n'y résiste pas :
As-tu besoin, dis-moi, de mon sang, de mes bras ?

MASCARILLE

De quelle vision sa cervelle est frappée!
Vous êtes de l'humeur de ces amis d'épée
Que l'on trouve toujours plus prompts à dégainer   1125
Qu'à tirer un teston, s'il fallait le donner.

LÉLIE

Que puis-je donc pour toi ?

MASCARILLE

                        C'est que de votre père
Il faut absolument apaiser la colère.

LÉLIE

Nous avons fait la paix.

MASCARILLE

                        Oui, mais non pas pour nous.
Je l'ai fait ce matin mort pour l'amour de vous :   1130
La vision le choque, et de pareilles feintes
Aux vieillards comme lui sont de dures atteintes,
Qui sur l'état prochain de leur condition
Leur font faire à regret triste réflexion.
Le bon homme, tout vieux, chérit fort la lumière   1135
Et ne veut point de jeu dessus cette matière;
Il craint le pronostic, et contre moi fâché,
On m'a dit qu'en justice il m'avait recherché :
J'ai peur, si le logis du Roi fait ma demeure,
De m'y trouver si bien dès le premier quart d'heure,   1140
Que j'aie peine aussi d'en sortir par après.
Contre moi dès longtemps on a force décrets;

Car enfin la vertu n'est jamais sans envie,
Et dans ce maudit siècle est toujours poursuivie.
Allez donc le fléchir.

LÉLIE

    Oui, nous le fléchirons;   1145
Mais aussi tu promets...

MASCARILLE

    Ah! mon Dieu, nous verrons.
Ma foi, prenons haleine après tant de fatigues,
Cessons pour quelque temps le cours de nos intrigues
Et de nous tourmenter de même qu'un lutin :
Léandre, pour nous nuire, est hors de garde enfin, 1150
Et Célie, arrêtée avec l'artifice...

SCÈNE V

ERGASTE, MASCARILLE

ERGASTE

Je te cherchais partout pour te rendre un service,
Pour te donner avis d'un secret important.

MASCARILLE

Quoi donc ?

ERGASTE

   N'avons-nous point ici quelque écoutant ?

MASCARILLE

Non.

ERGASTE

   Nous sommes amis autant qu'on le peut être; 1155
Je sais bien tes desseins, et l'amour de ton maître.
Songez à vous tantôt : Léandre fait parti
Pour enlever Célie, et j'en suis averti
Qu'il a mis ordre à tout, et qu'il se persuade
D'entrer chez Trufaldin par une mascarade, 1160
Ayant su qu'en ce temps, assez souvent le soir,
Des femmes du quartier en masque l'allaient voir.

MASCARILLE

Oui ? Suffit. Il n'est pas au comble de sa joie;
Je pourrai bien tantôt lui souffler cette proie,

Et contre cet assaut je sais un coup fourré   1165
Par qui je veux qu'il soit de lui-même enferré :
Il ne sait pas les dons dont mon âme est pourvue.
Adieu : nous boirons pinte à la première vue.
Il faut, il faut tirer à nous ce que d'heureux
Pourrait avoir en soi ce projet amoureux,   1170
Et par une surprise adroite et non commune,
Sans courir le danger en tenter la fortune.
Si je vais me masquer pour devancer ses pas,
Léandre assurément ne nous bravera pas;
Et là, premier que lui, si nous faisons la prise,   1175
Il aura fait pour nous les frais de l'entreprise,
Puisque par son dessein déjà presque éventé,
Le soupçon tombera toujours de son côté,
Et que nous, à couvert de toutes ses poursuites,
De ce coup hasardeux ne craindrons point les suites. 1180
C'est ne se point commettre à faire de l'éclat,
Et tirer les marrons de la patte du chat.
Allons donc nous masquer avec quelques bons frères;
Pour prévenir nos gens il ne faut tarder guères.
Je sais où gît le lièvre, et me puis sans travail   1185
Fournir en un moment d'hommes et d'attirail.
Croyez que je mets bien mon adresse en usage :
Si j'ai reçu du Ciel les fourbes en partage,
Je ne suis point au rang de ces esprits mal nés
Qui cachent les talents que Dieu leur a donnés.   1190

SCÈNE VI

LÉLIE, ERGASTE

LÉLIE

Il prétend l'enlever avec sa mascarade ?

ERGASTE

Il n'est rien plus certain : quelqu'un de sa brigade
M'ayant de ce dessein instruit, sans m'arrêter
A Mascarille lors j'ai couru tout conter,
Qui s'en va, m'a-t-il dit, rompre cette partie   1195
Par une invention dessus le champ bâtie;
Et comme je vous ai rencontré par hasard,
J'ai cru que je devais de tout vous faire part.

LÉLIE

Tu m'obliges par trop avec cette nouvelle :
Va, je reconnaîtrai ce service fidèle.   1200
Mon drôle assurément leur jouera quelque trait;
Mais je veux de ma part seconder son projet :
Il ne sera pas dit qu'en un fait qui me touche,
Je ne me sois non plus remué qu'une souche.
Voici l'heure : ils seront surpris à mon aspect.   1205
Foin! que n'ai-je avec moi pris mon porte-respect ?
Mais vienne qui voudra contre notre personne :
J'ai deux bons pistolets, et mon épée est bonne.
Holà! quelqu'un, un mot.

SCÈNE VII

LÉLIE, TRUFALDIN

TRUFALDIN

Qu'est-ce ? qui me vient voir ?

LÉLIE

Fermez soigneusement votre porte ce soir.   1210

TRUFALDIN

Pourquoi ?

LÉLIE

Certaines gens font une mascarade,
Pour vous venir donner une fâcheuse aubade :
Ils veulent enlever votre Célie.

TRUFALDIN

Oh! Dieux!

LÉLIE

Et sans doute bientôt ils viennent en ces lieux :
Demeurez, vous pourrez voir tout de la fenêtre.   1215
Hé bien! qu'avais-je dit ? les voyez-vous paraître ?
Chut, je veux à vos yeux leur en faire l'affront :
Nous allons voir beau jeu, si la corde ne rompt.

SCÈNE VIII

LÉLIE, TRUFALDIN,
MASCARILLE, *masqué*.

TRUFALDIN

Oh! les plaisants robins qui pensent me surprendre!

LÉLIE

Masques, où courez-vous? le pourrait-on apprendre? 1220
Trufaldin, ouvrez-leur pour jouer un momon.
Bon Dieu! qu'elle est jolie, et qu'elle a l'air mignon!
Hé quoi? vous murmurez? mais sans vous faire outrage,
Peut-on lever le masque et voir votre visage?

TRUFALDIN

Allez, fourbes méchants; retirez-vous d'ici,   1225
Canaille; et vous, Seigneur, bonsoir, et grand merci.

LÉLIE

Mascarille, est-ce toi?

MASCARILLE

                    Nenni-da, c'est quelque autre.

LÉLIE

Hélas! quelle surprise! et quel sort est le nôtre!
L'aurais-je deviné, n'étant point averti
Des secrètes raisons qui l'avaient travesti?   1230
Malheureux que je suis, d'avoir dessous ce masque
Été sans y penser te faire cette frasque!
Il me prendrait envie, en ce juste courroux,
De me battre moi-même et me donner cent coups.

MASCARILLE

Adieu, sublime esprit, rare imaginative.   1235

LÉLIE

Las! si de ton secours la colère me prive,
A quel saint me vouerai-je?

MASCARILLE

                    Au grand diable d'enfer.

LÉLIE

Ah! si ton cœur pour moi n'est de bronze ou de fer,
Qu'encore un coup, du moins, mon imprudence ait grâce :
S'il faut pour l'obtenir que tes genoux j'embrasse,   1240
Vois-moi...

MASCARILLE

Tarare. Allons, camarades, allons :
J'entends venir des gens qui sont sur nos talons.

SCÈNE IX

LÉANDRE, *masqué, et sa suite*, TRUFALDIN

LÉANDRE

Sans bruit! ne faisons rien que de la bonne sorte.

TRUFALDIN

Quoi ? masques toute nuit assiégeront ma porte ?
Messieurs, ne gagnez point de rhumes à plaisir;   1245
Tout cerveau qui le fait est certes de loisir :
Il est un peu trop tard pour enlever Célie;
Dispensez-l'en ce soir, elle vous en supplie;
La belle est dans le lit, et ne peut vous parler;
J'en suis fâché pour vous; mais pour vous régaler   1250
Du souci qui pour elle ici vous inquiette,
Elle vous fait présent de cette cassolette.

LÉANDRE

Fi! cela sent mauvais, et je suis tout gâté :
Nous sommes découverts, tirons de ce côté.

ACTE IV

SCÈNE I

LÉLIE, MASCARILLE

MASCARILLE

Vous voilà fagoté d'une plaisante sorte.   1255

LÉLIE

Tu ranimes par là mon espérance morte.

MASCARILLE

Toujours de ma colère on me voit revenir;
J'ai beau jurer, pester, je ne m'en puis tenir.

LÉLIE

Aussi crois, si jamais je suis dans la puissance,
Que tu seras content de ma reconnaissance,   1260
Et que, quand je n'aurais qu'un seul morceau de pain...

MASCARILLE

Baste! Songez à vous dans ce nouveau dessein.
Au moins, si l'on vous voit commettre une sottise,
Vous n'imputerez plus l'erreur à la surprise :
Votre rôle en ce jeu par cœur doit être su.   1265

LÉLIE

Mais comment Trufaldin chez lui t'a-t-il reçu ?

MASCARILLE

D'un zèle simulé j'ai bridé le bon sire :
Avec empressement je suis venu lui dire,
S'il ne songeait à lui, que l'on le surprendroit;
Que l'on couchait en joue, et de plus d'un endroit,   1270
Celle dont il a vu qu'une lettre en avance
Avait si faussement divulgué la naissance;
Qu'on avait bien voulu m'y mêler quelque peu,
Mais que j'avais tiré mon épingle du jeu;
Et que, touché d'ardeur pour ce qui le regarde,   1275
Je venais l'avertir de se donner de garde.
De là, moralisant, j'ai fait de grands discours
Sur les fourbes qu'on voit ici-bas tous les jours;
Que pour moi, las du monde et de sa vie infâme,
Je voulais travailler au salut de mon âme,   1280
A m'éloigner du trouble, et pouvoir longuement
Près de quelque honnête homme être paisiblement;
Que s'il le trouvait bon, je n'aurais d'autre envie
Que de passer chez lui le reste de ma vie;
Et que même à tel point il m'avait su ravir,   1285
Que sans lui demander gages pour le servir,
Je mettrais en ses mains, que je tenais certaines,
Quelque bien de mon père et le fruit de mes peines,
Dont, advenant que Dieu de ce monde m'ôtât,
J'entendais tout de bon que lui seul héritât :   1290

C'était le vrai moyen d'acquérir sa tendresse,
Et comme, pour résoudre avec votre maîtresse
Des biais qu'on doit prendre à terminer vos vœux,
Je voulais en secret vous aboucher tous deux,
Lui-même a su m'ouvrir une voie assez belle   1295
De pouvoir hautement vous loger avec elle,
Venant m'entretenir d'un fils privé du jour
Dont cette nuit en songe il a vu le retour.
A ce propos, voici l'histoire qu'il m'a dite,
Et sur qui j'ai tantôt notre fourbe construite.   1300

LÉLIE

C'est assez, je sais tout : tu me l'as dit deux fois.

MASCARILLE

Oui, oui, mais quand j'aurais passé jusques à trois,
Peut-être encor qu'avec toute sa suffisance,
Votre esprit manquera dans quelque circonstance.

LÉLIE

Mais à tant différer je me fais de l'effort.   1305

MASCARILLE

Ah! de peur de tomber, ne courons pas si fort.
Voyez-vous, vous avez la caboche un peu dure :
Rendez-vous affermi dessus cette aventure.
Autrefois Trufaldin de Naples est sorti,
Et s'appelait alors *Zanobio Ruberti ;*   1310
Un parti qui causa quelque émeute civile,
Dont il fut seulement soupçonné dans sa ville
(De fait, il n'est pas homme à troubler un État),
L'obligea d'en sortir une nuit sans éclat.
Une fille fort jeune et sa femme laissées   1315
A quelque temps de là se trouvant trépassées,
Il en eut la nouvelle, et dans ce grand ennui,
Voulant dans quelque ville emmener avec lui,
Outre ses biens, l'espoir qui restait de sa race,
Un sien fils écolier, qui se nommait Horace,   1320
Il écrit à Bologne, où pour mieux être instruit
Un certain maître Albert jeune l'avait conduit;
Mais, pour se joindre tous, le rendez-vous qu'il donne
Durant deux ans entiers ne lui fit voir personne;
Si bien que les jugeant morts après ce temps-là,   1325
Il vint en cette ville, et prit le nom qu'il a,
Sans que de cet Albert, ni de ce fils Horace,
Douze ans aient découvert jamais la moindre trace.

Voilà l'histoire en gros, redite seulement
Afin de vous servir ici de fondement.
Maintenant, vous serez un marchand d'Arménie,   1330
Qui les aurez vus sains l'un et l'autre en Turquie.
Si j'ai plutôt qu'aucun un tel moyen trouvé,
Pour les ressusciter sur ce qu'il a rêvé,
C'est qu'en fait d'aventure il est très ordinaire   1335
De voir gens pris sur mer par quelque Turc corsaire;
Puis être à leur famille à point nommé rendus,
Après quinze ou vingt ans qu'on les a crus perdus.
Pour moi, j'ai vu déjà cent contes de la sorte :
Sans nous alambiquer, servons-nous-en; qu'importe ? 1340
Vous leur aurez ouï leur disgrâce conter,
Et leur aurez fourni de quoi se racheter;
Mais que parti plus tôt, pour chose nécessaire,
Horace vous chargea de voir ici son père,
Dont il a su le sort, et chez qui vous devez   1345
Attendre quelques jours qu'ils seraient arrivés :
Je vous ai fait tantôt des leçons étendues.

LÉLIE

Ces répétitions ne sont que superflues :
Dès l'abord mon esprit a compris tout le fait.

MASCARILLE

Je m'en vais là-dedans donner le premier trait.   1350

LÉLIE

Écoute, Mascarille, un seul point me chagrine :
S'il allait de son fils me demander la mine ?

MASCARILLE

Belle difficulté! devez-vous pas savoir
Qu'il était fort petit alors qu'il l'a pu voir ?
Et puis, outre cela, le temps et l'esclavage   1355
Pourraient-ils pas avoir changé tout son visage ?

LÉLIE

Il est vrai; mais, dis-moi, s'il connaît qu'il m'a vu,
Que faire ?
MASCARILLE
          De mémoire êtes-vous dépourvu ?
Nous avons dit tantôt qu'outre que votre image
N'avait dans son esprit pu faire qu'un passage,   1360
Pour ne vous avoir vu que durant un moment,
Et le poil et l'habit déguisaient grandement.

LÉLIE

Fort bien; mais, à propos, cet endroit de Turquie...

MASCARILLE

Tout, vous dis-je, est égal, Turquie ou Barbarie.

LÉLIE

Mais le nom de la ville où j'aurai pu les voir ?   1365

MASCARILLE

Tunis. Il me tiendra, je crois, jusques au soir :
La répétition, dit-il, est inutile,
Et j'ai déjà nommé douze fois cette ville.

LÉLIE

Va, va-t'en commencer; il ne me faut plus rien.

MASCARILLE

Au moins soyez prudent, et vous conduisez bien;   1370
Ne donnez point ici de l'imaginative.

LÉLIE

Laisse-moi gouverner : que ton âme est craintive!

MASCARILLE

Horace dans Bologne écolier, Trufaldin
Zanobio Ruberti, dans Naples citadin;
Le précepteur Albert...

LÉLIE

                    Ah! c'est me faire honte
Que de me tant prêcher : suis-je un sot à ton conte ?1375

MASCARILLE

Non pas du tout, mais bien quelque chose approchant.

LÉLIE, *seul*.

Quand il m'est inutile il fait le chien couchant;
Mais parce qu'il sent bien le secours qu'il me donne,
Sa familiarité jusque-là s'abandonne.   1380
Je vais être de près éclairé des beaux yeux
Dont la force m'impose un joug si précieux;
Je m'en vais sans obstacle, avec des traits de flamme,
Peindre à cette beauté les tourments de mon âme :
Je saurai quel arrêt je dois... Mais les voici.   1385

SCÈNE II

TRUFALDIN, LÉLIE, MASCARILLE

TRUFALDIN

Sois béni, juste Ciel, de mon sort adouci !

MASCARILLE

C'est à vous de rêver et de faire des songes,
Puisqu'en vous il est faux que songes sont mensonges.

TRUFALDIN

Quelle grâce, quels biens vous rendrai-je, Seigneur,
Vous, que je dois nommer l'ange de mon bonheur ?   1390

LÉLIE

Ce sont soins superflus, et je vous en dispense.

TRUFALDIN

J'ai, je ne sais pas où, vu quelque ressemblance
De cet Arménien.

MASCARILLE

                C'est ce que je disois ;
Mais on voit des rapports admirables parfois.

TRUFALDIN

Vous avez vu ce fils où mon espoir se fonde ?   1395

LÉLIE

Oui, seigneur Trufaldin : le plus gaillard du monde.

TRUFALDIN

Il vous a dit sa vie, et parlé fort de moi ?

LÉLIE

Plus de dix mille fois.

MASCARILLE

                Quelque peu moins, je croi.

LÉLIE

Il vous a dépeint tel que je vous vois paraître,
Le visage, le port...

TRUFALDIN

Cela pourrait-il être,   1400
Si lorsqu'il m'a pu voir il n'avait que sept ans,
Et si son précepteur même depuis ce temps
Aurait peine à pouvoir connaître mon visage ?

MASCARILLE

Le sang bien autrement conserve cette image.
Par des traits si profonds ce portrait est tracé,   1405
Que mon père...

TRUFALDIN

Suffit. Où l'avez-vous laissé ?

LÉLIE

En Turquie, à Turin.

TRUFALDIN

Turin ? mais cette ville
Est, je pense, en Piémont.

MASCARILLE

Oh ! cerveau malhabile !
Vous ne l'entendez pas : il veut dire Tunis,
Et c'est en effet là qu'il laissa votre fils ;   1410
Mais les Arméniens ont tous une habitude,
Certain vice de langue à nous autres fort rude :
C'est que dans tous les mots ils changent *nis* en *rin*,
Et pour dire *Tunis*, ils prononcent *Turin*.

TRUFALDIN

Il fallait, pour l'entendre, avoir cette lumière.   1415
Quel moyen vous dit-il de rencontrer son père ?

MASCARILLE

Voyez s'il répondra. Je repassais un peu
Quelque leçon d'escrime ; autrefois en ce jeu
Il n'était point d'adresse à mon adresse égale,
Et j'ai battu le fer en mainte et mainte salle.   1420

TRUFALDIN

Ce n'est pas maintenant ce que je veux savoir.
Quel autre nom dit-il que je devais avoir ?

MASCARILLE

Ah ! Seigneur Zanobio Ruberti, quelle joie
Est celle maintenant que le Ciel vous envoie !

LÉLIE

C'est là votre vrai nom, et l'autre est emprunté.   1425

TRUFALDIN

Mais où vous a-t-il dit qu'il reçut la clarté ?

MASCARILLE

Naples est un séjour qui paraît agréable ;
Mais pour vous ce doit être un lieu fort haïssable.

TRUFALDIN

Ne peux-tu sans parler souffrir notre discours ?

LÉLIE

Dans Naples son destin a commencé son cours.   1430

TRUFALDIN

Où l'envoyai-je jeune, et sous quelle conduite ?

MASCARILLE

Ce pauvre maître Albert a beaucoup de mérite.
D'avoir depuis Bologne accompagné ce fils,
Qu'à sa discrétion vos soins avaient commis.

TRUFALDIN

Ah !

MASCARILLE

    Nous sommes perdus, si cet entretien dure.   1435

TRUFALDIN

Je voudrais bien savoir de vous leur aventure ;
Sur quel vaisseau le sort qui m'a su travailler...

MASCARILLE

Je ne sais ce que c'est, je ne fais que bâiller ;
Mais, seigneur Trufaldin, songez-vous que peut-être
Ce Monsieur l'étranger a besoin de repaître,   1440
Et qu'il est tard aussi ?

LÉLIE

                    Pour moi, point de repas.

MASCARILLE

Ah ! vous avez plus faim que vous ne pensez pas.

TRUFALDIN

Entrez donc.

LÉLIE

Après vous.

MASCARILLE

Monsieur, en Arménie,
Les maîtres du logis sont sans cérémonie.
Pauvre esprit! pas deux mots!

LÉLIE

D'abord il m'a surpris. 1445
Mais n'appréhende plus, je reprends mes esprits,
Et m'en vais débiter avecque hardiesse...

MASCARILLE

Voici notre rival, qui ne sait pas la pièce.

SCÈNE III

LÉANDRE, ANSELME

ANSELME

Arrêtez-vous, Léandre, et souffrez un discours
Qui cherche le repos et l'honneur de vos jours :   1450
Je ne vous parle point en père de ma fille,
En homme intéressé pour ma propre famille,
Mais comme votre père ému pour votre bien,
Sans vouloir vous flatter et vous déguiser rien,
Bref, comme je voudrais, d'une âme franche et pure 1455
Que l'on fît à mon sang en pareille aventure.
Savez-vous de quel œil chacun voit cet amour,
Qui dedans une nuit vient d'éclater au jour ?
A combien de discours et de traits de risée
Votre entreprise d'hier est partout exposée ?   1460
Quel jugement on fait du choix capricieux
Qui pour femme, dit-on, vous désigne en ces lieux
Un rebut de l'Égypte, une fille coureuse,
De qui le noble emploi n'est qu'un métier de gueuse ?
J'en ai rougi pour vous, encor plus que pour moi,   1465
Qui me trouve compris dans l'éclat que je voi,
Moi, dis-je, dont la fille, à vos ardeurs promise,
Ne peut sans quelque affront souffrir qu'on la méprise.
Ah! Léandre, sortez de cet abaissement;
Ouvrez un peu les yeux sur votre aveuglement.   1470
Si notre esprit n'est pas sage à toutes les heures,
Les plus courtes erreurs sont toujours les meilleures.

Quand on ne prend en dot que la seule beauté,
Le remords est bien près de la solennité,
Et la plus belle femme a très peu de défense   1475
Contre cette tiédeur qui suit la jouissance :
Je vous le dis encor, ces bouillants mouvements,
Ces ardeurs de jeunesse et ces emportements
Nous font trouver d'abord quelques nuits agréables ;
Mais ces félicités ne sont guère durables,   1480
Et notre passion alentissant son cours,
Après ces bonnes nuits donnent de mauvais jours.
De là viennent les soins, les soucis, les misères,
Les fils déshérités par le courroux des pères.

LÉANDRE

Dans tout votre discours je n'ai rien écouté   1485
Que mon esprit déjà ne m'ait représenté.
Je sais combien je dois à cet honneur insigne
Que vous me voulez faire, et dont je suis indigne,
Et vois, malgré l'effort dont je suis combattu,
Ce que vaut votre fille et quelle est sa vertu :   1490
Aussi veux-je tâcher...

ANSELME

                On ouvre cette porte :
Retirons-nous plus loin, de crainte qu'il n'en sorte
Quelque secret poison dont vous seriez surpris.

SCÈNE IV

LÉLIE, MASCARILLE

MASCARILLE

Bientôt de notre fourbe on verra le débris,
Si vous continuez des sottises si grandes.   1495

LÉLIE

Dois-je éternellement ouïr tes réprimandes ?
De quoi te peux-tu plaindre ? Ai-je pas réussi
En tout ce que j'ai dit depuis... ?

MASCARILLE

                Coussi, coussi :
Témoin les Turcs, par vous appelés hérétiques,
Et que vous assurez, par serments authentiques,   1500

Adorer pour leurs dieux la lune et le soleil.
Passe : ce qui me donne un dépit nonpareil,
C'est qu'ici votre amour étrangement s'oublie
Près de Célie : il est ainsi que la bouillie,
Qui par un trop grand feu s'enfle, croît jusqu'aux bords,
Et de tous les côtés se répand au dehors.   [1505

LÉLIE

Pourrait-on se forcer à plus de retenue ?
Je ne l'ai presque point encore entretenue.

MASCARILLE

Oui, mais ce n'est pas tout que de ne parler pas ;
Par vos gestes, durant un moment de repas,   1510
Vous avez aux soupçons donné plus de matière,
Que d'autres ne feraient dans une année entière.

LÉLIE

Et comment donc ?

MASCARILLE

                    Comment ? chacun a pu le voir.
A table, où Trufaldin l'oblige de se seoir,
Vous n'avez toujours fait qu'avoir les yeux sur elle.   1515
Rouge, tout interdit, jouant de la prunelle,
Sans prendre jamais garde à ce qu'on vous servait,
Vous n'aviez point de soif qu'alors qu'elle buvait,
Et dans ses propres mains vous saisissant du verre,
Sans le vouloir rincer, sans rien jeter à terre,   1520
Vous buviez sur son reste, et montriez d'affecter
Le côté qu'à sa bouche elle avait su porter.
Sur les morceaux touchés de sa main délicate,
Ou mordus de ses dents, vous étendiez la patte
Plus brusquement qu'un chat dessus une souris,   1525
Et les avaliez tout ainsi que des pois gris.
Puis, outre tout cela, vous faisiez sous la table
Un bruit, un triquetrac de pieds insupportable,
Dont Trufaldin, heurté de deux coups trop pressants,
A puni par deux fois deux chiens très innocents,   1530
Qui, s'ils eussent osé, vous eussent fait querelle.
Et puis après cela votre conduite est belle ?
Pour moi, j'en ai souffert la gêne sur mon corps ;
Malgré le froid, je sue encor de mes efforts :
Attaché dessus vous, comme un joueur de boule   1535
Après le mouvement de la sienne qui roule,
Je pensais retenir toutes vos actions,
En faisant de mon corps mille contorsions.

LÉLIE

Mon Dieu! qu'il t'est aisé de condamner des choses
Dont tu ne ressens point les agréables causes!   1540
Je veux bien néanmoins, pour te plaire une fois,
Faire force à l'amour qui m'impose des lois :
Désormais...

SCÈNE V

LÉLIE, MASCARILLE, TRUFALDIN

MASCARILLE

Nous parlions des fortunes d'Horace.

TRUFALDIN

C'est bien fait. Cependant me ferez-vous la grâce
Que je puisse lui dire un seul mot en secret ?   1545

LÉLIE

Il faudrait autrement être fort indiscret.

TRUFALDIN

Écoute, sais-tu bien ce que je viens de faire ?

MASCARILLE

Non, mais si vous voulez, je ne tarderai guère,
Sans doute, à le savoir.

TRUFALDIN

                        D'un chêne grand et fort,
Dont près de deux cents ans ont fait déjà le sort,   1550
Je viens de détacher une branche admirable,
Choisie expressément de grosseur raisonnable,
Dont j'ai fait sur-le-champ, avec beaucoup d'ardeur,
Un bâton à peu près... oui, de cette grandeur.
Moins gros par l'un des bouts, mais plus que trente gaules,
Propre, comme je pense, à rosser les épaules.   [1555
Car il est bien en main, vert, noueux et massif.

MASCARILLE

Mais pour qui, je vous prie, un tel préparatif ?

TRUFALDIN

Pour toi premièrement; puis pour ce bon apôtre,
Qui veut m'en donner d'une et m'en jouer d'un autre. 1560

Pour cet Arménien, ce marchand déguisé,
Introduit sous l'appât d'un conte supposé.

MASCARILLE

Quoi ? vous ne croyez pas... ?

TRUFALDIN

                        Ne cherche point d'excuse :
Lui-même heureusement a découvert sa ruse,
Et disant à Célie, en lui serrant la main,   1565
Que pour elle il venait sous ce prétexte vain,
Il n'a pas aperçu Jeannette, ma fillole,
Laquelle a tout ouï parole pour parole;
Et je ne doute point, quoiqu'il n'en ait rien dit,
Que tu ne sois de tout le complice maudit.   1570

MASCARILLE

Ah! vous me faites tort! S'il faut qu'on vous affronte,
Croyez qu'il m'a trompé le premier à ce conte.

TRUFALDIN

Veux-tu me faire voir que tu dis vérité ?
Qu'à le chasser mon bras soit du tien assisté :
Donnons-en à ce fourbe et du long et du large,   1575
Et de tout crime après mon esprit te décharge.

MASCARILLE

Oui-da, très volontiers, je l'épousterai bien,
Et par là vous verrez que je n'y trempe en rien.
Ah! vous serez rossé, Monsieur de l'Arménie,
Qui toujours gâtez tout.

SCÈNE VI

LÉLIE, TRUFALDIN, MASCARILLE

TRUFALDIN

                Un mot, je vous supplie.   1580
Donc, Monsieur l'imposteur, vous osez aujourd'hui
Duper un honnête homme et vous jouer de lui ?

MASCARILLE

Feindre avoir vu son fils en une autre contrée,
Pour vous donner chez lui plus aisément entrée ?

TRUFALDIN

Vidons, vidons sur l'heure.

LÉLIE

Ah ! coquin !

MASCARILLE

C'est ainsi   1585

Que les fourbes...

LÉLIE

Bourreau !

MASCARILLE

...sont ajustés ici.

Garde-moi bien cela.

LÉLIE

Quoi donc ? je serais homme...

MASCARILLE

Tirez, tirez, vous dis-je, ou bien je vous assomme.

TRUFALDIN

Voilà qui me plaît fort ; rentre, je suis content.

LÉLIE

A moi ! par un valet cet affront éclatant !   1590
L'aurait-on pu prévoir, l'action de ce traître,
Qui vient insolemment de maltraiter son maître ?

MASCARILLE

Peut-on vous demander comme va votre dos ?

LÉLIE

Quoi ? tu m'oses encor tenir un tel propos ?

MASCARILLE

Voilà, voilà que c'est de ne voir pas Jeannette,   1595
Et d'avoir en tout temps une langue indiscrète ;
Mais pour cette fois-ci je n'ai point de courroux,
Je cesse d'éclater, de pester contre vous :
Quoique de l'action l'imprudence soit haute,
Ma main sur votre échine a lavé votre faute.   1600

LÉLIE

Ah ! je me vengerai de ce trait déloyal.

MASCARILLE

Vous vous êtes causé vous-même tout le mal.

LÉLIE

Moi ?

MASCARILLE

Si vous n'étiez pas une cervelle folle,
Quand vous avez parlé naguère à votre idole,
Vous auriez aperçu Jeannette sur vos pas,   1605
Dont l'oreille subtile a découvert le cas.

LÉLIE

On aurait pu surprendre un mot dit à Célie ?

MASCARILLE

Et d'où doncques viendrait cette prompte sortie ?
Oui, vous n'êtes dehors que par votre caquet :
Je ne sais si souvent vous jouez au piquet,   1610
Mais, au moins, faites-vous des écarts admirables.

LÉLIE

Oh! le plus malheureux de tous les misérables!
Mais encore, pourquoi me voir chassé par toi ?

MASCARILLE

Je ne fis jamais mieux que d'en prendre l'emploi :
Par là j'empêche au moins que de cet artifice   1615
Je ne sois soupçonné d'être auteur ou complice.

LÉLIE

Tu devais donc, pour toi, frapper plus doucement.

MASCARILLE

Quelque sot! Trufaldin lorgnait exactement;
Et puis je vous dirai, sous ce prétexte utile
Je n'étais point fâché d'évaporer ma bile :   1620
Enfin la chose est faite, et si j'ai votre foi
Qu'on ne vous verra point vouloir venger sur moi,
Soit ou directement ou par quelque autre voie,
Les coups sur votre râble assenés avec joie,
Je vous promets, aidé par le poste où je suis,   1625
De contenter vos vœux avant qu'il soit deux nuits.

LÉLIE

Quoique ton traitement ait eu trop de rudesse,
Qu'est-ce que dessus moi ne peut cette promesse ?

MASCARILLE

Vous le promettez donc ?

LÉLIE

Oui, je te le promets.

MASCARILLE

Ce n'est pas encor tout, promettez que jamais   1630
Vous ne vous mêlerez dans quoi que j'entreprenne.

LÉLIE

Soit.

MASCARILLE

Si vous y manquez, votre fièvre quartaine !

LÉLIE

Mais tiens-moi donc parole, et songe à mon repos.

MASCARILLE

Allez quitter l'habit et graisser votre dos.

LÉLIE

Faut-il que le malheur qui me suit à la trace   1635
Me fasse voir toujours disgrâce sur disgrâce ?

MASCARILLE

Quoi ? vous n'êtes pas loin ? sortez vite d'ici ;
Mais surtout gardez-vous de prendre aucun souci :
Puisque je fais pour vous, que cela vous suffise ;
N'aidez point mon projet de la moindre entreprise... 1640
Demeurez en repos.

LÉLIE

Oui, va, je m'y tiendrai.

MASCARILLE

Il faut voir maintenant quel biais je prendrai.

SCÈNE VII

ERGASTE, MASCARILLE

ERGASTE

Mascarille, je viens te dire une nouvelle
Qui donne à tes desseins une atteinte cruelle :
A l'heure que je parle, un jeune Égyptien,   1645
Qui n'est pas noir pourtant, et sent assez son bien,

Arrive accompagné d'une vieille fort hâve,
Et vient chez Trufaldin racheter cette esclave
Que vous vouliez. Pour elle il paraît fort zélé.

MASCARILLE

Sans doute, c'est l'amant dont Célie a parlé.   1650
Fut-il jamais destin plus brouillé que le nôtre ?
Sortant d'un embarras, nous entrons dans un autre.
En vain nous apprenons que Léandre est au point
De quitter la partie et ne nous troubler point;
Que son père, arrivé contre toute espérance,   1655
Du côté d'Hippolyte emporte la balance;
Qu'il a tout fait changer par son autorité,
Et va dès aujourd'hui conclure le traité :
Lorsqu'un rival s'éloigne, un autre plus funeste
S'en vient nous enlever tout l'espoir qui nous reste. 1660
Toutefois, par un trait merveilleux de mon art,
Je crois que je pourrai retarder leur départ,
Et me donner le temps qui sera nécessaire
Pour tâcher de finir cette fameuse affaire.
Il s'est fait un grand vol; par qui, l'on n'en sait rien; 1665
Eux autres rarement passent pour gens de bien :
Je veux adroitement, sur un soupçon frivole,
Faire pour quelques jours emprisonner ce drôle.
Je sais des officiers de justice altérés
Qui sont pour de tels coups de vrais délibérés :   1670
Dessus l'avide espoir de quelque paraguante,
Il n'est rien que leur art aveuglément ne tente,
Et du plus innocent, toujours à leur profit,
La bourse est criminelle, et paye son délit.

ACTE V

SCÈNE I

MASCARILLE, ERGASTE

MASCARILLE

Ah chien! ah double chien! mâtine de cervelle!   1675
Ta persécution sera-t-elle éternelle ?

ERGASTE

Par les soins vigilants de l'exempt Balafré,
Ton affaire allait bien, le drôle était coffré,
Si ton maître au moment ne fût venu lui-même,
En vrai désespéré, rompre ton stratagème :   1680
« Je ne saurais souffrir, a-t-il dit hautement,
Qu'un honnête homme soit traîné honteusement ;
J'en réponds sur sa mine, et je le cautionne. »
Et comme on résistait à lâcher sa personne,
D'abord il a chargé si bien sur les recors,   1685
Qui sont gens d'ordinaire à craindre pour leurs corps,
Qu'à l'heure que je parle ils sont encore en fuite,
Et pensent tous avoir un Lélie à leur suite.

MASCARILLE

Le traître ne sait pas que cet Égyptien
Est déjà là-dedans pour lui ravir son bien.   1690

ERGASTE

Adieu : certaine affaire à te quitter m'oblige.

MASCARILLE

Oui, je suis stupéfait de ce dernier prodige :
On dirait, et pour moi j'en suis persuadé,
Que ce démon brouillon dont il est possédé
Se plaise à me braver, et me l'aille conduire   1695
Partout où sa présence est capable de nuire.
Pourtant je veux poursuivre, et malgré tous ces coups,
Voir qui l'emportera de ce diable ou de nous.
Célie est quelque peu de notre intelligence,
Et ne voit son départ qu'avec répugnance :   1700
Je tâche à profiter de cette occasion.
Mais ils viennent : songeons à l'exécution.
Cette maison meublée est en ma bienséance,
Je puis en disposer avec grande licence ;
Si le sort nous en dit, tout sera bien réglé ;   1705
Nul que moi ne s'y tient, et j'en garde la clé.
O Dieu ! qu'en peu de temps on a vu d'aventures,
Et qu'un fourbe est contraint de prendre de figures !

SCÈNE II

CÉLIE, ANDRÈS

ANDRÈS

Vous le savez, Célie, il n'est rien que mon cœur
N'ait fait pour vous prouver l'excès de son ardeur.   1710
Chez les Vénitiens, dès un assez jeune âge,
La guerre en quelque estime avait mis mon courage,
Et j'y pouvais un jour, sans trop croire de moi,
Prétendre, en les servant, un honorable emploi,
Lorsqu'on me vit pour vous oublier toute chose,   1715
Et que le prompt effet d'une métamorphose
Qui suivit de mon cœur le soudain changement,
Parmi vos compagnons sut ranger votre amant,
Sans que mille accidents, ni votre indifférence
Aient pu me détacher de ma persévérance.   1720
Depuis, par un hasard d'avec vous séparé,
Pour beaucoup plus de temps que je n'eusse auguré,
Je n'ai pour vous rejoindre épargné temps ni peine.
Enfin, ayant trouvé la vieille Égyptienne,
Et plein d'impatience, apprenant votre sort,   1725
Que pour certain argent qui leur importait fort,
Et qui de tous vos gens détourna le naufrage,
Vous aviez en ces lieux été mise en otage,
J'accours vite y briser ces chaînes d'intérêt,
Et recevoir de vous les ordres qu'il vous plaît.   1730
Cependant on vous voit une morne tristesse,
Alors que dans vos yeux doit briller l'allégresse.
Si pour vous la retraite avait quelques appas,
Venise du butin fait parmi les combats
Me garde pour tous deux de quoi pouvoir y vivre.   1735
Que si comme devant il vous faut encor suivre,
J'y consens, et mon cœur n'ambitionnera
Que d'être auprès de vous tout ce qu'il vous plaira.

CÉLIE

Votre zèle pour moi visiblement éclate;
Pour en paraître triste il faudrait être ingrate,   1740
Et mon visage aussi par son émotion
N'explique point mon cœur en cette occasion :

Une douleur de tête y peint sa violence,
Et si j'avais sur vous quelque peu de puissance,
Notre voyage, au moins pour trois ou quatre jours,   1745
Attendrait que ce mal eût pris un autre cours.

ANDRÈS

Autant que vous voudrez faites qu'il se diffère,
Toutes mes volontés ne butent qu'à vous plaire.
Cherchons une maison à vous mettre en repos :
L'écriteau que voici s'offre tout à propos.   1750

SCÈNE III

MASCARILLE, CÉLIE, ANDRÈS

ANDRÈS

Seigneur suisse, êtes-vous de ce logis le maître ?

MASCARILLE

Moi, pour serfir à fous.

ANDRÈS

            Pourrons-nous y bien être ?

MASCARILLE

Oui, moi pour d'estrancher chappon champre garni;
Mais ché non point locher te gent te méchant vi.

ANDRÈS

Je crois votre maison franche de tout ombrage.   1755

MASCARILLE

Fous nouviau dant sti fil, moi foir à la fissage.

ANDRÈS

Oui.

MASCARILLE

        La Matame est-il mariage al Montsieur ?

ANDRÈS

Quoi ?

MASCARILLE

        S'il être son fame, ou s'il être son sœur ?

ANDRÈS

Non.

MASCARILLE

Mon foi, pien choli. Finir pour marchandisse,
Ou pien pour temanter à la Palais choustice ?   1760
La procès il fault rien : il coûter tant tarchant;
La procurair larron, la focat pien méchant.

ANDRÈS

Ce n'est pas pour cela.

MASCARILLE

Fous tonc mener sti file
Pour fenir pourmener, et recarter la file ?

ANDRÈS

Il n'importe. Je suis à vous dans un moment.   1765
Je vais faire venir la vieille promptement,
Contremander aussi notre voiture prête.

MASCARILLE

Li ne porte pas pien ?

ANDRÈS

Elle a mal à la tête.

MASCARILLE

Moi, chavoir de pon fin et de fromage pon.
Entre fous, entre fous dans mon petit maisson.   1770

SCÈNE IV

LÉLIE, ANDRÈS

LÉLIE

Quel que soit le transport d'une âme impatiente,
Ma parole m'engage à rester en attente,
A laisser faire un autre, et voir, sans rien oser,
Comme de mes destins le Ciel veut disposer.
Demandiez-vous quelqu'un dedans cette demeure ?   1775

ANDRÈS

C'est un logis garni que j'ai pris tout à l'heure.

LÉLIE

A mon père pourtant la maison appartient,
Et mon valet la nuit pour la garder s'y tient.

ANDRÈS

Je ne sais; l'écriteau marque au moins qu'on la loue :
Lisez.

LÉLIE

Certes, ceci me surprend, je l'avoue.   1780
Qui diantre l'aurait mis, et par quel intérêt... ?
Ah! ma foi, je devine à peu près ce que c'est :
Cela ne peut venir que de ce que j'augure.

ANDRÈS

Peut-on vous demander quelle est cette aventure ?

LÉLIE

Je voudrais à tout autre en faire un grand secret;   1785
Mais pour vous il n'importe, et vous serez discret.
Sans doute l'écriteau que vous voyez paraître,
Comme je conjecture au moins, ne saurait être
Que quelque invention du valet que je di,
Que quelque nœud subtil qu'il doit avoir ourdi,   1790
Pour mettre en mon pouvoir certaine Égyptienne
Dont j'ai l'âme piquée, et qu'il faut que j'obtienne;
Je l'ai déjà manquée, et même plusieurs coups.

ANDRÈS

Vous l'appelez ?

LÉLIE

Célie.

ANDRÈS

Hé! que ne disiez-vous ?
Vous n'aviez qu'à parler, je vous aurais sans doute   1795
Épargné tous les soins que ce projet vous coûte.

LÉLIE

Quoi ? Vous la connaissez ?

ANDRÈS

C'est moi qui maintenant
Viens de la racheter.

LÉLIE

Oh! discours surprenant!

ANDRÈS

Sa santé de partir ne nous pouvant permettre,
Au logis que voilà je venais de la mettre,   1800
Et je suis très ravi, dans cette occasion,
Que vous m'ayez instruit de votre intention.

LÉLIE

Quoi ? j'obtiendrais de vous le bonheur que j'espère ?
Vous pourriez... ?

ANDRÈS

Tout à l'heure on va vous satisfaire.

LÉLIE

Que pourrai-je vous dire, et quel remercîment... ?   1805

ANDRÈS

Non, ne m'en faites point, je n'en veux nullement.

SCÈNE V

MASCARILLE, LÉLIE, ANDRÈS

MASCARILLE

Hé bien ! ne voilà pas mon enragé de maître !
Il nous va faire encor quelque nouveau bissêtre.

LÉLIE

Sous ce grotesque habit qui l'aurait reconnu ?
Approche, Mascarille, et sois le bienvenu.   1810

MASCARILLE

Moi souis ein chant honneur, moi non point Maquerille :
Chai point fentre chamais le fame ni le fille.

LÉLIE

Le plaisant baragouin ! il est bon, sur ma foi.

MASCARILLE

Alle fous pourmener, sans toi rire te moi.

LÉLIE

Va, va, lève le masque, et reconnais ton maître.   1815

MASCARILLE

Partieu, tiaple, mon foi ! jamais toi chai connaître.

LÉLIE

Tout est accommodé, ne te déguise point.

MASCARILLE

Si toi point en aller, chai paille ein cou te point.

LÉLIE

Ton jargon allemand est superflu, te dis-je;
Car nous sommes d'accord, et sa bonté m'oblige :   1820
J'ai tout ce que mes vœux lui pouvaient demander,
Et tu n'as pas sujet de rien appréhender.

MASCARILLE

Si vous êtes d'accord par un bonheur extrême,
Je me dessuisse donc, et redeviens moi-même.

ANDRÈS

Ce valet vous servait avec beaucoup de feu.   1825
Mais je reviens à vous, demeurez quelque peu.

LÉLIE

Hé bien! que diras-tu ?

MASCARILLE

                    Que j'ai l'âme ravie
De voir d'un beau succès notre peine suivie.

LÉLIE

Tu feignais à sortir de ton déguisement,
Et ne pouvais me croire en cet événement ?   1830

MASCARILLE

Comme je vous connais, j'étais dans l'épouvante,
Et trouve l'aventure aussi fort surprenante.

LÉLIE

Mais confesse qu'enfin c'est avoir fait beaucoup;
Au moins j'ai réparé mes fautes à ce coup,
Et j'aurai cet honneur d'avoir fini l'ouvrage.   1835

MASCARILLE

Soit, vous aurez été bien plus heureux que sage.

SCÈNE VI

CÉLIE, MASCARILLE, LÉLIE, ANDRÈS

ANDRÈS

N'est-ce pas là l'objet dont vous m'avez parlé ?

LÉLIE

Ah! quel bonheur au mien pourrait être égalé ?

ANDRÈS

Il est vrai, d'un bienfait je vous suis redevable :
Si je ne l'avouais, je serais condamnable;   1840
Mais enfin ce bienfait aurait trop de rigueur,
S'il fallait le payer aux dépens de mon cœur;
Jugez donc le transport où sa beauté me jette,
Si je dois à ce prix vous acquitter ma dette :
Vous êtes généreux, vous ne le voudriez pas.   1845
Adieu pour quelques jours : retournons sur nos pas.

MASCARILLE

Je ris, et toutefois je n'en ai guère envie.
Vous voilà bien d'accord, il vous donne Célie,
Et... Vous m'entendez bien.

LÉLIE

                                        C'est trop : je ne veux plus
Te demander pour moi de secours superflus;   1850
Je suis un chien, un traître, un bourreau détestable,
Indigne d'aucun soin, de rien faire incapable.
Va, cesse tes efforts pour un malencontreux
Qui ne saurait souffrir que l'on le rende heureux :
Après tant de malheurs, après mon imprudence,   1855
Le trépas me doit seul prêter son assistance.

MASCARILLE

Voilà le vrai moyen d'achever son destin;
Il ne lui manque plus que de mourir, enfin,
Pour le couronnement de toutes ses sottises.
Mais en vain son dépit pour ses fautes commises   1860
Lui fait licencier mes soins et mon appui :
Je veux, quoi qu'il en soit, le servir malgré lui,
Et dessus son lutin obtenir la victoire :
Plus l'obstacle est puissant, plus on reçoit de gloire,
Et les difficultés dont on est combattu   1865
Sont les dames d'atour qui parent la vertu.

SCÈNE VII

MASCARILLE, CÉLIE

CÉLIE

Quoi que tu veuilles dire et que l'on se propose,
De ce retardement j'attends fort peu de chose :

Ce qu'on voit de succès peut bien persuader
Qu'ils ne sont pas encor fort près de s'accorder;   1870
Et je t'ai déjà dit qu'un cœur comme le nôtre
Ne voudrait pas pour l'un faire injustice à l'autre,
Et que très fortement, par de différents nœuds,
Je me trouve attachée au parti de tous deux.
Si Lélie a pour lui l'amour et sa puissance,   1875
Andrès pour son partage a la reconnaissance,
Qui ne souffrira point que mes pensers secrets
Consultent jamais rien contre ses intérêts :
Oui, s'il ne peut avoir plus de place en mon âme,
Si le don de mon cœur ne couronne sa flamme,   1880
Au moins dois-je ce prix à ce qu'il fait pour moi,
De n'en choisir point d'autre au mépris de sa foi,
Et de faire à mes vœux autant de violence
Que j'en fais aux désirs qu'il met en évidence.
Sur ces difficultés qu'oppose mon devoir,   1885
Juge ce que tu peux te permettre d'espoir.

MASCARILLE

Ce sont, à dire vrai, de très fâcheux obstacles,
Et je ne sais point l'art de faire des miracles;
Mais je vais employer mes efforts plus puissants,
Remuer terre et ciel, m'y prendre de tout sens,   1890
Pour tâcher de trouver un biais salutaire,
Et vous dirai bientôt ce qui se pourra faire.

SCÈNE VIII

CÉLIE, HIPPOLYTE

HIPPOLYTE

Depuis votre séjour, les dames de ces lieux
Se plaignent justement des larcins de vos yeux,
Si vous leur dérobez leurs conquêtes plus belles   1895
Et de tous leurs amants faites des infidèles.
Il n'est guère de cœurs qui puissent échapper
Aux traits dont à l'abord vous savez les frapper,
Et mille libertés à vos chaînes offertes
Semblent vous enrichir chaque jour de nos pertes.   1900
Quant à moi toutefois, je ne me plaindrais pas
Du pouvoir absolu de vos rares appas,
Si lorsque mes amants sont devenus les vôtres,
Un seul m'eût consolé de la perte des autres;

Mais qu'inhumainement vous me les ôtiez tous,   1905
C'est un dur procédé, dont je me plains à vous.

CÉLIE

Voilà d'un air galant faire une raillerie;
Mais épargnez un peu celle qui vous en prie.
Vos yeux, vos propres yeux, se connaissent trop bien
Pour pouvoir de ma part redouter jamais rien :   1910
Ils sont fort assurés du pouvoir de leurs charmes,
Et ne prendront jamais de pareilles alarmes.

HIPPOLYTE

Pourtant en ce discours je n'ai rien avancé
Qui dans tous les esprits ne soit déjà passé;
Et sans parler du reste, on sait bien que Célie   1915
A causé des désirs à Léandre et Lélie.

CÉLIE

Je crois qu'étant tombés dans cet aveuglement,
Vous vous consoleriez de leur perte aisément,
Et trouveriez pour vous l'amant peu souhaitable
Qui d'un si mauvais choix se trouverait capable.   1920

HIPPOLYTE

Au contraire, j'agis d'un air tout différent,
Et trouve en vos beautés un mérite si grand,
J'y vois tant de raisons capables de défendre
L'inconstance de ceux qui s'en laissent surprendre,
Que je ne puis blâmer la nouveauté des feux   1925
Dont envers moi Léandre a parjuré ses vœux,
Et le vais voir tantôt, sans haine et sans colère,
Ramené sous mes lois par le pouvoir d'un père.

SCÈNE IX

MASCARILLE, CÉLIE, HIPPOLYTE

MASCARILLE

Grande, grande nouvelle, et succès surprenant,
Que ma bouche vous vient annoncer maintenant!   1930

CÉLIE

Qu'est-ce donc ?

MASCARILLE

Écoutez, voici, sans flatterie...

CÉLIE

Quoi ?

MASCARILLE

La fin d'une vraie et pure comédie.
La vieille Égyptienne à l'heure même...

CÉLIE

Hé bien ?

MASCARILLE

Passait dedans la place, et ne songeait à rien,
Alors qu'une autre vieille assez défigurée,   1935
L'ayant de près, au nez, longtemps considérée,
Par un bruit enroué de mots injurieux
A donné le signal d'un combat furieux,
Qui pour armes pourtant, mousquets, dagues ou flèches,
Ne faisait voir en l'air que quatre griffes sèches,   1940
Dont ces deux combattants s'efforçaient d'arracher
Ce peu que sur leurs os les ans laissent de chair.
On n'entend que ces mots : chienne, louve, bagace !
D'abord leurs scoffions ont volé par la place,
Et laissant voir à nu deux têtes sans cheveux,   1945
Ont rendu le combat risiblement affreux.
Andrès et Trufaldin, à l'éclat du murmure,
Ainsi que force monde, accourus d'aventure,
Ont à les décharpir eu de la peine assez,
Tant leurs esprits étaient par la fureur poussés.   1950
Cependant que chacune, après cette tempête,
Songe à cacher aux yeux la honte de sa tête,
Et que l'on veut savoir qui causait cette humeur,
Celle qui la première avait fait la rumeur,
Malgré la passion dont elle était émue,   1955
Ayant sur Trufaldin tenu longtemps la vue :
« C'est vous, si quelque erreur n'abuse ici mes yeux,
Qu'on m'a dit qui viviez inconnu dans ces lieux »,
A-t-elle dit tout haut : « oh ! rencontre opportune !
Oui, Seigneur Zanobio Ruberti, la fortune   1960
Me fait vous reconnaître, et dans le même instant
Que pour votre intérêt je me tourmentais tant.
Lorsque Naples vous vit quitter votre famille,
J'avais, vous le savez, en mes mains votre fille,
Dont j'élevais l'enfance, et qui par mille traits   1965
Faisait voir dès quatre ans sa grâce et ses attraits.
Celle que vous voyez, cette infâme sorcière,
Dedans notre maison se rendant familière,

Me vola ce trésor. Hélas! de ce malheur
Votre femme, je crois, conçut tant de douleur,   1970
Que cela servit fort pour avancer sa vie :
Si bien qu'entre mes mains cette fille ravie
Me faisant redouter un reproche fâcheux,
Je vous fis annoncer la mort de toutes deux;
Mais il faut maintenant, puisque je l'ai connue,   1975
Qu'elle fasse savoir ce qu'elle est devenue. »
Au nom de Zanobio Ruberti, que sa voix
Pendant tout ce récit répétait plusieurs fois,
Andrès, ayant changé quelque temps de visage,
A Trufaldin surpris a tenu ce langage :   1980
« Quoi donc ? le Ciel me fait trouver heureusement
Celui que jusqu'ici j'ai cherché vainement,
Et que j'avais pu voir sans pourtant reconnaître
La source de mon sang et l'auteur de mon être!
Oui, mon père, je suis Horace, votre fils :   1985
D'Albert, qui me gardait, les jours étant finis,
Me sentant naître au cœur d'autres inquiétudes,
Je sortis de Bologne, et quittant mes études,
Portai durant six ans mes pas en divers lieux,
Selon que me poussait un désir curieux.   1990
Pourtant, après ce temps, une secrète envie
Me pressa de revoir les miens et ma patrie.
Mais dans Naples, hélas! je ne vous trouvai plus,
Et n'y sus votre sort que par des bruits confus :
Si bien qu'à votre quête ayant perdu mes peines,   1995
Venise pour un temps borna mes courses vaines;
Et j'ai vécu depuis sans que de ma maison
J'eusse d'autres clartés que d'en savoir le nom. »
Je vous laisse à juger si pendant ces affaires
Trufaldin ressentait des transports ordinaires.   2000
Enfin (pour retrancher ce que plus à loisir
Vous aurez le moyen de vous faire éclaircir
Par la confession de votre Égyptienne),
Trufaldin maintenant vous reconnaît pour sienne;
Andrès est votre frère; et comme de sa sœur   2005
Il ne peut plus songer à se voir possesseur,
Une obligation qu'il prétend reconnaître
A fait qu'il vous obtient pour épouse à mon maître,
Dont le père, témoin de tout l'événement,
Donne à cette hyménée un plein consentement;   2010
Et pour mettre une joie entière en sa famille,
Pour le nouvel Horace a proposé sa fille,
Voyez que d'incidents à la fois enfantés.

CÉLIE

Je demeure immobile à tant de nouveautés.

MASCARILLE

Tous viennent sur mes pas, hors les deux championnes,
Qui du combat encor remettent leurs personnes ;   [2015
Léandre est de la troupe, et votre père aussi :
Moi, je vais avertir mon maître de ceci,
Et que, lorsqu'à ses vœux on croit le plus d'obstacle,
Le Ciel en sa faveur produit comme un miracle.   2020

HIPPOLYTE

Un tel ravissement rend mes esprits confus,
Que pour mon propre sort je n'en aurais pas plus.
Mais les voici venir.

SCÈNE X

TRUFALDIN, ANSELME, PANDOLFE,
ANDRÈS, CÉLIE, HIPPOLYTE, LÉANDRE

TRUFALDIN

Ah ! ma fille.

CÉLIE

Ah ! mon père.

TRUFALDIN

Sais-tu déjà comment le Ciel nous est prospère ?

CÉLIE

Je viens d'entendre ici ce succès merveilleux.   2025

HIPPOLYTE, *à Léandre.*

En vain vous parleriez pour excuser vos feux,
Si j'ai devant les yeux ce que vous pouvez dire.

LÉANDRE

Un généreux pardon est ce que je désire ;
Mais j'atteste les Cieux qu'en ce retour soudain
Mon père fait bien moins que mon propre dessein.   2030

ANDRÈS, *à Célie.*

Qui l'aurait jamais cru, que cette ardeur si pure
Pût être condamnée un jour par la nature ?

Toutefois tant d'honneur la sut toujours régir,
Qu'en y changeant fort peu je puis la retenir.

CÉLIE

Pour moi, je me blâmais, et croyais faire faute,   2035
Quand je n'avais pour vous qu'une estime très haute :
Je ne pouvais savoir quel obstacle puissant
M'arrêtait sur un pas si doux et si glissant,
Et détournait mon cœur de l'aveu d'une flamme
Que mes sens s'efforçaient d'introduire en mon âme.   2040

TRUFALDIN

Mais en te recouvrant que diras-tu de moi,
Si je songe aussitôt à me priver de toi,
Et t'engage à son fils sous les lois d'hyménée ?

CÉLIE

Que de vous maintenant dépend ma destinée.

SCÈNE XI

TRUFALDIN, MASCARILLE, LÉLIE, ANSELME, PANDOLFE,
CÉLIE, ANDRÈS, HIPPOLYTE, LÉANDRE

MASCARILLE

Voyons si votre diable aura bien le pouvoir   2045
De détruire à ce coup un si solide espoir,
Et si contre l'excès du bien qui vous arrive
Vous armerez encor votre imaginative.
Par un coup imprévu des destins les plus doux,
Vos vœux sont couronnés, et Célie est à vous.   2050

LÉLIE

Croirai-je que du Ciel la puissance absolue... ?

TRUFALDIN

Oui, mon gendre, il est vrai.

PANDOLFE

      La chose est résolue.

ANDRÈS

Je m'acquitte par là de ce que je vous dois.

LÉLIE, *à Mascarille.*

Il faut que je t'embrasse, et mille et mille fois,
Dans cette joie...

MASCARILLE

Ahi, ahi! doucement, je vous prie :   2055
Il m'a presque étouffé. Je crains fort pour Célie,
Si vous la caressez avec tant de transport.
De vos embrassements on se passerait fort.

TRUFALDIN, *à Lélie.*

Vous savez le bonheur que le Ciel me renvoie;
Mais puisqu'un même jour nous met tous dans la joie,   2060
Ne nous séparons point qu'il ne soit terminé,
Et que son père aussi nous soit vite amené.

MASCARILLE

Vous voilà tous pourvus : n'est-il point quelque fille
Qui pût accommoder le pauvre Mascarille ?
A voir chacun se joindre à sa chacune ici,   2065
J'ai des démangeaisons de mariage aussi.

ANSELME

J'ai ton fait.

MASCARILLE

Allons donc, et que les Cieux prospères
Nous donnent des enfants dont nous soyons les pères.

La seconde comédie que Molière écrivit et créa en province est le *Dépit amoureux* joué à Béziers en décembre 1656 et repris à Paris en 1658 avec succès. Comme *l'Étourdi*, c'est une comédie en cinq actes, en vers, empruntée encore à un modèle italien, *l'Interesse*, de Secchi (1581). Comme *l'Étourdi* encore, c'est une comédie d'intrigue, romanesque, comportant un *imbroglio* extrêmement compliqué, aux péripéties innombrables, et fort invraisemblables de surcroît. Le thème est celui de la substitution d'enfant, encore compliqué du fait qu'une fille a été substituée à un garçon et qu'elle est donc obligée de se travestir. Le même thème sera repris en 1666 par Gilbert dans sa comédie des *Intrigues amoureuses*, où il est, il faut bien le dire, traité avec plus d'aisance et de clarté que par Molière. A la fin du XVIIIe siècle, un comédien, Valville, établit une version simplifiée du *Dépit amoureux*, en deux actes, qui s'est en quelque sorte substituée depuis lors au texte original.

Dans cette pièce où le spectateur, et encore plus le lecteur, perd vite le fil d'une intrigue trop complexe, car Molière a surenchéri sur son modèle italien, il faut voir le dernier exercice purement littéraire d'un acteur qui va bientôt produire ses pièces les plus originales. C'est le dernier travail de l'apprenti consciencieux. Mais dans cette pièce beaucoup trop lourdement imaginée, surchargée de péripéties, Molière n'a retrouvé ni l'aisance, ni le style brillant de *l'Étourdi*. Il s'est embourbé dans son sujet; la pièce est bien inférieure à la précédente, pleine d'obscurités de style, et même d'incorrections. A la veille de trouver sa voie, Molière la cherche encore dans un travail médiocre d'adaptateur, qu'il n'a visiblement pas écrit avec le même plaisir que ses précédentes farces. Il a truffé sa traduction de nombreux emprunts faits à Plaute, à Térence, à Rotrou, à Érasme, à Beltrame et à d'autres italiens. C'est un pénible travail de marqueterie auquel manquent l'inspiration et la verve, presque un travail scolaire, qui a dû coûter beaucoup de peine à son auteur et lui apporter peu de joie.

De toute cette grisaille, se détache tout de même une création lumineuse, celle du premier vrai couple d'amoureux né sous la plume de Molière. Aux personnages traditionnels de la farce ou de la comédie, qui jouent leur rôle, se substituent enfin pour la première fois des êtres humains vivants, ardents, qui agissent sous l'impulsion de leur propre sensibilité et de leur instinct profond. Éraste et Lucile sont les ancêtres de tous ces jeunes amants des grandes comédies où Molière a toujours pris la défense de la jeunesse et de l'amour, de la liberté de choix des cœurs contre toutes les contraintes sociales, les traditions, les égoïsmes et les intérêts ligués contre l'épanouissement des jeunes êtres. D'Agnès à Henriette, ses comédies offrent de nombreuses répliques de cette Lucile, première de la lignée, qui sait laisser parler son cœur, à l'unisson de celui d'un amant sincèrement épris. Elle marque l'entrée de la vraie jeune fille dans le théâtre français, et c'est une date qui vaut d'être notée au passage.

D'ailleurs, Molière, dans cette pièce dont le style est aussi embarrassé que la structure, trouve tout de suite le ton juste, aimable et touchant, l'allégresse qu'il faut pour faire parler ses amoureux. La scène de dépit amoureux, — malentendu, rupture et réconciliation immédiate — qui donne son titre à la comédie et qui est empruntée à une ode célèbre d'Horace est tout à fait charmante, et elle annonce déjà les subtils jeux de l'amour de Marivaux.

Fort adroitement, Molière l'a doublée d'une scène parallèle, mais écrite un ton au-dessous, avec une pointe de comique, entre le valet et la servante des deux amoureux cette seconde scène, plus courte, moins délicate et moins raffinée dans les termes, affirme qu'au-delà des classes sociales diverses, le cœur a ses lois constantes.

Nous savons par des témoignages contemporains que cette scène exquise eut un vif succès, quand Molière reprit *le Dépit amoureux* à Paris. Il ne l'oublia pas, car il refit, toujours avec bonheur, mais peut-être avec moins de grâce légère, cette même scène deux fois, dans *le Tartuffe* (acte II, scène IV) et dans *le Bourgeois gentilhomme* (acte III, scène X). Toujours habile à exploiter ses succès antérieurs, il n'hésitait pas à répéter ses effets et à se piller lui-même.

DÉPIT AMOUREUX

COMÉDIE

1656

PERSONNAGES

ÉRASTE, amant de Lucile.
ALBERT, père de Lucile.
GROS-RENÉ, valet d'Éraste.
VALÈRE, fils de Polydore.
LUCILE, fille d'Albert.
MARINETTE, suivante de Lucile.
POLYDORE, père de Valère.
FROSINE, confidente d'Ascagne.
ASCAGNE, fille sous l'habit d'homme.
MASCARILLE, valet de Valère.
MÉTAPHRASTE, pédant.
LA RAPIÈRE, bretteur.

ACTE PREMIER

SCÈNE I

ÉRASTE, GROS-RENÉ

ÉRASTE

Veux-tu que je te dise ? une atteinte secrète
Ne laisse point mon âme en une bonne assiette :
Oui, quoi qu'à mon amour tu puisses repartir,
Il craint d'être la dupe, à ne te point mentir;
Qu'en faveur d'un rival ta foi ne se corrompe,   5
Ou du moins qu'avec moi toi-même on ne te trompe.

GROS-RENÉ

Pour moi, me soupçonner de quelque mauvais tour,
Je dirai, n'en déplaise à Monsieur votre amour,
Que c'est injustement blesser ma prud'homie
Et se connaître mal en physionomie.   10
Les gens de mon minois ne sont point accusés
D'être, grâces à Dieu, ni fourbes, ni rusés.
Cet honneur qu'on nous fait, je ne le démens guères,
Et suis homme fort rond de toutes les manières.
Pour que l'on me trompât, cela se pourrait bien,   15
Le doute est mieux fondé; pourtant je n'en crois rien.
Je ne vois point encore, ou je suis une bête,
Sur quoi vous avez pu prendre martel en tête.
Lucile, à mon avis, vous montre assez d'amour :
Elle vous voit, vous parle à toute heure du jour;   20
Et Valère, après tout, qui cause votre crainte,
Semble n'être à présent souffert que par contrainte

ÉRASTE

Souvent d'un faux espoir un amant est nourri :
Le mieux reçu toujours n'est pas le plus chéri;

Et tout ce que d'ardeur font paraître les femmes   25
Parfois n'est qu'un beau voile à couvrir d'autres flammes.
Valère enfin, pour être un amant rebuté,
Montre depuis un peu trop de tranquillité;
Et ce qu'à ces faveurs, dont tu crois l'apparence,
Il témoigne de joie ou bien d'indifférence   30
M'empoisonne à tous coups leurs plus charmants appas,
Me donne ce chagrin que tu ne comprends pas,
Tient mon bonheur en doute, et me rend difficile
Une entière croyance aux propos de Lucile.
Je voudrais, pour trouver un tel destin plus doux,   35
Y voir entrer un peu de son transport jaloux;
Et sur ses déplaisirs et son impatience
Mon âme prendrait lors une pleine assurance.
Toi-même penses-tu qu'on puisse, comme il fait,
Voir chérir un rival d'un esprit satisfait ?   40
Et si tu n'en crois rien, dis-moi, je t'en conjure,
Si j'ai lieu de rêver dessus cette aventure.

GROS-RENÉ

Peut-être que son cœur a changé de désirs,
Connaissant qu'il poussait d'inutiles soupirs.

ÉRASTE

Lorsque par les rebuts une âme est détachée,   45
Elle veut fuir l'objet dont elle fut touchée,
Et ne rompt point sa chaîne avec si peu d'éclat,
Qu'elle puisse rester en un paisible état.
De ce qu'on a chéri la fatale présence
Ne nous laisse jamais dedans l'indifférence;   50
Et si de cette vue on n'accroît son dédain,
Notre amour est bien près de nous rentrer au sein;
Enfin, crois-moi, si bien qu'on éteigne une flamme,
Un peu de jalousie occupe encore une âme,
Et l'on ne saurait voir, sans en être piqué,   55
Posséder par un autre un cœur qu'on a manqué.

GROS-RENÉ

Pour moi, je ne sais point tant de philosophie :
Ce que voyent mes yeux, franchement je m'y fie,
Et ne suis point de moi si mortel ennemi,
Que je m'aille affliger sans sujet ni demi.   60
Pourquoi subtiliser et faire le capable
A chercher des raisons pour être misérable ?
Sur des soupçons en l'air je m'irais alarmer!
Laissons venir la fête avant que la chômer.

Le chagrin me paraît une incommode chose;   65
Je n'en prends point pour moi sans bonne et juste cause,
Et même à mes yeux cent sujets d'en avoir
S'offrent le plus souvent, que je ne veux pas voir.
Avec vous en amour je cours même fortune;
Celle que vous aurez me doit être commune :   70
La maîtresse ne peut abuser votre foi,
A moins que la suivante en fasse autant pour moi;
Mais j'en fuis la pensée avec un soin extrême.
Je veux croire les gens quand on me dit « Je t'aime »,
Et ne vais point chercher, pour m'estimer heureux,   75
Si Mascarille ou non s'arrache les cheveux.
Que tantôt Marinette endure qu'à son aise
Jodelet par plaisir la caresse et la baise,
Et que ce beau rival en rie ainsi qu'un fou,
A son exemple aussi j'en rirai tout mon soûl,   80
Et l'on verra qui rit avec meilleure grâce.

ÉRASTE

Voilà de tes discours.

GROS-RENÉ

Mais je la vois qui passe.

SCÈNE II

MARINETTE, ÉRASTE, GROS-RENÉ

GROS-RENÉ

St, Marinette!

MARINETTE

Oh! oh! que fais-tu là ?

GROS-RENÉ

Ma foi,
Demande, nous étions tout à l'heure sur toi.

MARINETTE

Vous êtes aussi là, Monsieur! Depuis une heure   85
Vous m'avez fait trotter comme un Basque, je meure!

ÉRASTE

Comment ?

MARINETTE

Pour vous chercher j'ai fait dix mille pas,
Et vous promets, ma foi...

ÉRASTE

Quoi ?

MARINETTE

Que vous n'êtes pas
Au temple, au cours, chez vous, ni dans la grande place.

GROS-RENÉ

Il fallait en jurer.

ÉRASTE

Apprends-moi donc, de grâce,   90
Qui te fait me chercher ?

MARINETTE

Quelqu'un, en vérité,
Qui pour vous n'a pas trop mauvaise volonté,
Ma maîtresse, en un mot.

ÉRASTE

Ah ! chère Marinette,
Ton discours de son cœur est-il bien l'interprète ?
Ne me déguise point un mystère fatal ;   95
Je ne t'en voudrai pas pour cela plus de mal :
Au nom des Dieux, dis-moi si ta belle maîtresse
N'abuse point mes vœux d'une fausse tendresse.

MARINETTE

Hé ! Hé ! d'où vous vient donc ce plaisant mouvement ?
Elle ne fait pas voir assez son sentiment !   100
Quel garant est-ce encor que votre amour demande ?
Que lui faut-il ?

GROS-RENÉ

A moins que Valère se pende,
Bagatelle ! son cœur ne s'assurera point.

MARINETTE

Comment ?

GROS-RENÉ

Il est jaloux jusques en un tel point.

MARINETTE

De Valère ? Ah ! vraiment la pensée est bien belle !   105
Elle peut seulement naître en votre cervelle.
Je vous croyais du sens, et jusqu'à ce moment
J'avais de votre esprit quelque bon sentiment ;

Mais, à ce que je vois, je m'étais fort trompée.
Ta tête de ce mal est-elle aussi frappée ?   110

GROS-RENÉ

Moi, jaloux ? Dieu m'en garde, et d'être assez badin
Pour m'aller emmaigrir avec un tel chagrin!
Outre que de ton cœur ta foi me cautionne,
L'opinion que j'ai de moi-même est trop bonne
Pour croire auprès de moi que quelque autre te plût.   115
Où diantre pourrais-tu trouver qui me valût ?

MARINETTE

En effet, tu dis bien, voilà comme il faut être :
Jamais de ces soupçons qu'un jaloux fait paraître!
Tout le fruit qu'on en cueille est de se mettre mal,
Et d'avancer par là les desseins d'un rival :   120
Au mérite souvent de qui l'éclat vous blesse
Vos chagrins font ouvrir les yeux d'une maîtresse;
Et j'en sais tel qui doit son destin le plus doux
Aux soins trop inquiets de son rival jaloux;
Enfin, quoi qu'il en soit, témoigner de l'ombrage,   125
C'est jouer en amour un mauvais personnage,
Et se rendre, après tout, misérable à crédit :
Cela, seigneur Éraste, en passant vous soit dit.

ÉRASTE

Eh bien! n'en parlons plus. Que venais-tu m'apprendre ?

MARINETTE

Vous mériteriez bien que l'on vous fît attendre,   130
Qu'afin de vous punir je vous tinsse caché
Le grand secret pourquoi je vous ai tant cherché.
Tenez, voyez ce mot, et sortez hors de doute :
Lisez-le donc tout haut, personne ici n'écoute.

ÉRASTE lit.

        « Vous m'avez dit que votre amour   135
            Était capable de tout faire :
Il se couronnera lui-même dans ce jour,
            S'il peut avoir l'aveu d'un père.
Faites parler les droits qu'on a dessus mon cœur;
            Je vous en donne la licence;   140
            Et si c'est en votre faveur,
        Je vous réponds de mon obéissance. »
Ah! quel bonheur! O toi, qui me l'as apporté,
Je te dois regarder comme une déité.

GROS-RENÉ

Je vous le disais bien : contre votre croyance,   145
Je ne me trompe guère aux choses que je pense.

ÉRASTE *lit.*

« Faites parler les droits qu'on a dessus mon cœur ;
          Je vous en donne la licence ;
          Et si c'est en votre faveur,
Je vous réponds de mon obéissance. »   150

MARINETTE

Si je lui rapportais vos faiblesses d'esprit,
Elle désavouerait bientôt un tel écrit.

ÉRASTE

Ah ! cache-lui, de grâce, une peur passagère,
Où mon âme a cru voir quelque peu de lumière ;
Ou si tu la lui dis, ajoute que ma mort   155
Est prête d'expier l'erreur de ce transport,
Que je vais à ses pieds, si j'ai pu lui déplaire,
Sacrifier ma vie à sa juste colère.

MARINETTE

Ne parlons point de mort, ce n'en est pas le temps.

ÉRASTE

Au reste, je te dois beaucoup, et je prétends   160
Reconnaître dans peu, de la bonne manière,
Les soins d'une si noble et si belle courrière.

MARINETTE

A propos, savez-vous où je vous ai cherché
Tantôt encore ?

ÉRASTE

          Hé bien ?

MARINETTE

          Tout proche du marché,
Où vous savez.

ÉRASTE

     Où donc ?

MARINETTE

          Là, dans cette boutique   165
Où, dès le mois passé, votre cœur magnifique
Me promit, de sa grâce, une bague.

ÉRASTE

Ah! j'entends.

GROS-RENÉ

La matoise!

ÉRASTE

Il est vrai, j'ai tardé trop longtemps
A m'acquitter vers toi d'une telle promesse,
Mais...

MARINETTE

Ce que j'en ai dit, n'est pas que je vous presse.   170

GROS-RENÉ

Oh! que non!

ÉRASTE

Celle-ci peut-être aura de quoi
Te plaire : accepte-la pour celle que je doi.

MARINETTE

Monsieur, vous vous moquez; j'aurais honte à la prendre.

GROS-RENÉ

Pauvre honteuse, prends, sans davantage attendre :
Refuser ce qu'on donne est bon à faire aux fous.   175

MARINETTE

Ce sera pour garder quelque chose de vous.

ÉRASTE

Quand puis-je rendre grâce à cet ange adorable ?

MARINETTE

Travaillez à vous rendre un père favorable.

ÉRASTE

Mais s'il me rebutait, dois-je...

MARINETTE

Alors comme alors!
Pour vous on emploiera toutes sortes d'efforts;   180
D'une façon ou d'autre, il faut qu'elle soit vôtre;
Faites votre pouvoir, et nous ferons le nôtre.

ÉRASTE

Adieu : nous en saurons le succès dans ce jour.

MARINETTE

Et nous, que dirons-nous aussi de notre amour ?
Tu ne m'en parles point.

GROS-RENÉ

                    Un hymen qu'on souhaite   185
Entre gens comme nous, est chose bientôt faite :
Je te veux ; me veux-tu de même ?

MARINETTE

                              Avec plaisir.

GROS-RENÉ

Touche, il suffit.

MARINETTE

                  Adieu, Gros-René, mon désir.

GROS-RENÉ

Adieu, mon astre.

MARINETTE

                  Adieu, beau tison de ma flamme.

GROS-RENÉ

Adieu, chère comète, arc-en-ciel de mon âme.   190
Le bon Dieu soit loué ! nos affaires vont bien :
Albert n'est pas un homme à vous refuser rien.

ÉRASTE

Valère vient à nous.

GROS-RENÉ

                  Je plains le pauvre hère,
Sachant ce qui se passe.

SCÈNE III

ÉRASTE, VALÈRE, GROS-RENÉ

ÉRASTE

Hé bien, seigneur Valère ?

VALÈRE

Hé bien, seigneur Éraste ?

ÉRASTE

                  En quel état l'amour ?   195

VALÈRE

En quel état vos feux ?

ÉRASTE

Plus forts de jour en jour.

VALÈRE

Et mon amour plus fort.

ÉRASTE

Pour Lucile ?

VALÈRE

Pour elle.

ÉRASTE

Certes, je l'avouerai, vous êtes le modèle
D'une rare constance.

VALÈRE

Et votre fermeté
Doit être un rare exemple à la postérité.   200

ÉRASTE

Pour moi, je suis peu fait à cet amour austère
Qui dans les seuls regards trouve à se satisfaire,
Et je ne forme point d'assez beaux sentiments
Pour souffrir constamment les mauvais traitements :
Enfin, quand j'aime bien, j'aime fort que l'on m'aime.   205

VALÈRE

Il est très naturel, et j'en suis bien de même :
Le plus parfait objet dont je serais charmé
N'aurait pas mes tributs, n'en étant point aimé.

ÉRASTE

Lucile cependant...

VALÈRE

Lucile, dans son âme,
Rend tout ce que je veux qu'elle rende à ma flamme.   210

ÉRASTE

Vous êtes donc facile à contenter ?

VALÈRE

Pas tant
Que vous pourriez penser.

ÉRASTE

Je puis croire pourtant,
Sans trop de vanité, que je suis en sa grâce.

VALÈRE

Moi, je sais que j'y tiens une assez bonne place.

ÉRASTE

Ne vous abusez point, croyez-moi.   215

VALÈRE

Croyez-moi,
Ne laissez point duper vos yeux à trop de foi.

ÉRASTE

Si j'osais vous montrer une preuve assurée
Que son cœur... Non : votre âme en serait altérée.

VALÈRE

Si je vous osais, moi, découvrir en secret...
Mais je vous fâcherais, et veux être discret.   220

ÉRASTE

Vraiment, vous me poussez, et contre mon envie,
Votre présomption veut que je l'humilie.
Lisez.

VALÈRE

Ces mots sont doux.

ÉRASTE

Vous connaissez la main ?

VALÈRE

Oui, de Lucile.

ÉRASTE

Hé bien ? cet espoir si certain...

VALÈRE, *riant*.

Adieu, seigneur Éraste.

GROS-RENÉ

Il est fou, le bon sire :   225
Où vient-il donc pour lui de voir le mot pour rire ?

ÉRASTE

Certes il me surprend, et j'ignore, entre nous,
Quel diable de mystère est caché là-dessous.

GROS-RENÉ

Son valet vient, je pense.

ÉRASTE

Oui, je le vois paraître.

Feignons, pour le jeter sur l'amour de son maître.   230

SCÈNE IV

MASCARILLE, ÉRASTE, GROS-RENÉ

MASCARILLE

Non, je ne trouve point d'état plus malheureux
Que d'avoir un patron jeune et fort amoureux.

GROS-RENÉ

Bonjour.

MASCARILLE

Bonjour.

GROS-RENÉ

Où tend Mascarille à cette heure ?
Que fait-il ? revient-il ? va-t-il ? ou s'il demeure ?

MASCARILLE

Non, je ne reviens pas, car je n'ai pas été;   235
Je ne vais pas aussi, car je suis arrêté;
Et ne demeure point, car tout de ce pas même
Je prétends m'en aller.

ÉRASTE

La rigueur est extrême :
Doucement, Mascarille.

MASCARILLE

Ha! Monsieur, serviteur.

ÉRASTE

Vous nous fuyez bien vite! Hé quoi ? vous fais-je peur ? 240

MASCARILLE

Je ne crois pas cela de votre courtoisie.

ÉRASTE

Touche : nous n'avons plus sujet de jalousie;
Nous devenons amis, et mes feux, que j'éteins,
Laissent la place libre à vos heureux desseins.

MASCARILLE

Plût à Dieu!

ÉRASTE

Gros-René sait qu'ailleurs je me jette.   245

GROS-RENÉ

Sans doute, et je te cède aussi la Marinette.

MASCARILLE

Passons sur ce point-là : notre rivalité
N'est pas pour en venir à grande extrémité.
Mais est-ce un coup bien sûr que Votre Seigneurie
Soit désenamourée, ou si c'est raillerie ?   250

ÉRASTE

J'ai su qu'en ses amours ton maître était trop bien;
Et je serais un fou de prétendre plus rien
Aux étroites faveurs qu'il a de cette belle.

MASCARILLE

Certes vous me plaisez avec cette nouvelle.
Outre qu'en nos projets je vous craignais un peu,   255
Vous tirez sagement votre épingle du jeu.
Oui, vous avez bien fait de quitter une place
Où l'on vous caressait pour la seule grimace;
Et mille fois, sachant tout ce qui se passait,
J'ai plaint le faux espoir dont on vous repaissait :   260
On offense un brave homme alors que l'on l'abuse.
Mais d'où diantre, après tout, avez-vous su la ruse ?
Car cet engagement mutuel de leur foi
N'eut pour témoins, la nuit, que deux autres et moi;
Et l'on croit jusqu'ici la chaîne fort secrète,   265
Qui rend de nos amants la flamme satisfaite.

ÉRASTE

Hé! que dis-tu ?

MASCARILLE

Je dis que je suis interdit,
Et ne sais pas, Monsieur, qui peut vous avoir dit
Que sous ce faux semblant, qui trompe tout le monde,
En vous trompant aussi, leur ardeur sans seconde   270
D'un secret mariage a serré le lien.

ÉRASTE

Vous en avez menti.

MASCARILLE

Monsieur, je le veux bien.

ÉRASTE

Vous êtes un coquin.

MASCARILLE

D'accord.

ÉRASTE

                    Et cette audace
Mériterait cent coups de bâton sur la place.

MASCARILLE

Vous avez tout pouvoir.

ÉRASTE

              Ha! Gros-René.

GROS-RENÉ

                              Monsieur.   275

ÉRASTE

Je démens un discours dont je n'ai que trop peur.

                              A Mascarille.

Tu penses fuir ?

MASCARILLE

        Nenni.

ÉRASTE

              Quoi ? Lucile est la femme...

MASCARILLE

Non, Monsieur : je raillais.

ÉRASTE

              Ah! vous raillez, infâme!

MASCARILLE

Non, je ne raillais point.

ÉRASTE

              Il est donc vrai ?

MASCARILLE

                              Non pas,

Je ne dis pas cela.

ÉRASTE

        Que dis-tu donc ?

MASCARILLE

                    Hélas !   280
Je ne dis rien, de peur de mal parler.

ÉRASTE

                              Assure
Ou si c'est chose vraie, ou si c'est imposture.

MASCARILLE

C'est ce qu'il vous plaira : je ne suis pas ici
Pour vous rien contester.

ÉRASTE

                         Veux-tu dire ? Voici,
Sans marchander, de quoi te délier la langue.   285

MASCARILLE

Elle ira faire encor quelque sotte harangue!
Hé! de grâce, plutôt, si vous le trouvez bon,
Donnez-moi vitement quelques coups de bâton,
Et me laissez tirer mes chausses sans murmure.

ÉRASTE

Tu mourras, ou je veux que la vérité pure   290
S'exprime par ta bouche.

MASCARILLE

                        Hélas! je la dirai;
Mais peut-être, Monsieur, que je vous fâcherai.

ÉRASTE

Parle; mais prends bien garde à ce que tu vas faire :
A ma juste fureur rien ne te peut soustraire,
Si tu mens d'un seul mot en ce que tu diras.   295

MASCARILLE

J'y consens, rompez-moi les jambes et les bras,
Faites-moi pis encor, tuez-moi, si j'impose
En tout ce que j'ai dit ici la moindre chose.

ÉRASTE

Ce mariage est vrai ?

MASCARILLE

                     Ma langue, en cet endroit,
A fait un pas de clerc dont elle s'aperçoit;   300
Mais enfin cette affaire est comme vous la dites,
Et c'est après cinq jours de nocturnes visites,
Tandis que vous serviez à mieux couvrir leur jeu,
Que depuis avant-hier ils sont joints de ce nœud;
Et Lucile depuis fait encor moins paraître   305
La violente amour qu'elle porte à mon maître,

Et veut absolument que tout ce qu'il verra,
Et qu'en votre faveur son cœur témoignera,
Il l'impute à l'effet d'une haute prudence
Qui veut de leurs secrets ôter la connaissance.   310
Si malgré mes serments vous doutez de ma foi,
Gros-René peut venir une nuit avec moi,
Et je lui ferai voir, étant en sentinelle,
Que nous avons dans l'ombre un libre accès chez elle.

ÉRASTE

Ote-toi de mes yeux, maraud.

MASCARILLE

        Et de grand cœur;   315
C'est ce que je demande.

ÉRASTE

    Hé bien ?

GROS-RENÉ

        Hé bien, Monsieur,
Nous en tenons tous deux, si l'autre est véritable.

ÉRASTE

Las! il ne l'est que trop, le bourreau détestable.
Je vois trop d'apparence à tout ce qu'il a dit,
Et ce qu'a fait Valère, en voyant cet écrit,   320
Marque bien leur concert, et que c'est une baye
Qui sert sans doute aux feux dont l'ingrate le paye.

SCÈNE V

MARINETTE, GROS-RENÉ, ÉRASTE

MARINETTE

Je viens vous avertir que tantôt sur le soir
Ma maîtresse au jardin vous permet de la voir.

ÉRASTE

Oses-tu me parler, âme double et traîtresse ?   325
Va, sors de ma présence, et dis à ta maîtresse
Qu'avecque ses écrits elle me laisse en paix,
Et que voilà l'état, infâme, que j'en fais.

MARINETTE

Gros-René, dis-moi donc quelle mouche le pique ?

GROS-RENÉ

M'oses-tu bien encor parler, femelle inique,   330
Crocodile trompeur, de qui le cœur félon
Est pire qu'un satrape ou bien qu'un Lestrygon ?
Va, va rendre réponse à ta bonne maîtresse,
Et lui dis bien et beau que, malgré sa souplesse,
Nous ne sommes plus sots, ni mon maître, ni moi.   335
Et désormais qu'elle aille au diable avec toi.

MARINETTE

Ma pauvre Marinette, es-tu bien éveillée ?
De quel démon est donc leur âme travaillée ?
Quoi ? faire un tel accueil à nos soins obligeants !
Oh ! que ceci chez nous va surprendre les gens !   340

ACTE II

SCÈNE I

ASCAGNE, FROSINE

FROSINE

Ascagne, je suis fille à secret, Dieu merci.

ASCAGNE

Mais, pour un tel discours, sommes-nous bien ici ?
Prenons garde qu'aucun ne nous vienne surprendre,
Ou que de quelque endroit on ne nous puisse entendre.

FROSINE

Nous serions au logis beaucoup moins sûrement :   345
Ici de tous côtés on découvre aisément,
Et nous pouvons parler avec toute assurance.

ASCAGNE

Hélas ! que j'ai de peine à rompre mon silence !

FROSINE

Ouais ! ceci doit donc être un important secret.

ASCAGNE

Trop, puisque je le fie à vous-même à regret,   350
Et que si je pouvais le cacher davantage,
Vous ne le sauriez point.

FROSINE

                        Ha! c'est me faire outrage,
Feindre à s'ouvrir à moi, dont vous avez connu
Dans tous vos intérêts l'esprit si retenu!
Moi nourrie avec vous, et qui tiens sous silence   355
Des choses qui vous sont de si grande importance!
Qui sais...

ASCAGNE

                Oui, vous savez la secrète raison
Qui cache aux yeux de tous mon sexe et ma maison;
Vous savez que dans celle où passa mon bas âge
Je suis pour y pouvoir retenir l'héritage   360
Que relâchait ailleurs le jeune Ascagne mort,
Dont mon déguisement fait revivre le sort;
Et c'est aussi pourquoi ma bouche se dispense
A vous ouvrir mon cœur avec plus d'assurance.
Mais avant que passer, Frosine, à ce discours,   365
Éclaircissez un doute où je tombe toujours :
Se pourrait-il qu'Albert ne sût rien du mystère
Qui masque ainsi mon sexe, et l'a rendu mon père ?

FROSINE

En bonne foi, ce point sur quoi vous me pressez
Est une affaire aussi qui m'embarrasse assez :   370
Le fond de cette intrigue est pour moi lettre close,
Et ma mère ne put m'éclaircir mieux la chose.
Quand il mourut ce fils, l'objet de tant d'amour,
Au destin de qui, même avant qu'il vînt au jour,
Le testament d'un oncle abondant en richesses   375
D'un soin particulier avait fait des largesses,
Et que sa mère fit un secret de sa mort,
De son époux absent redoutant le transport,
S'il voyait chez un autre aller tout l'héritage
Dont sa maison tirait un si grand avantage,   380
Quand, dis-je, pour cacher un tel événement,
La supposition fut de son sentiment,
Et qu'on vous prit chez nous, où vous étiez nourrie
(Votre mère d'accord de cette tromperie
Qui remplaçait ce fils à sa garde commis),   385
En faveur des présents le secret fut promis,

Albert ne l'a point su de nous ; et pour sa femme,
L'ayant plus de douze ans conservé dans son âme,
Comme le mal fut prompt dont on la vit mourir,
Son trépas imprévu ne put rien découvrir ;   390
Mais cependant je vois qu'il garde intelligence
Avec celle de qui vous tenez la naissance ;
J'ai su qu'en secret même il lui faisait du bien,
Et peut-être cela ne se fait pas pour rien.
D'autre part, il vous veut porter au mariage,   395
Et comme il le prétend, c'est un mauvais langage :
Je ne sais s'il saurait la supposition
Sans le déguisement. Mais la digression
Tout insensiblement pourrait trop loin s'étendre :
Revenons au secret que je brûle d'apprendre.   400

ASCAGNE

Sachez donc que l'Amour ne sait point s'abuser,
Que mon sexe à ses yeux n'a pu se déguiser,
Et que ses traits subtils, sous l'habit que je porte,
Ont su trouver le cœur d'une fille peu forte :
J'aime enfin.

FROSINE

        Vous aimez ?

ASCAGNE

                Frosine, doucement ;   405
N'entrez pas tout à fait dedans l'étonnement :
Il n'est pas temps encore ; et ce cœur qui soupire
A bien, pour vous surprendre, autre chose à vous dire.

FROSINE

Et quoi ?

ASCAGNE

    J'aime Valère.

FROSINE

                Ha ! vous avez raison.   410
L'objet de votre amour, lui, dont à la maison
Votre imposture enlève un puissant héritage,
Et qui de votre sexe ayant le moindre ombrage,
Verrait incontinent ce bien lui retourner !
C'est encore un plus grand sujet de s'étonner.

ASCAGNE

J'ai de quoi toutefois surprendre plus votre âme :   415
Je suis sa femme.

FROSINE

Oh Dieux! sa femme!

ASCAGNE

Oui, sa femme.

FROSINE

Ha! certes celui-là l'emporte, et vient à bout
De toute ma raison.

ASCAGNE

Ce n'est pas encor tout.

FROSINE

Encore ?

ASCAGNE

Je la suis, dis-je, sans qu'il le pense,
Ni qu'il ait de mon sort la moindre connaissance.   420

FROSINE

Ho! poussez : je le quitte, et ne raisonne plus,
Tant mes sens coup sur coup se trouvent confondus.
A ces énigmes-là je ne puis rien comprendre.

ASCAGNE

Je vais vous l'expliquer, si vous voulez m'entendre.
Valère, dans les fers de ma sœur arrêté,   425
Me semblait un amant digne d'être écouté ;
Et je ne pouvais voir qu'on rebutât sa flamme
Sans qu'un peu d'intérêt touchât pour lui mon âme :
Je voulais que Lucile aimât son entretien,
Je blâmais ses rigueurs, et les blâmai si bien,   430
Que moi-même j'entrai, sans pouvoir m'en défendre,
Dans tous les sentiments qu'elle ne pouvait prendre.
C'était, en lui parlant, moi qu'il persuadait ;
Je me laissais gagner aux soupirs qu'il perdait ;
Et ses vœux, rejetés de l'objet qui l'enflamme,   435
Étaient, comme vainqueurs, reçus dedans mon âme.
Ainsi mon cœur, Frosine, un peu trop faible, hélas !
Se rendit à des soins qu'on ne lui rendait pas,
Par un coup réfléchi reçut une blessure,
Et paya pour un autre avec beaucoup d'usure.   440
Enfin, ma chère, enfin l'amour que j'eus pour lui
Se voulut expliquer, mais sous le nom d'autrui :
Dans ma bouche, une nuit, cet amant trop aimable
Crut rencontrer Lucile à ses vœux favorable ;

Et je sus ménager si bien cet entretien,   445
Que du déguisement il ne reconnut rien.
Sous ce voile trompeur, qui flattait sa pensée,
Je lui dis que pour lui mon âme était blessée,
Mais que voyant mon père en d'autres sentiments,
Je devais une feinte à ses commandements;   450
Qu'ainsi de notre amour nous ferions un mystère
Dont la nuit seulement serait dépositaire,
Et qu'entre nous de jour, de peur de rien gâter,
Tout entretien secret se devait éviter;
Qu'il me verrait alors la même indifférence   455
Qu'avant que nous eussions aucune intelligence;
Et que de son côté, de même que du mien,
Geste, parole, écrit, ne m'en dît jamais rien.
Enfin, sans m'arrêter sur toute l'industrie
Dont j'ai conduit le fil de cette tromperie,   460
J'ai poussé jusqu'au bout un projet si hardi,
Et me suis assuré l'époux que je vous dis.

FROSINE

Peste! les grands talents que votre esprit possède!
Dirait-on qu'elle y touche avec sa mine froide?
Cependant vous avez été bien vite ici;   465
Car je veux que la chose ait d'abord réussi :
Ne jugez-vous pas bien, à regarder l'issue,
Qu'elle ne peut longtemps éviter d'être sue?

ASCAGNE

Quand l'amour est bien fort, rien ne peut l'arrêter;
Ses projets seulement vont à se contenter,   470
Et pourvu qu'il arrive au but qu'il se propose,
Il croit que tout le reste après est peu de chose.
Mais enfin aujourd'hui je me découvre à vous,
Afin que vos conseils... Mais voici cet époux.

SCÈNE II

VALÈRE, ASCAGNE, FROSINE

VALÈRE

Si vous êtes tous deux en quelque conférence   475
Où je vous fasse tort de mêler ma présence,
Je me retirerai.

ASCAGNE

Non, non, vous pouvez bien,
Puisque vous le faisiez, rompre notre entretien.

VALÈRE

Moi ?

ASCAGNE

Vous-même.

VALÈRE

Et comment ?

ASCAGNE

Je disais que Valère
Aurait, si j'étais fille, un peu trop su me plaire,   480
Et que si je faisais tous les vœux de son cœur,
Je ne tarderais guère à faire son bonheur.

VALÈRE

Ces protestations ne coûtent pas grand-chose,
Alors qu'à leur effet un pareil *si* s'oppose;
Mais vous seriez bien pris, si quelque événement   485
Allait mettre à l'épreuve un si doux compliment.

ASCAGNE

Point du tout; je vous dis que régnant dans votre âme,
Je voudrais de bon cœur couronner votre flamme.

VALÈRE

Et si c'était quelqu'une où par votre secours
Vous puissiez être utile au bonheur de mes jours ?   490

ASCAGNE

Je pourrais assez mal répondre à votre attente.

VALÈRE

Cette confession n'est pas fort obligeante.

ASCAGNE

Hé quoi ? vous voudriez, Valère, injustement,
Qu'étant fille, et mon cœur vous aimant tendrement,
Je m'allasse engager avec une promesse   495
De servir vos ardeurs pour quelque autre maîtresse ?
Un si pénible effort, pour moi, m'est interdit.

VALÈRE

Mais cela n'étant pas ?

ASCAGNE

Ce que je vous ai dit,
Je l'ai dit comme fille, et vous le devez prendre
Tout de même.

VALÈRE

Ainsi donc il ne faut rien prétendre,   500
Ascagne, à des bontés que vous auriez pour nous,
A moins que le Ciel fasse un grand miracle en vous.
Bref, si vous n'êtes fille, adieu votre tendresse :
Il ne vous reste rien qui pour nous s'intéresse.

ASCAGNE

J'ai l'esprit délicat plus qu'on ne peut penser,   505
Et le moindre scrupule a de quoi m'offenser,
Quand il s'agit d'aimer. Enfin je suis sincère :
Je ne m'engage point à vous servir, Valère,
Si vous ne m'assurez au moins absolument
Que vous gardez pour moi le même sentiment,   510
Que pareille chaleur d'amitié vous transporte,
Et que si j'étais fille, une flamme plus forte
N'outragerait point celle où je vivrais pour vous.

VALÈRE

Je n'avais jamais vu ce scrupule jaloux;
Mais, tout nouveau qu'il est, ce mouvement m'oblige, 515
Et je vous fais ici tout l'aveu qu'il exige.

ASCAGNE

Mais sans fard.

VALÈRE

Oui, sans fard.

ASCAGNE

S'il est vrai, désormais,
Vos intérêts seront les miens, je vous promets.

VALÈRE

J'ai bientôt à vous dire un important mystère,
Où l'effet de ces mots me sera nécessaire.   520

ASCAGNE

Et j'ai quelque secret de même à vous ouvrir,
Où votre cœur pour moi se pourra découvrir.

VALÈRE

Hé! de quelle façon cela pourrait-il être ?

ASCAGNE

C'est que j'ai de l'amour qui n'oserait paraître;
Et vous pourriez avoir sur l'objet de mes vœux   525
Un empire à pouvoir rendre mon sort heureux.

VALÈRE

Expliquez-vous, Ascagne, et croyez, par avance,
Que votre heur est certain, s'il est en ma puissance.

ASCAGNE

Vous promettez ici plus que vous ne croyez.

VALÈRE

Non, non : dites l'objet pour qui vous m'employez.   530

ASCAGNE

Il n'est pas encor temps; mais c'est une personne
Qui vous touche de près.

VALÈRE

                    Votre discours m'étonne.
Plût à Dieu que ma sœur...

ASCAGNE

                        Ce n'est pas la saison
De m'expliquer, vous dis-je.

VALÈRE

                        Et pourquoi ?

ASCAGNE

                                Pour raison.
Vous saurez mon secret, quand je saurai le vôtre.   535

VALÈRE

J'ai besoin pour cela de l'aveu de quelque autre.

ASCAGNE

Ayez-le donc; et lors nous expliquant nos vœux,
Nous verrons qui tiendra mieux parole des deux.

VALÈRE

Adieu, j'en suis content.

ASCAGNE

                    Et moi content, Valère.

FROSINE

Il croit trouver en vous l'assistance d'un frère.   540

SCÈNE III

FROSINE, ASCAGNE, MARINETTE, LUCILE

LUCILE

C'en est fait : c'est ainsi que je me puis venger;
Et si cette action a de quoi l'affliger,
C'est toute la douceur que mon cœur s'y propose.
Mon frère, vous voyez une métamorphose :
Je veux chérir Valère après tant de fierté,   545
Et mes vœux maintenant tournent de son côté.

ASCAGNE

Que dites-vous, ma sœur ? Comment ? courir au change!
Cette inégalité me semble trop étrange.

LUCILE

La vôtre me surprend avec plus de sujet :
De vos soins autrefois Valère était l'objet;   550
Je vous ai vu pour lui m'accuser de caprice,
D'aveugle cruauté, d'orgueil et d'injustice :
Et quand je veux l'aimer, mon dessein vous déplaît,
Et je vous vois parler contre son intérêt !

ASCAGNE

Je le quitte, ma sœur, pour embrasser le vôtre :   555
Je sais qu'il est rangé dessous les lois d'un autre,
Et ce serait un trait honteux à vos appas,
Si vous le rappeliez et qu'il ne revînt pas.

LUCILE

Si ce n'est que cela, j'aurai soin de ma gloire;
Et je sais, pour son cœur, tout ce que j'en dois croire : 560
Il s'explique à mes yeux intelligiblement.
Ainsi découvrez-lui sans peur mon sentiment,
Ou si vous refusez de le faire, ma bouche
Lui va faire savoir que son ardeur me touche.
Quoi ? mon frère, à ces mots vous restez interdit ?   565

ASCAGNE

Ha! ma sœur, si sur vous je puis avoir crédit,
Si vous êtes sensible aux prières d'un frère,
Quittez un tel dessein, et n'ôtez point Valère

Aux vœux d'un jeune objet dont l'intérêt m'est cher,
Et qui, sur ma parole, a droit de vous toucher.   570
La pauvre infortunée aime avec violence;
A moi seul de ses feux elle fait confidence,
Et je vois dans son cœur de tendres mouvements
A dompter la fierté des plus durs sentiments,
Oui, vous auriez pitié de l'état de son âme,   575
Connaissant de quel coup vous menacez sa flamme,
Et je ressens si bien la douleur qu'elle aura,
Que je suis assuré, ma sœur, qu'elle en mourra,
Si vous lui dérobez l'amant qui peut lui plaire.
Éraste est un parti qui doit vous satisfaire,   580
Et des feux mutuels...

LUCILE

Mon frère, c'est assez :
Je ne sais point pour qui vous vous intéressez;
Mais, de grâce, cessons ce discours, je vous prie,
Et me laissez un peu dans quelque rêverie.

ASCAGNE

Allez, cruelle sœur, vous me désespérez,   585
Si vous effectuez vos desseins déclarés.

SCÈNE IV

MARINETTE, LUCILE

MARINETTE

La résolution, Madame, est assez prompte.

LUCILE

Un cœur ne pèse rien alors que l'on l'affronte;
Il court à sa vengeance, et saisit promptement
Tout ce qu'il croit servir à son ressentiment.   590
Le traître! faire voir cette insolence extrême!

MARINETTE

Vous m'en voyez encor toute hors de moi-même;
Et quoique là-dessus je rumine sans fin,
L'aventure me passe, et j'y perds mon latin.
Car enfin, aux transports d'une bonne nouvelle   595
Jamais cœur ne s'ouvrit d'une façon plus belle;
De l'écrit obligeant le sien tout transporté
Ne me donnait pas moins que de la déité;

Et cependant jamais, à cet autre message,
Fille ne fut traitée avec tant d'outrage.   600
Je ne sais, pour causer de si grands changements,
Ce qui s'est pu passer entre ces courts moments.

LUCILE

Rien ne s'est pu passer dont il faille être en peine,
Puisque rien ne le doit défendre de ma haine.
Quoi ? tu voudrais chercher hors de sa lâcheté   605
La secrète raison de cette indignité ?
Cet écrit malheureux, dont mon âme s'accuse,
Peut-il à son transport souffrir la moindre excuse ?

MARINETTE

En effet, je comprends que vous avez raison,
Et que cette querelle est pure trahison :   610
Nous en tenons, Madame. Et puis prêtons l'oreille
Aux bons chiens de pendards qui nous chantent merveille,
Qui pour nous accrocher feignent tant de langueur !
Laissons à leurs beaux mots fondre notre rigueur,
Rendons-nous à leurs vœux, trop faibles que nous sommes !
Foin de notre sottise, et peste soit des hommes !   [615

LUCILE

Hé bien, bien ! qu'il s'en vante et rie à nos dépens :
Il n'aura pas sujet d'en triompher longtemps;
Et je lui ferai voir qu'en une âme bien faite
Le mépris suit de près la faveur qu'on rejette.   620

MARINETTE

Au moins, en pareil cas, est-ce un bonheur bien doux
Quand on sait qu'on n'a point d'avantage sur vous.
Marinette eut bon nez, quoi qu'on en puisse dire,
De ne permettre rien un soir qu'on voulait rire.
Quelque autre, sous espoir de matrimonion,   625
Aurait ouvert l'oreille à la tentation;
Mais moi, *nescio vos.*

LUCILE

Que tu dis de folies,
Et choisis mal ton temps pour de telles saillies !
Enfin je suis touchée au cœur sensiblement;
Et si jamais celui de ce perfide amant,   630
Par un coup de bonheur, dont j'aurais tort, je pense,
De vouloir à présent concevoir l'espérance
(Car le Ciel a trop pris plaisir à m'affliger,
Pour me donner celui de me pouvoir venger),

Quand, dis-je, par un sort à mes désirs propice,   635
Il reviendrait m'offrir sa vie en sacrifice,
Détester à mes pieds l'action d'aujourd'hui,
Je te défends surtout de me parler pour lui :
Au contraire, je veux que ton zèle s'exprime
A me bien mettre aux yeux la grandeur de son crime; 640
Et même, si mon cœur était pour lui tenté
De descendre jamais à quelque lâcheté,
Que ton affection me soit alors sévère,
Et tienne comme il faut la main à ma colère.

MARINETTE

Vraiment, n'ayez point peur, et laissez faire à nous : 645
J'ai pour le moins autant de colère que vous;
Et je serais plutôt fille toute ma vie,
Que mon gros traître aussi me redonnât envie.
S'il vient...

SCÈNE V

MARINETTE, LUCILE, ALBERT

ALBERT

Rentrez, Lucile, et me faites venir
Le précepteur : je veux un peu l'entretenir,   650
Et m'informer de lui, qui me gouverne Ascagne,
S'il sait point quel ennui depuis peu l'accompagne.

(Il continue seul.)

En quel gouffre de soins et de perplexité
Nous jette une action faite sans équité!
D'un enfant supposé par mon trop d'avarice   655
Mon cœur depuis longtemps souffre bien le supplice,
Et quand je vois les maux où je me suis plongé,
Je voudrais à ce bien n'avoir jamais songé.
Tantôt je crains de voir par la fourbe éventée
Ma famille en opprobre et misère jetée;   660
Tantôt pour ce fils-là, qu'il me faut conserver,
Je crains cent accidents qui peuvent arriver.
S'il advient que dehors quelque affaire m'appelle,
J'appréhende au retour cette triste nouvelle :
« Las! vous ne savez pas ? vous l'a-t-on annoncé ?   665
Votre fils a la fièvre, ou jambe, ou bras cassé. »
Enfin, à tous moments, sur quoi que je m'arrête,
Cent sortes de chagrins me roulent par la tête.
Ha!

SCÈNE VI

ALBERT, MÉTAPHRASTE

MÉTAPHRASTE

Mandatum tuum curo diligenter.

ALBERT

Maître, j'ai voulu...

MÉTAPHRASTE

Maître est dit *a magister,*   670
C'est comme qui dirait trois fois plus grand.

ALBERT

Je meure,
Si je savais cela : mais soit, à la bonne heure !
Maître donc...

MÉTAPHRASTE

Poursuivez.

ALBERT

Je veux poursuivre ainsi :
Mais ne poursuivez point, vous, d'interrompre ainsi.
Donc, encore une fois, maître (c'est la troisième),   675
Mon fils me rend chagrin; vous savez que je l'aime,
Et que soigneusement je l'ai toujours nourri.

MÉTAPHRASTE

Il est vrai : *filio non potest praeferri*
Nisi filius.

ALBERT

Maître, en discourant ensemble,
Ce jargon n'est pas fort nécessaire, me semble.   680
Je vous crois grand latin et grand docteur juré :
Je m'en rapporte à ceux qui m'en ont assuré;
Mais dans un entretien qu'avec vous je destine
N'allez point déployer toute votre doctrine,
Faire le pédagogue, et cent mots me cracher,   685
Comme si vous étiez en chaire pour prêcher.
Mon père, quoiqu'il eût la tête des meilleures,
Ne m'a jamais rien fait apprendre que mes heures,
Qui depuis cinquante ans dites journellement
Ne sont encor pour moi que du haut allemand.   690

Laissez donc en repos votre science auguste,
Et que votre langage à mon faible s'ajuste.

MÉTAPHRASTE

Soit.

ALBERT

A mon fils, l'hymen semble lui faire peur,
Et sur quelque parti que je sonde son cœur,
Pour un pareil lien il est froid, et recule.   695

MÉTAPHRASTE

Peut-être a-t-il l'humeur du frère de Marc Tulle,
Dont avec Atticus le même fait sermon;
Et comme aussi les Grecs disent : « *Atanaton...* »

ALBERT

Mon Dieu! maître éternel, laissez là, je vous prie,
Les Grecs, les Albanois, avec l'Esclavonie,   700
Et tous ces autres gens dont vous venez parler :
Eux et mon fils n'ont rien ensemble à démêler.

MÉTAPHRASTE

Hé bien donc, votre fils ?

ALBERT

                            Je ne sais si dans l'âme
Il ne sentirait point une secrète flamme :
Quelque chose le trouble, ou je suis fort déçu;   705
Et je l'aperçus hier, sans en être aperçu,
Dans un recoin du bois où nul ne se retire.

MÉTAPHRASTE

Dans un lieu reculé du bois, voulez-vous dire,
Un endroit écarté, *latine*, *secessus*;
Virgile l'a dit : *Est in secessu locus...*   710

ALBERT

Comment aurait-il pu l'avoir dit, ce Virgile,
Puisque je suis certain que dans ce lieu tranquille
Ame du monde enfin n'était lors que nous deux ?

MÉTAPHRASTE

Virgile est nommé là comme un auteur fameux
D'un terme plus choisi que le mot que vous dites,   715
Et non comme témoin de ce que hier vous vîtes.

ALBERT

Et moi, je vous dis, moi, que je n'ai pas besoin
De terme plus choisi, d'auteur ni de témoin,
Et qu'il suffit ici de mon seul témoignage.

MÉTAPHRASTE

Il faut choisir pourtant les mots mis en usage   720
Par les meilleurs auteurs : *Tu vivendo bonos*,
Comme on dit, *scribendo sequare peritos*.

ALBERT

Homme ou démon, veux-tu m'entendre sans conteste ?

MÉTAPHRASTE

Quintilien en fait le précepte.

ALBERT

                              La peste
Soit du causeur !

MÉTAPHRASTE

                    Et dit là-dessus doctement   725
Un mot que vous serez bien aise assurément
D'entendre.

ALBERT

            Je serai le diable qui t'emporte,
Chien d'homme ! Oh ! que je suis tenté d'étrange sorte
De faire sur ce mufle une application !

MÉTAPHRASTE

Mais qui cause, Seigneur, votre inflammation ?   730
Que voulez-vous de moi ?

ALBERT

                          Je veux que l'on m'écoute,
Vous ai-je dit vingt fois, quand je parle.

MÉTAPHRASTE

                                          Ha ! sans doute
Vous serez satisfait, s'il ne tient qu'à cela :
Je me tais.

ALBERT

            Vous ferez sagement.

MÉTAPHRASTE

                                Me voilà
Tout prêt de vous ouïr.

ALBERT

Tant mieux.

MÉTAPHRASTE

Que je trépasse, 735

Si je dis plus mot.

ALBERT

Dieu vous en fasse la grâce.

MÉTAPHRASTE

Vous n'accuserez point mon caquet désormais.

ALBERT

Ainsi soit-il.

MÉTAPHRASTE

Parlez quand vous voudrez.

ALBERT

J'y vais.

MÉTAPHRASTE

Et n'appréhendez plus l'interruption nôtre.

ALBERT

C'est assez dit.

MÉTAPHRASTE

Je suis exact plus qu'aucun autre. 740

ALBERT

Je le crois.

MÉTAPHRASTE

J'ai promis que je ne dirais rien.

ALBERT

Suffit.

MÉTAPHRASTE

Dès à présent je suis muet.

ALBERT

Fort bien.

MÉTAPHRASTE

Parlez, courage! au moins, je vous donne audience;
Vous ne vous plaindrez pas de mon peu de silence :
Je ne desserre pas la bouche seulement. 745

ALBERT

Le traître!

MÉTAPHRASTE

Mais, de grâce, achevez vitement :
Depuis longtemps j'écoute ; il est bien raisonnable
Que je parle à mon tour.

ALBERT

Donc, bourreau détestable...

MÉTAPHRASTE

Hé ! bon Dieu ! voulez-vous que j'écoute à jamais ?
Partageons le parler, au moins, ou je m'en vais.   750

ALBERT

Ma patience est bien...

MÉTAPHRASTE

Quoi ? voulez-vous poursuivre ?
Ce n'est pas encor fait ? *Per Jovem !* je suis ivre.

ALBERT

Je n'ai pas dit...

MÉTAPHRASTE

Encor ? Bon Dieu ! que de discours !
Rien n'est-il suffisant d'en arrêter le cours ?

ALBERT

J'enrage.

MÉTAPHRASTE

Derechef ? Oh ! l'étrange torture !   755
Hé ! laissez-moi parler un peu, je vous conjure :
Un sot qui ne dit mot ne se distingue pas
D'un savant qui se tait.

ALBERT, *s'en allant.*

Parbleu, tu te tairas !

MÉTAPHRASTE

D'où vient fort à propos cette sentence expresse
D'un philosophe : « Parle, afin qu'on te connaisse. »   760
Doncques, si de parler le pouvoir m'est ôté,
Pour moi, j'aime autant perdre aussi l'humanité,
Et changer mon essence en celle d'une bête.
Me voilà pour huit jours avec un mal de tête.
Oh ! que les grands parleurs sont par moi détestés !   765
Mais quoi ? si les savants ne sont point écoutés,
Si l'on veut que toujours ils aient la bouche close,
Il faut donc renverser l'ordre de chaque chose :

Que les poules dans peu dévorent les renards,
Que les jeunes enfants remontrent aux vieillards,   770
Qu'à poursuivre les loups les agnelets s'ébattent,
Qu'un fou fasse les lois, que les femmes combattent,
Que par les criminels les juges soient jugés
Et par les écoliers les maîtres fustigés,
Que le malade au sain présente le remède,   775
Que le lièvre craintif... Miséricorde! à l'aide!

> *Albert lui vient sonner aux oreilles une
> cloche qui le fait fuir.*

ACTE III

SCÈNE I

MASCARILLE

Le Ciel parfois seconde un dessein téméraire,
Et l'on sort comme on peut d'une méchante affaire.
Pour moi, qu'une imprudence a trop fait discourir,
Le remède plus prompt où j'ai su recourir,   780
C'est de pousser ma pointe et dire en diligence
A notre vieux patron toute la manigance.
Son fils, qui m'embarrasse, est un évaporé;
L'autre, diable! disant ce que j'ai déclaré,
Gare une irruption sur notre friperie!   785
Au moins, avant qu'on puisse échauffer sa furie,
Quelque chose de bon nous pourra succéder,
Et les vieillards entre eux se pourront accorder :
C'est ce qu'on va tenter; et de la part du nôtre,
Sans perdre un seul moment, je m'en vais trouver l'autre. 790

SCÈNE II

MASCARILLE, ALBERT

ALBERT

Qui frappe ?

MASCARILLE

Amis.

ALBERT

Ho! ho! qui te peut amener,

Mascarille ?

MASCARILLE

Je viens, Monsieur, pour vous donner

Le bonjour.

ALBERT

Ha! vraiment, tu prends beaucoup de peine.
De tout mon cœur, bonjour.

MASCARILLE

La réplique est soudaine.

Quel homme brusque !

ALBERT

Encor ?

MASCARILLE

Vous n'avez pas ouï,   795

Monsieur.

ALBERT

Ne m'as-tu pas donné le bonjour ?

MASCARILLE

Oui.

ALBERT

Eh bien! bonjour, te dis-je.

MASCARILLE

Oui, mais je viens encore
Vous saluer au nom du seigneur Polydore.

ALBERT

Ha! c'est un autre fait. Ton maître t'a chargé
De me saluer ?

MASCARILLE

Oui.

ALBERT

Je lui suis obligé.   800
Va : que je lui souhaite une joie infinie.

MASCARILLE

Cet homme est ennemi de la cérémonie.
Je n'ai pas achevé, Monsieur, son compliment :
Il voudrait vous prier d'une chose instamment.

ALBERT

Hé bien! quand il voudra, je suis à son service.   805

MASCARILLE

Attendez, et souffrez qu'en deux mots je finisse :
Il souhaite un moment pour vous entretenir
D'une affaire importante, et doit ici venir.

ALBERT

Hé! quelle est-elle encor l'affaire qui l'oblige
A me vouloir parler ?

MASCARILLE

        Un grand secret, vous dis-je,   810
Qu'il vient de découvrir en ce même moment,
Et qui, sans doute, importe à tous deux grandement.
Voilà mon ambassade.

SCÈNE III

ALBERT

        Oh! juste Ciel, je tremble!
Car enfin nous avons peu de commerce ensemble.
Quelque tempête va renverser mes desseins,   815
Et ce secret, sans doute, est celui que je crains.
L'espoir de l'intérêt m'a fait quelque infidèle,
Et voilà sur ma vie une tache éternelle :
Ma fourbe est découverte. Oh! que la vérité
Se peut cacher longtemps avec difficulté,   820
Et qu'il eût mieux valu pour moi, pour mon estime,
Suivre les mouvements d'une peur légitime,
Par qui je me suis vu tenté plus de vingt fois
De rendre à Polydore un bien que je lui dois,
De prévenir l'éclat où ce coup-ci m'expose,   825
Et faire qu'en douceur passât toute la chose!
Mais, hélas! c'en est fait, il n'est plus de saison;
Et ce bien, par la fraude entré dans ma maison,
N'en sera point tiré, que dans cette sortie
Il n'entraîne du mien la meilleure partie.   830

SCÈNE IV

ALBERT, POLYDORE

POLYDORE

S'être ainsi marié sans qu'on en ait su rien !
Puisse cette action se terminer à bien !
Je ne sais qu'en attendre, et je crains fort du père
Et la grande richesse et la juste colère.
Mais je l'aperçois seul.

ALBERT

Dieu ! Polydore vient !   835

POLYDORE

Je tremble à l'aborder.

ALBERT

La crainte me retient.

POLYDORE

Par où lui débuter ?

ALBERT

Quel sera mon langage ?

POLYDORE

Son âme est tout émue.

ALBERT

Il change de visage.

POLYDORE

Je vois, seigneur Albert, au trouble de vos yeux,
Que vous savez déjà qui m'amène en ces lieux.   840

ALBERT

Hélas ! oui !

POLYDORE

La nouvelle a droit de vous surprendre,
Et je n'eusse pas cru ce que je viens d'apprendre.

ALBERT

J'en dois rougir de honte et de confusion.

POLYDORE

Je trouve condamnable une telle action,
Et je ne prétends point excuser le coupable.   845

ALBERT

Dieu fait miséricorde au pécheur misérable.

POLYDORE

C'est ce qui doit par vous être considéré.

ALBERT

Il faut être chrétien.

POLYDORE

Il est très assuré.

ALBERT

Grâce au nom de Dieu, grâce, ô seigneur Polydore!

POLYDORE

Eh! c'est moi qui de vous présentement l'implore.   850

ALBERT

Afin de l'obtenir je me jette à genoux.

POLYDORE

Je dois en cet état être plutôt que vous.

ALBERT

Prenez quelque pitié de ma triste aventure.

POLYDORE

Je suis le suppliant dans une telle injure.

ALBERT

Vous me fendez le cœur avec cette bonté.   855

POLYDORE

Vous me rendez confus de tant d'humilité.

ALBERT

Pardon, encore un coup.

POLYDORE

Hélas! pardon vous-même.

ALBERT

J'ai de cette action une douleur extrême.

POLYDORE

Et moi, j'en suis touché de même au dernier point.   860

ALBERT

J'ose vous convier qu'elle n'éclate point.

POLYDORE

Hélas! seigneur Albert, je ne veux autre chose.

ALBERT

Conservons mon honneur.

POLYDORE

           Hé! oui, je m'y dispose.

ALBERT

Quant au bien qu'il faudra, vous-même en résoudrez.

POLYDORE

Je ne veux de vos biens que ce que vous voudrez :
De tous ces intérêts je vous ferai le maître;   865
Et je suis trop content si vous le pouvez être.

ALBERT

Hé! quel homme de Dieu! quel excès de douceur!

POLYDORE

Quelle douceur, vous-même : après un tel malheur!

ALBERT

Que puissiez-vous avoir toutes choses prospères!

POLYDORE

Le bon Dieu vous maintienne!

ALBERT

           Embrassons-nous en frères. 870

POLYDORE

J'y consens de grand cœur, et me réjouis fort
Que tout soit terminé par un heureux accord.

ALBERT

J'en rends grâces au Ciel.

POLYDORE

           Il ne vous faut rien feindre :
Votre ressentiment me donnait lieu de craindre;

Et Lucile tombée en faute avec mon fils,   875
Comme on vous voit puissant et de biens et d'amis...

ALBERT

Heu! que parlez-vous là de faute et de Lucile ?

POLYDORE

Soit, ne commençons point un discours inutile.
Je veux bien que mon fils y trempe grandement ;
Même, si cela fait à votre allégement,   880
J'avouerai qu'à lui seul en est toute la faute ;
Que votre fille avait une vertu trop haute
Pour avoir jamais fait ce pas contre l'honneur,
Sans l'incitation d'un méchant suborneur ;
Que le traître a séduit sa pudeur innocente,   885
Et de votre conduite ainsi détruit l'attente.
Puisque la chose est faite, et que selon mes vœux
Un esprit de douceur nous met d'accord tous deux,
Ne ramentevons rien, et réparons l'offense
Par la solennité d'une heureuse alliance.   890

ALBERT

Oh! Dieu! quelle méprise! et qu'est-ce qu'il m'apprend ?
Je rentre ici d'un trouble en un autre aussi grand.
Dans ces divers transports je ne sais que répondre :
Et si je dis un mot, j'ai peur de me confondre.

POLYDORE

A quoi pensez-vous là, seigneur Albert ?

ALBERT

A rien.   895

Remettons, je vous prie, à tantôt l'entretien :
Un mal subit me prend, qui veut que je vous laisse.

SCÈNE V

POLYDORE

Je lis dedans son âme et vois ce qui le presse.
A quoi que sa raison l'eût déjà disposé,
Son déplaisir n'est pas encor tout apaisé ;   900
L'image de l'affront lui revient, et sa fuite
Tâche à me déguiser le trouble qui l'agite.
Je prends part à sa honte, et son deuil m'attendrit.
Il faut qu'un peu de temps remette son esprit :

La douleur trop contrainte aisément se redouble.   905
Voici mon jeune fou, d'où nous vient tout ce trouble.

SCÈNE VI

POLYDORE, VALÈRE

POLYDORE

Enfin, le beau mignon, vos bons déportements
Troubleront les vieux jours d'un père à tous moments;
Tous les jours vous ferez de nouvelles merveilles,
Et nous n'aurons jamais autre chose aux oreilles.   910

VALÈRE

Que fais-je tous les jours qui soit si criminel?
En quoi mériter tant le courroux paternel?

POLYDORE

Je suis un étrange homme, et d'une humeur terrible,
D'accuser un enfant si sage et si paisible!
Las! il vit comme un saint, et dedans la maison   915
Du matin jusqu'au soir il est en oraison.
Dire qu'il pervertit l'ordre de la nature,
Et fait du jour la nuit, oh! la grande imposture!
Qu'il n'a considéré père ni parenté
En vingt occasions, horrible fausseté!   920
Que de fraîche mémoire un furtif hyménée
A la fille d'Albert a joint sa destinée,
Sans craindre de la suite un désordre puissant :
On le prend pour un autre, et le pauvre innocent
Ne sait pas seulement ce que je veux lui dire!   925
Ha! chien! que j'ai reçu du ciel pour mon martyre,
Te croiras-tu toujours et ne pourrai-je pas
Te voir être une fois sage avant mon trépas?

VALÈRE, *seul.*

D'où peut venir ce coup? mon âme embarrassée
Ne voit que Mascarille où jeter sa pensée.   930
Il ne sera pas homme à m'en faire un aveu!
Il faut user d'adresse, et me contraindre un peu
Dans ce juste courroux.

SCÈNE VII

MASCARILLE, VALÈRE

VALÈRE

Mascarille, mon père,
Que je viens de trouver, sait toute notre affaire.

MASCARILLE

Il la sait ?

VALÈRE

Oui.

MASCARILLE

D'où diantre a-t-il pu la savoir ?   935

VALÈRE

Je ne sais point sur qui ma conjecture asseoir;
Mais enfin d'un succès cette affaire est suivie
Dont j'ai tous les sujets d'avoir l'âme ravie.
Il ne m'en a pas dit un mot qui fût fâcheux,
Il excuse ma faute, il approuve mes feux;   940
Et je voudrais savoir qui peut être capable
D'avoir pu rendre ainsi son esprit si traitable.
Je ne puis t'exprimer l'aise que j'en reçoi.

MASCARILLE

Et que me diriez-vous, Monsieur, si c'était moi
Qui vous eût procuré cette heureuse fortune ?   945

VALÈRE

Bon! bon! tu voudrais bien ici m'en donner d'une.

MASCARILLE

C'est moi, vous dis-je, moi dont le patron le sait,
Et qui vous ai produit ce favorable effet.

VALÈRE

Mais, là, sans te railler ?

MASCARILLE

Que le diable m'emporte
Si je fais raillerie, et s'il n'est de la sorte!   950

VALÈRE

Et qu'il m'entraîne, moi, si tout présentement
Tu n'en vas recevoir le juste payement!

MASCARILLE

Ha! Monsieur, qu'est-ce ci ? Je défends la surprise.

VALÈRE

C'est la fidélité que tu m'avais promise ?
Sans ma feinte, jamais tu n'eusses avoué   955
Le trait que j'ai bien cru que tu m'avais joué.
Traître, de qui la langue à causer trop habile
D'un père contre moi vient d'échauffer la bile,
Qui me perds tout à fait, il faut, sans discourir,
Que tu meures.

MASCARILLE

                Tout beau : mon âme, pour mourir,   960
N'est pas en bon état. Daignez, je vous conjure,
Attendre le succès qu'aura cette aventure.
J'ai de fortes raisons qui m'ont fait révéler
Un hymen que vous-même aviez peine à celer :
C'était un coup d'État, et vous verrez l'issue   965
Condamner la fureur que vous avez conçue.
De quoi vous fâchez-vous ? pourvu que vos souhaits
Se trouvent par mes soins pleinement satisfaits,
Et voyent mettre à fin la contrainte où vous êtes ?

VALÈRE

Et si tous ces discours ne sont que des sornettes ?   970

MASCARILLE

Toujours serez-vous lors à temps pour me tuer.
Mais enfin mes projets pourront s'effectuer;
Dieu fera pour les siens; et content dans la suite,
Vous me remercierez de ma rare conduite.

VALÈRE

Nous verrons. Mais Lucile...

MASCARILLE

                          Halte! son père sort.   975

SCÈNE VIII

VALÈRE, ALBERT, MASCARILLE

ALBERT

Plus je reviens du trouble où j'ai donné d'abord,
Plus je me sens piqué de ce discours étrange,
Sur qui ma peur prenait un si dangereux change ;
Car Lucile soutient que c'est une chanson,
Et m'a parlé d'un air à m'ôter tout soupçon.   980
Ha ! Monsieur, est-ce vous, de qui l'audace insigne
Met en jeu mon honneur, et fait ce conte indigne ?

MASCARILLE

Seigneur Albert, prenez un ton un peu plus doux,
Et contre votre gendre ayez moins de courroux.

ALBERT

Comment gendre, coquin ? Tu portes bien la mine   985
De pousser les ressorts d'une telle machine,
Et d'en avoir été le premier inventeur.

MASCARILLE

Je ne vois ici rien à vous mettre en fureur.

ALBERT

Trouves-tu beau, dis-moi, de diffamer ma fille,
Et faire un tel scandale à toute une famille ?   990

MASCARILLE

Le voilà prêt de faire en tout vos volontés.

ALBERT

Que voudrais-je sinon qu'il dît des vérités ?
Si quelque intention le pressait pour Lucile,
La recherche en pouvait être honnête et civile :
Il fallait l'attaquer du côté du devoir,   995
Il fallait de son père implorer le pouvoir,
Et non pas recourir à cette lâche feinte,
Qui porte à la pudeur une sensible atteinte.

MASCARILLE

Quoi ? Lucile n'est pas sous des liens secrets
A mon maître ?

ALBERT

Non, traître, et n'y sera jamais.   1000

MASCARILLE

Tout doux! Et s'il est vrai que ce soit chose faite,
Voulez-vous l'approuver, cette chaîne secrète?

ALBERT

Et s'il est constant, toi, que cela ne soit pas,
Veux-tu te voir casser les jambes et les bras?

VALÈRE

Monsieur, il est aisé de vous faire paraître   1005
Qu'il dit vrai.

ALBERT

Bon! voilà l'autre encor, digne maître
D'un semblable valet! Oh! les menteurs hardis!

MASCARILLE

D'homme d'honneur, il est ainsi que je le dis.

VALÈRE

Quel serait notre but de vous en faire accroire?

ALBERT

Ils s'entendent tous deux comme larrons en foire.   1010

MASCARILLE

Mais venons à la preuve, et sans nous quereller,
Faites sortir Lucile et la laissez parler.

ALBERT

Et si le démenti par elle vous en reste?

MASCARILLE

Elle n'en fera rien, Monsieur, je vous proteste.
Promettez à leurs vœux votre consentement,   1015
Et je veux m'exposer au plus dur châtiment,
Si de sa propre bouche elle ne vous confesse
Et la foi qui l'engage et l'ardeur qui la presse.

ALBERT

Il faut voir cette affaire.

MASCARILLE

Allez, tout ira bien.

ALBERT

Holà! Lucile, un mot.

VALÈRE

Je crains...

MASCARILLE

Ne craignez rien.   1020

SCÈNE IX

VALÈRE, ALBERT, MASCARILLE, LUCILE

MASCARILLE

Seigneur Albert, au moins, silence. Enfin, Madame,
Toute chose conspire au bonheur de votre âme,
Et Monsieur votre père, averti de vos feux,
Vous laisse votre époux et confirme vos vœux,
Pourvu que bannissant toutes craintes frivoles   1025
Deux mots de votre aveu confirment nos paroles.

LUCILE

Que me vient donc conter ce coquin assuré ?

MASCARILLE

Bon! me voilà déjà d'un beau titre honoré.

LUCILE

Sachons un peu, Monsieur, quelle belle saillie
Fait ce conte galant qu'aujourd'hui l'on publie.   1030

VALÈRE

Pardon, charmant objet, un valet a parlé,
Et j'ai vu malgré moi notre hymen révélé.

LUCILE

Notre hymen ?

VALÈRE

On sait tout, adorable Lucile,
Et vouloir déguiser est un soin inutile.

LUCILE

Quoi ? l'ardeur de mes feux vous a fait mon époux ?   1035

VALÈRE

C'est un bien qui me doit faire mille jaloux;
Mais j'impute bien moins ce bonheur de ma flamme
A l'ardeur de vos feux qu'aux bontés de votre âme.

Je sais que vous avez sujet de vous fâcher,
Que c'était un secret que vous vouliez cacher;   1040
Et j'ai de mes transports forcé la violence
A ne point violer votre expresse défense;
Mais...

MASCARILLE

Hé bien! oui, c'est moi : le grand mal que voilà.

LUCILE

Est-il une imposture égale à celle-là ?
Vous l'osez soutenir en ma présence même,   1045
Et pensez m'obtenir par ce beau stratagème ?
Oh! le plaisant amant, dont la galante ardeur
Veut blesser mon honneur au défaut de mon cœur,
Et que mon père, ému de l'éclat d'un sot conte,
Paye avec mon hymen qui me couvre de honte!   1050
Quand tout contribuerait à votre passion :
Mon père, les destins, mon inclination,
On me verrait combattre, en ma juste colère,
Mon inclination, les destins et mon père,
Perdre même le jour, avant que de m'unir   1055
A qui par ce moyen aurait cru m'obtenir.
Allez; et si mon sexe, avec bienséance,
Se pouvait emporter à quelque violence,
Je vous apprendrais bien à me traiter ainsi.

VALÈRE

C'en est fait, son courroux ne peut être adouci.   1060

MASCARILLE

Laissez-moi lui parler. Eh! Madame, de grâce,
A quoi bon maintenant toute cette grimace ?
Quelle est votre pensée ? et quel bourru transport
Contre vos propres vœux vous fait raidir si fort ?
Si Monsieur votre père était homme farouche,   1065
Passe; mais il permet que la raison le touche,
Et lui-même m'a dit qu'une confession
Vous va tout obtenir de son affection.
Vous sentez, je crois bien, quelque petite honte
A faire un libre aveu de l'amour qui vous dompte;   1070
Mais s'il vous a fait perdre un peu de liberté,
Par un bon mariage on voit tout rajusté;
Et quoi que l'on reproche au feu qui vous consomme,
Le mal n'est pas si grand, que de tuer un homme.
On sait que la chair est fragile quelquefois,   1075
Et qu'une fille enfin n'est ni caillou ni bois.

Vous n'avez pas été sans doute la première,
Et vous ne serez pas, que je crois, la dernière.

LUCILE

Quoi ? Vous pouvez ouïr ces discours effrontés,
Et vous ne dites mot à ces indignités ?   1080

ALBERT

Que veux-tu que je dise ? Une telle aventure
Me met tout hors de moi.

MASCARILLE

      Madame, je vous jure
Que déjà vous devriez avoir tout confessé.

LUCILE

Et quoi donc confesser ?

MASCARILLE

      Quoi ? Ce qui s'est passé
Entre mon maître et vous : la belle raillerie!   1085

LUCILE

Et que s'est-il passé, monstre d'effronterie,
Entre ton maître et moi ?

MASCARILLE

      Vous devez, que je croi,
En savoir un peu plus de nouvelles que moi,
Et pour vous cette nuit fut trop douce, pour croire
Que vous puissiez si vite en perdre la mémoire.   1090

LUCILE

C'est trop souffrir, mon père, un impudent valet.

SCÈNE X

VALÈRE, MASCARILLE, ALBERT

MASCARILLE

Je crois qu'elle me vient de donner un soufflet.

ALBERT

Va, coquin, scélérat, sa main vient sur ta joue
De faire une action dont son père la loue.

MASCARILLE

Et nonobstant cela, qu'un diable en cet instant   1095
M'emporte, si j'ai dit rien que de très constant !

ALBERT

Et nonobstant cela, qu'on me coupe une oreille,
Si tu portes fort loin une audace pareille !

MASCARILLE

Voulez-vous deux témoins qui me justifieront ?

ALBERT

Veux-tu deux de mes gens qui te bâtonneront ?   1100

MASCARILLE

Leur rapport doit au mien donner toute créance.

ALBERT

Leurs bras peuvent du mien réparer l'impuissance.

MASCARILLE

Je vous dis que Lucile agit par honte ainsi.

ALBERT

Je te dis que j'aurai raison de tout ceci.

MASCARILLE

Connaissez-vous Ormin, ce gros notaire habile ?   1105

ALBERT

Connais-tu bien Grimpant, le bourreau de la ville ?

MASCARILLE

Et Simon le tailleur, jadis si recherché ?

ALBERT

Et la potence mise au milieu du marché ?

MASCARILLE

Vous verrez confirmer par eux cet hyménée.

ALBERT

Tu verras achever par eux ta destinée.   1110

MASCARILLE

Ce sont eux qu'ils ont pris pour témoins de leur foi.

ALBERT

Ce sont eux qui dans peu me vengeront de toi.

MASCARILLE

Et ces yeux les ont vus s'entre-donner parole.

ALBERT

Et ces yeux te verront faire la capriole.

MASCARILLE

Et pour signe, Lucile avait un voile noir.   1115

ALBERT

Et pour signe, ton front nous le fait assez voir.

MASCARILLE

Oh! l'obstiné vieillard!

ALBERT

   Oh! le fourbe damnable!
Va, rends grâce à mes ans qui me font incapable
De punir sur-le-champ l'affront que tu me fais :
Tu n'en perds que l'attente, et je te le promets.   1120

SCÈNE XI

VALÈRE, MASCARILLE

VALÈRE

Hé bien! ce beau succès que tu devais produire...

MASCARILLE

J'entends à demi-mot ce que vous voulez dire :
Tout s'arme contre moi; pour moi de tous côtés
Je vois coups de bâton et gibets apprêtés.
Aussi, pour être en paix dans ce désordre extrême,   1125
Je me vais d'un rocher précipiter moi-même,
Si dans le désespoir dont mon cœur est outré,
Je puis en rencontrer d'assez haut à mon gré.
Adieu, Monsieur.

VALÈRE

   Non, non; ta fuite est superflue :
Si tu meurs, je prétends que ce soit à ma vue.   1130

MASCARILLE

Je ne saurais mourir quand je suis regardé,
Et mon trépas ainsi se verrait retardé.

VALÈRE

Suis-moi, traître, suis-moi : mon amour en furie
Te fera voir si c'est matière à raillerie.

MASCARILLE

Malheureux Mascarille! à quels maux aujourd'hui   1135
Te vois-tu condamné pour le péché d'autrui!

ACTE IV

SCÈNE I

ASCAGNE, FROSINE

FROSINE

L'aventure est fâcheuse.

ASCAGNE

          Ah! ma chère Frosine,
Le sort absolument a conclu ma ruine.
Cette affaire, venue au point où la voilà,
N'est pas assurément pour en demeurer là;   1140
Il faut qu'elle passe outre; et Lucile et Valère,
Surpris des nouveautés d'un semblable mystère,
Voudront chercher un jour dans ces obscurités
Par qui tous mes projets se verront avortés.
Car enfin, soit qu'Albert ait part au stratagème,   1145
Ou qu'avec tout le monde on l'ait trompé lui-même,
S'il arrive une fois que mon sort éclairci
Mette ailleurs tout le bien dont le sien a grossi,
Jugez s'il aura lieu de souffrir ma présence :
Son intérêt détruit me laisse à ma naissance;   1150
C'est fait de sa tendresse; et quelque sentiment
Où pour ma fourbe alors pût être mon amant,
Voudra-t-il avouer pour épouse une fille
Qu'il verra sans appui de biens et de famille ?

FROSINE

Je trouve que c'est là raisonné comme il faut;   1155
Mais ces réflexions devaient venir plus tôt.

Qui vous a jusqu'ici caché cette lumière ?
Il ne fallait pas être une grande sorcière
Pour voir, dès le moment de vos desseins pour lui,
Tout ce que votre esprit ne voit que d'aujourd'hui : 1160
L'action le disait, et dès que je l'ai sue,
Je n'en ai prévu guère une meilleure issue.

ASCAGNE

Que dois-je faire enfin ? Mon trouble est sans pareil.
Mettez-vous en ma place, et me donnez conseil.

FROSINE

Ce doit être à vous-même, en prenant votre place,   1165
A me donner conseil dessus cette disgrâce ;
Car je suis maintenant vous, et vous êtes moi ;
« Conseillez-moi, Frosine : au point où je me voi,
Quel remède trouver ? Dites, je vous en prie. »

ASCAGNE

Hélas ! ne traitez point ceci de raillerie ;   1170
C'est prendre peu de part à mes cuisants ennuis
Que de rire et de voir les termes où j'en suis.

FROSINE

Non vraiment, tout de bon, votre ennui m'est sensible,
Et pour vous en tirer je ferais mon possible ;
Mais que puis-je, après tout ? Je vois fort peu de jour 1175
A tourner cette affaire au gré de votre amour.

ASCAGNE

Si rien ne peut m'aider, il faut donc que je meure.

FROSINE

Ha ! pour cela toujours il est assez bonne heure ;
La mort est un remède à trouver quand on veut,
Et l'on s'en doit servir le plus tard que l'on peut.   1180

ASCAGNE

Non, non, Frosine, non ; si vos conseils propices
Ne conduisent mon sort parmi ces précipices,
Je m'abandonne toute aux traits du désespoir.

FROSINE

Savez-vous ma pensée ? Il faut que j'aille voir
La ... Mais Éraste vient, qui pourrait nous distraire. 1185
Nous pourrons en marchant parler de cette affaire :
Allons, retirons-nous.

SCÈNE II

ÉRASTE, GROS-RENÉ

ÉRASTE

Encore rebuté ?

GROS-RENÉ

Jamais ambassadeur ne fut moins écouté.
A peine ai-je voulu lui porter la nouvelle
Du moment d'entretien que vous souhaitiez d'elle   1190
Qu'elle m'a répondu, tenant son quant-à-moi :
« Va, va, je fais état de lui comme de toi;
Dis-lui qu'il se promène »; et sur ce beau langage,
Pour suivre son chemin m'a tourné le visage;
Et Marinette aussi, d'un dédaigneux museau   1195
Lâchant un « Laisse-nous, beau valet de carreau »,
M'a planté là comme elle; et mon sort et le vôtre
N'ont rien à se pouvoir reprocher l'un à l'autre.

ÉRASTE

L'ingrate! recevoir avec tant de fierté
Le prompt retour d'un cœur justement emporté!   1200
Quoi ? le premier transport d'un amour qu'on abuse
Sous tant de vraisemblance est indigne d'excuse ?
Et ma plus vive ardeur, en ce moment fatal,
Devait être insensible au bonheur d'un rival ?
Tout autre n'eût pas fait même chose en ma place,   1205
Et se fût moins laissé surprendre à tant d'audace ?
De mes justes soupçons suis-je sorti trop tard ?
Je n'ai point attendu de serments de sa part;
Et lorsque tout le monde encor ne sait qu'en croire,
Ce cœur impatient lui rend toute sa gloire,   1210
Il cherche à s'excuser; et le sien voit si peu
Dans ce profond respect la grandeur de mon feu!
Loin d'assurer une âme, et lui fournir des armes
Contre ce qu'un rival lui veut donner d'alarmes,
L'ingrate m'abandonne à mon jaloux transport,   1215
Et rejette de moi message, écrit, abord!
Ha! sans doute, un amour a peu de violence,
Qu'est capable d'éteindre une si faible offense;
Et ce dépit si prompt à s'armer de rigueur
Découvre assez pour moi tout le fond de son cœur,   1220

Et de quel prix doit être à présent à mon âme
Tout ce dont son caprice a pu flatter ma flamme.
Non, je ne prétends plus demeurer engagé
Pour un cœur où je vois le peu de part que j'ai;
Et puisque l'on témoigne une froideur extrême   1225
A conserver les gens, je veux faire de même.

GROS-RENÉ

Et moi de même aussi : soyons tous deux fâchés,
Et mettons notre amour au rang des vieux péchés.
Il faut apprendre à vivre au sexe volage,
Et lui faire sentir que l'on a du courage.   1230
Qui souffre ses mépris les veut bien recevoir.
Si nous avions l'esprit de nous faire valoir,
Les femmes n'auraient pas la parole si haute.
Oh! qu'elles nous sont bien fières par notre faute!
Je veux être pendu, si nous ne les verrions   1235
Sauter à notre cou plus que nous ne voudrions,
Sans tous ces vils devoirs dont la plupart des hommes
Les gâtent tous les jours dans le siècle où nous sommes.

ÉRASTE

Pour moi, sur toute chose, un mépris me surprend;
Et pour punir le sien par un autre aussi grand,   1240
Je veux mettre en mon cœur une nouvelle flamme.

GROS-RENÉ

Et moi, je ne veux plus m'embarrasser de femme :
A toutes je renonce, et crois, en bonne foi,
Que vous feriez fort bien de faire comme moi.   [1245
Car, voyez-vous, la femme est, comme on dit, mon maître,
Un certain animal difficile à connaître,
Et de qui la nature est fort encline au mal;
Et comme un animal est toujours animal,
Et ne sera jamais qu'animal, quand sa vie
Durerait cent mille ans, aussi, sans repartie,   1250
La femme est toujours femme, et jamais ne sera
Que femme, tant qu'entier le monde durera;
D'où vient qu'un certain Grec dit que sa tête passe
Pour un sable mouvant; car, goûtez bien, de grâce,
Ce raisonnement-ci, lequel est des plus forts :   1255
Ainsi que la tête est comme le chef du corps,
Et que le corps sans chef est pire qu'une bête :
Si le chef n'est pas bien d'accord avec la tête,
Que tout ne soit pas bien réglé par le compas,
Nous voyons arriver de certains embarras;   1260

La partie brutale alors veut prendre empire
Dessus la sensitive, et l'on voit que l'un tire
A dia, l'autre à hurhaut; l'un demande du mou,
L'autre du dur; enfin tout va sans savoir où :
Pour montrer qu'ici-bas, ainsi qu'on l'interprète,   1265
La tête d'une femme est comme la girouette
Au haut d'une maison, qui tourne au premier vent.
C'est pourquoi le cousin Aristote souvent
La compare à la mer; d'où vient qu'on dit qu'au monde
On ne peut rien trouver de si stable que l'onde.   1270
Or, par comparaison (car la comparaison
Nous fait distinctement comprendre une raison,
Et nous aimons bien mieux, nous autres gens d'étude,
Une comparaison qu'une similitude),
Par comparaison donc, mon maître, s'il vous plaît,   1275
Comme on voit que la mer, quand l'orage s'accroît,
Vient à se courroucer; le vent souffle et ravage,
Les flots contre les flots font un remue-ménage
Horrible; et le vaisseau, malgré le nautonier,
Va tantôt à la cave, et tantôt au grenier :   1280
Ainsi, quand une femme a sa tête fantasque,
On voit une tempête en forme de bourrasque,
Qui veut compétiter par de certains... propos;
Et lors un... certain vent, qui par... de certains flots,
De... certaine façon, ainsi qu'un banc de sable...   1285
Quand... Les femmes enfin ne valent pas le diable.

ÉRASTE

C'est fort bien raisonner.

GROS-RENÉ

                    Assez bien, Dieu merci.
Mais je les vois, Monsieur, qui passent par ici.
Tenez-vous ferme, au moins.

ÉRASTE

                        Ne te mets pas en peine.

GROS-RENÉ

J'ai bien peur que ses yeux resserrent votre chaîne.   1290

SCÈNE III

ÉRASTE, LUCILE, MARINETTE,
GROS-RENÉ

MARINETTE

Je l'aperçois encor; mais ne vous rendez point.

LUCILE

Ne me soupçonne pas d'être faible à ce point.

MARINETTE

Il vient à nous.

ÉRASTE

Non, non, ne croyez pas, Madame,
Que je revienne encor vous parler de ma flamme.
C'en est fait; je me veux guérir, et connais bien   1295
Ce que de votre cœur a possédé le mien.
Un courroux si constant pour l'ombre d'une offense
M'a trop bien éclairé de votre indifférence,
Et je dois vous montrer que les traits du mépris
Sont sensibles surtout aux généreux esprits.   1300
Je l'avouerai, mes yeux observaient dans les vôtres
Des charmes qu'ils n'ont point trouvés dans tous les autres,
Et le ravissement où j'étais de mes fers
Les aurait préférés à des sceptres offerts :
Oui, mon amour pour vous, sans doute, était extrême; 1305
Je vivais tout en vous; et, je l'avouerai même,
Peut-être qu'après tout j'aurai, quoique outragé,
Assez de peine encore à m'en voir dégagé :
Possible que, malgré la cure qu'elle essaie,
Mon âme saignera longtemps de cette plaie,   1310
Et qu'affranchi d'un joug qui faisait tout mon bien,
Il faudra se résoudre à n'aimer jamais rien;
Mais enfin il n'importe, et puisque votre haine
Chasse un cœur tant de fois que l'amour vous ramène,
C'est la dernière ici des importunités   1315
Que vous aurez jamais de mes vœux rebutés.

LUCILE

Vous pouvez faire aux miens la grâce tout entière,
Monsieur, et m'épargner encor cette dernière.

ÉRASTE

Hé bien, Madame, hé bien, ils seront satisfaits!
Je romps avecque vous, et j'y romps pour jamais,   1320
Puisque vous le voulez : que je perde la vie
Lorsque de vous parler je reprendrai l'envie!

LUCILE

Tant mieux, c'est m'obliger.

ÉRASTE

                          Non, non, n'ayez pas peur
Que je fausse parole : eussé-je un faible cœur
Jusques à n'en pouvoir effacer votre image,   1325
Croyez que vous n'aurez jamais cet avantage
De me voir revenir.

LUCILE

                     Ce serait bien en vain.

ÉRASTE

Moi-même de cent coups je percerais mon sein,
Si j'avais jamais fait cette bassesse insigne,
De vous revoir après ce traitement indigne.   1330

LUCILE

Soit, n'en parlons plus donc.

ÉRASTE

                          Oui, oui, n'en parlons plus;
Et pour trancher ici tous propos superflus,
Et vous donner, ingrate, une preuve certaine
Que je veux, sans retour, sortir de votre chaîne,
Je ne veux rien garder qui puisse retracer   1335
Ce que de mon esprit il me faut effacer.
Voici votre portrait : il présente à la vue
Cent charmes merveilleux dont vous êtes pourvue;
Mais il cache sous eux cent défauts aussi grands,
Et c'est un imposteur enfin que je vous rends.   1340

GROS-RENÉ

Bon.

LUCILE

    Et moi, pour vous suivre au dessein de tout rendre,
Voilà le diamant que vous m'aviez fait prendre.

MARINETTE

Fort bien.

ÉRASTE

Il est à vous encor ce bracelet.

LUCILE

Et cette agate à vous, qu'on fit mettre en cachet.

ÉRASTE *lit.*

« Vous m'aimez d'une amour extrême,   1345
« Éraste, et de mon cœur vouiez être éclairci :
   « Si je n'aime Éraste de même,
« Au moins aimé-je fort qu'Éraste m'aime ainsi.
                   « LUCILE. »

ÉRASTE *continue.*

Vous m'assuriez par là d'agréer mon service ?
C'est une fausseté digne de ce supplice.   1350

LUCILE *lit.*

« J'ignore le destin de mon amour ardente,
   « Et jusqu'à quand je souffrirai;
   « Mais je sais, ô beauté charmante,
   « Que toujours je vous aimerai.
                  « ÉRASTE. »
                  Elle continue.

Voilà qui m'assurait à jamais de vos feux ?   1355
Et la main et la lettre ont menti toutes deux.

GROS-RENÉ

Poussez.

ÉRASTE

Elle est de vous; suffit : même fortune.

MARINETTE

Ferme.

LUCILE

J'aurais regret d'en épargner aucune.

GROS-RENÉ

N'ayez pas le dernier.

MARINETTE

Tenez bon jusqu'au bout.

LUCILE

Enfin, voilà le reste.

ÉRASTE

       Et, grâce au Ciel, c'est tout.   1360
Que sois-je exterminé, si je ne tiens parole !

LUCILE

Me confonde le Ciel, si la mienne est frivole!

ÉRASTE

Adieu donc.

LUCILE

Adieu donc.

MARINETTE

Voilà qui va des mieux.

GROS-RENÉ

Vous triomphez.

MARINETTE

Allons, ôtez-vous de ses yeux.

GROS-RENÉ

Retirez-vous après cet effort de courage.   1365

MARINETTE

Qu'attendez-vous encor ?

GROS-RENÉ

Que faut-il davantage ?

ÉRASTE

Ha! Lucile, Lucile, un cœur comme le mien
Se fera regretter, et je le sais fort bien.

LUCILE

Éraste, Éraste, un cœur fait comme est fait le vôtre
Se peut facilement réparer par un autre.   1370

ÉRASTE

Non, non : cherchez partout, vous n'en aurez jamais
De si passionné pour vous, je vous promets.
Je ne dis pas cela pour vous rendre attendrie :
J'aurais tort d'en former encore quelque envie.
Mes plus ardents respects n'ont pu vous obliger;   1375
Vous avez voulu rompre : il n'y faut plus songer;
Mais personne, après moi, quoi qu'on vous fasse entendre,
N'aura jamais pour vous de passion si tendre.

LUCILE

Quand on aime les gens, on les traite autrement;
On fait de leur personne un meilleur jugement.   1380

ÉRASTE

Quand on aime les gens, on' peut, de jalousie,
Sur beaucoup d'apparence avoir l'âme saisie ;
Mais alors qu'on les aime, on ne peut en effet
Se résoudre à les perdre, et vous, vous l'avez fait.

LUCILE

La pure jalousie est plus respectueuse. 1385

ÉRASTE

On voit d'un œil plus doux une offense amoureuse.

LUCILE

Non, votre cœur, Éraste, était mal enflammé.

ÉRASTE

Non, Lucile, jamais vous ne m'avez aimé.

LUCILE

Eh ! je crois que cela faiblement vous soucie.
Peut-être en serait-il beaucoup mieux pour ma vie, 1390
Si je... Mais laissons là ces discours superflus :
Je ne dis point quels sont mes pensers là-dessus.

ÉRASTE

Pourquoi ?

LUCILE

Par la raison que nous rompons ensemble,
Et que cela n'est plus de saison, ce me semble.

ÉRASTE

Nous rompons ?

LUCILE

Oui, vraiment : quoi ? n'en est-ce pas fait ? 1395

ÉRASTE

Et vous voyez cela d'un esprit satisfait ?

LUCILE

Comme vous.

ÉRASTE

Comme moi ?

LUCILE

Sans doute : c'est faiblesse
De faire voir aux gens que leur perte nous blesse.

ÉRASTE

Mais, cruelle, c'est vous qui l'avez bien voulu.

LUCILE

Moi ? Point du tout ; c'est vous qui l'avez résolu.   1400

ÉRASTE

Moi ? Je vous ai cru là faire un plaisir extrême.

LUCILE

Point : vous avez voulu vous contenter vous-même.

ÉRASTE

Mais si mon cœur encor revoulait sa prison...
Si, tout fâché qu'il est, il demandait pardon ?...

LUCILE

Non, non, n'en faites rien : ma faiblesse est trop grande, 1405
J'aurais peur d'accorder trop tôt votre demande.

ÉRASTE

Ha! vous ne pouvez pas trop tôt me l'accorder,
Ni moi sur cette peur trop tôt le demander.
Consentez-y, Madame : une flamme si belle
Doit, pour votre intérêt, demeurer immortelle.   1410
Je le demande enfin : me l'accorderez-vous,
Ce pardon obligeant ?

LUCILE

Ramenez-moi chez nous.

SCÈNE IV

MARINETTE, GROS-RENÉ

MARINETTE

Oh! la lâche personne!

GROS-RENÉ

Ha! le faible courage!

MARINETTE

J'en rougis de dépit.

GROS-RENÉ

J'en suis gonflé de rage.
Ne t'imagine pas que je me rende ainsi.   1415

MARINETTE

Et ne pense pas, toi, trouver ta dupe aussi.

GROS-RENÉ

Viens, viens frotter ton nez auprès de ma colère.

MARINETTE

Tu nous prends pour un autre, et tu n'as pas affaire
A ma sotte maîtresse. Ardez le beau museau,
Pour nous donner envie encore de sa peau!   1420
Moi, j'aurais de l'amour pour ta chienne de face ?
Moi, je te chercherais ? Ma foi, l'on t'en fricasse
Des filles comme nous !

GROS-RENÉ

             Oui ? tu le prends par là ?
Tiens, tiens, sans y chercher tant de façon, voilà
Ton beau galant de neige, avec ta nonpareille :   1425
Il n'aura plus l'honneur d'être sur mon oreille.

MARINETTE

Et toi, pour te montrer que tu m'es à mépris,
Voilà ton demi-cent d'épingles de Paris,
Que tu me donnas hier avec tant de fanfare.

GROS-RENÉ

Tiens encor ton couteau; la pièce est riche et rare :   1430
Il te coûta six blancs lorsque tu m'en fis don.

MARINETTE

Tiens, tes ciseaux, avec ta chaîne de laiton.

GROS-RENÉ

J'oubliais d'avant-hier ton morceau de fromage :
Tiens. Je voudrais pouvoir rejeter le potage
Que tu me fis manger, pour n'avoir rien à toi.   1435

MARINETTE

Je n'ai point maintenant de tes lettres sur moi;
Mais j'en ferai du feu jusques à la dernière.

GROS-RENÉ

Et des tiennes tu sais ce que j'en saurai faire ?

MARINETTE

Prends garde à ne venir jamais me reprier.

GROS-RENÉ

Pour couper tout chemin à nous rapatrier,   1440
Il faut rompre la paille : une paille rompue
Rend, entre gens d'honneur, une affaire conclue.
Ne fais point les doux yeux : je veux être fâché.

MARINETTE

Ne me lorgne point, toi : j'ai l'esprit trop touché.

GROS-RENÉ

Romps : voilà le moyen de ne s'en plus dédire.   1445
Romps : tu ris, bonne bête ?

MARINETTE

                          Oui, car tu me fais rire.

GROS-RENÉ

La peste soit ton ris ! Voilà tout mon courroux
Déjà dulcifié. Qu'en dis-tu ? romprons-nous,
Ou ne romprons-nous pas ?

MARINETTE

                    Vois.

GROS-RENÉ

                          Vois, toi.

MARINETTE

                                Vois, toi-même.

GROS-RENÉ

Est-ce que tu consens que jamais je ne t'aime ?   1450

MARINETTE

Moi ? Ce que tu voudras.

GROS-RENÉ

                    Ce que tu voudras, toi ;
Dis.

MARINETTE

    Je ne dirai rien.

GROS-RENÉ

              Ni moi non plus.

MARINETTE

                          Ni moi.

GROS-RENÉ

Ma foi, nous ferons mieux de quitter la grimace :
Touche, je te pardonne.

MARINETTE

Et moi, je te fais grâce.

GROS-RENÉ

Mon Dieu! qu'à tes appas je suis acoquiné!   1455

MARINETTE

Que Marinette est sotte après son Gros-René!

ACTE V

SCÈNE I

MASCARILLE

« Dès que l'obscurité régnera dans la ville,
Je me veux introduire au logis de Lucile :
Va vite de ce pas préparer pour tantôt
Et la lanterne sourde, et les armes qu'il faut. »   1460
Quand il m'a dit ces mots, il m'a semblé d'entendre :
« Va vitement chercher un licou pour te pendre. »
Venez çà, mon patron (car dans l'étonnement
Où m'a jeté d'abord un tel commandement,
Je n'ai pas eu le temps de vous pouvoir répondre;   1465
Mais je vous veux ici parler, et vous confondre :
Défendez-vous donc bien, et raisonnons sans bruit).
Vous voulez, dites-vous, aller voir cette nuit
Lucile ? « Oui, Mascarille. » Et que pensez-vous faire ?
« Une action d'amant qui se veut satisfaire. »   1470
Une action d'un homme à fort petit cerveau
Que d'aller sans besoin risquer ainsi sa peau.
« Mais tu sais quel motif à ce dessein m'appelle :
Lucile est irritée. » Eh bien! tant pis pour elle.
« Mais l'amour veut que j'aille apaiser son esprit. » 1475
Mais l'amour est un sot qui ne sait ce qu'il dit :
Nous garantira-t-il, cet amour, je vous prie,
D'un rival, ou d'un père, ou d'un frère en furie ?

« Penses-tu qu'aucun d'eux songe à nous faire mal ? »
Oui vraiment je le pense, et surtout ce rival.   1480
« Mascarille, en tout cas, l'espoir où je me fonde,
Nous irons bien armés; et si quelqu'un nous gronde,
Nous nous chamaillerons. » Oui, voilà justement
Ce que votre valet ne prétend nullement :   [1485
Moi, chamailler, bon Dieu! suis-je un Roland, mon maître,
Ou quelque Ferragu ? C'est fort mal me connaître.
Quand je viens à songer, moi qui me suis si cher,
Qu'il ne faut que deux doigts d'un misérable fer
Dans le corps, pour vous mettre un humain dans la bière,
Je suis scandalisé d'une étrange manière.   [1490
« Mais tu seras armé de pied en cap. » Tant pis :
J'en serai moins léger à gagner le taillis;
Et de plus, il n'est point d'armure si bien jointe
Où ne puisse glisser une vilaine pointe.
« Oh! tu seras ainsi tenu pour un poltron. »   1495
Soit, pourvu que toujours je branle le menton :
A table comptez-moi, si vous voulez, pour quatre;
Mais comptez-moi pour rien s'il s'agit de se battre.
Enfin, si l'autre monde a des charmes pour vous,
Pour moi, je trouve l'air de celui-ci fort doux;   1500
Je n'ai pas grande faim de mort ni de blessure,
Et vous ferez le sot tout seul, je vous assure.

SCÈNE II

VALÈRE, MASCARILLE

VALÈRE

Je n'ai jamais trouvé de jour plus ennuyeux :
Le soleil semble s'être oublié dans les cieux;
Et jusqu'au lit qui doit recevoir sa lumière   1505
Je vois rester encore une telle carrière,
Que je crois que jamais il ne l'achèvera
Et que de sa lenteur mon âme enragera.

MASCARILLE

Et cet empressement pour s'en aller dans l'ombre
Pêcher vite à tâtons quelque sinistre encombre!   1510
Vous voyez que Lucile, entière en ses rebuts...

VALÈRE

Ne me fais point ici de contes superflus.

Quand j'y devrais trouver cent embûches mortelles,
Je sens de son courroux des gênes trop cruelles,
Et je veux l'adoucir, ou terminer mon sort :   1515
C'est un point résolu.

MASCARILLE

J'approuve ce transport ;
Mais le mal est, Monsieur, qu'il faudra s'introduire
En cachette.

VALÈRE

Fort bien.

MASCARILLE

Et j'ai peur de vous nuire.

VALÈRE

Et comment ?

MASCARILLE

Une toux me tourmente à mourir,
Dont le bruit importun vous fera découvrir :   1520
De moment en moment... Vous voyez le supplice.

VALÈRE

Ce mal te passera : prends du jus de réglisse.

MASCARILLE

Je ne crois pas, Monsieur, qu'il se veuille passer.
Je serais ravi, moi, de ne vous point laisser ;
Mais j'aurais un regret mortel, si j'étais cause   1525
Qu'il fût à mon cher maître arrivé quelque chose.

SCÈNE III

VALÈRE, LA RAPIÈRE, MASCARILLE

LA RAPIÈRE

Monsieur, de bonne part je viens d'être informé
Qu'Éraste est contre vous fortement animé,
Et qu'Albert parle aussi de faire pour sa fille
Rouer jambes et bras à votre Mascarille.   1530

MASCARILLE

Moi, je ne suis pour rien dans tout cet embarras.
Qu'ai-je fait pour me voir rouer jambes et bras ?
Suis-je donc gardien, pour employer ce style,
De la virginité des filles de la ville ?

Sur la tentation ai-je quelque crédit ?   1535
Et puis-je mais, chétif, si le cœur leur en dit ?

VALÈRE

Oh! qu'ils ne seront pas si méchants qu'ils le disent!
Et quelque belle ardeur que ses feux lui produisent,
Éraste n'aura pas si bon marché de nous.

LA RAPIÈRE

S'il vous faisait besoin, mon bras est tout à vous :   1540
Vous savez de tout temps que je suis un bon frère.

VALÈRE

Je vous suis obligé, Monsieur de la Rapière.

LA RAPIÈRE

J'ai deux amis aussi que je vous puis donner,
Qui contre tous venants sont gens à dégainer,
Et sur qui vous pourrez prendre toute assurance.   1545

MASCARILLE

Acceptez-les, Monsieur.

VALÈRE

                    C'est trop de complaisance.

LA RAPIÈRE

Le petit Gille encore eût pu nous assister,
Sans le triste accident qui vient de nous l'ôter.
Monsieur, le grand dommage! et l'homme de service!
Vous avez su le tour que lui fit la justice :   1550
Il mourut en César, et lui cassant les os,
Le bourreau ne lui put faire lâcher deux mots.

VALÈRE

Monsieur de la Rapière, un homme de la sorte
Doit être regretté. Mais quant à votre escorte,
Je vous rends grâce.

LA RAPIÈRE

                    Soit; mais soyez averti   1555
Qu'il vous cherche, et vous peut faire un mauvais parti.

VALÈRE

Et moi, pour vous montrer combien je l'appréhende,
Je lui veux, s'il me cherche, offrir ce qu'il demande,
Et par toute la ville aller présentement,
Sans être accompagné que de lui seulement.   1560

MASCARILLE

Quoi ? Monsieur, vous voulez tenter Dieu ? Quelle audace !
Las ! vous voyez tous deux comme l'on nous menace,
Combien de tous côtés...

VALÈRE

Que regardes-tu là ?

MASCARILLE

C'est qu'il sent le bâton du côté que voilà.
Enfin, si maintenant ma prudence en est crue,   1565
Ne nous obstinons point à rester dans la rue :
Allons nous renfermer.

VALÈRE

Nous renfermer, faquin !
Tu m'oses proposer un acte de coquin !
Sus, sans plus de discours, résous-toi de me suivre.

MASCARILLE

Eh ! Monsieur, mon cher maître, il est si doux de vivre ! 1570
On ne meurt qu'une fois, et c'est pour si longtemps !

VALÈRE

Je m'en vais t'assommer de coups, si je t'entends.
Ascagne vient ici, laissons-le : il faut attendre
Quel parti de lui-même il résoudra de prendre.
Cependant avec moi viens prendre à la maison   1575
Pour nous frotter.

MASCARILLE

Je n'ai nulle démangeaison.
Que maudit soit l'amour, et les filles maudites
Qui veulent en tâter, puis font les chattemites !

SCÈNE IV

ASCAGNE, FROSINE

ASCAGNE

Est-il bien vrai, Frosine, et ne rêvé-je point ?   1580
De grâce, contez-moi bien tout de point en point.

FROSINE

Vous en saurez assez le détail ; laissez faire :
Ces sortes d'incidents ne sont pour l'ordinaire

Que redits trop de fois de moment en moment.
Suffit que vous sachiez qu'après ce testament
Qui voulait un garçon pour tenir sa promesse,   1585
De la femme d'Albert la dernière grossesse
N'accoucha que de vous : et que lui dessous main
Ayant depuis longtemps concerté son dessein,
Fit son fils de celui d'Ignès la bouquetière,
Qui vous donna pour sienne à nourrir à ma mère.   1590
La mort ayant ravi ce petit innocent
Quelque dix mois après, Albert étant absent,
La crainte d'un époux et l'amour maternelle
Firent l'événement d'une ruse nouvelle :
Sa femme en secret lors se rendit son vrai sang ;   1595
Vous devîntes celui qui tenait votre rang,
Et la mort de ce fils mis dans votre famille
Se couvrit pour Albert de celle de sa fille.
Voilà de votre sort un mystère éclairci
Que votre feinte mère a caché jusqu'ici ;   1600
Elle en dit des raisons, et peut en avoir d'autres,
Par qui ses intérêts n'étaient pas tous les vôtres.
Enfin cette visite, où j'espérais si peu,
Plus qu'on ne pouvait croire a servi votre feu.
Cette Ignès vous relâche ; et par votre autre affaire 1605
L'éclat de son secret devenu nécessaire,
Nous en avons nous deux votre père informé ;
Un billet de sa femme a le tout confirmé ;
Et poussant plus avant encore notre pointe,
Quelque peu de fortune à notre adresse jointe,   1610
Aux intérêts d'Albert, de Polydore après
Nous avons ajusté si bien les intérêts,
Si doucement à lui déplié ces mystères,
Pour n'effaroucher pas d'abord trop les affaires,
Enfin, pour dire tout, mené si prudemment   1615
Son esprit pas à pas à l'accommodement,
Qu'autant que votre père il montre de tendresse
A confirmer les nœuds qui font votre allégresse.

ASCAGNE

Ha ! Frosine, la joie, où vous m'acheminez...
Et que ne dois-je point à vos soins fortunés !   1620

FROSINE

Au reste, le bonhomme est en humeur de rire,
Et pour son fils encor nous défend de rien dire.

SCÈNE V

ASCAGNE, FROSINE, POLYDORE

POLYDORE

Approchez-vous, ma fille : un tel nom m'est permis,
Et j'ai su le secret que cachaient ces habits.
Vous avez fait un trait qui, dans sa hardiesse,   1625
Fait briller tant d'esprit et tant de gentillesse,
Que je vous en excuse, et tiens mon fils heureux
Quand il saura l'objet de ses soins amoureux :
Vous valez tout un monde, et c'est moi qui l'assure.
Mais le voici : prenons plaisir de l'aventure.   1630
Allez faire venir tous vos gens promptement.

ASCAGNE

Vous obéir sera mon premier compliment.

SCÈNE VI

MASCARILLE, POLYDORE, VALÈRE

MASCARILLE

Les disgrâces souvent sont du Ciel révélées :
J'ai songé cette nuit de perles défilées,
Et d'œufs cassés : Monsieur, un tel songe m'abat.   1635

VALÈRE

Chien de poltron!

POLYDORE

       Valère, il s'apprête un combat
Où toute ta valeur te sera nécessaire :
Tu vas avoir en tête un puissant adversaire.

MASCARILLE

Et personne, Monsieur, qui se veuille bouger
Pour retenir des gens qui se vont égorger!   1640
Pour moi, je le veux bien; mais au moins s'il arrive
Qu'un funeste accident de votre fils vous prive,
Ne m'en accusez point.

POLYDORE

Non, non : en cet endroit
Je le pousse moi-même à faire ce qu'il doit.

MASCARILLE

Père dénaturé !

VALÈRE

Ce sentiment, mon père,   1645
Est d'un homme de cœur, et je vous en révère.
J'ai dû vous offenser, et je suis criminel
D'avoir fait tout ceci sans l'aveu paternel ;
Mais à quelque dépit que ma faute vous porte,
La nature toujours se montre la plus forte ;   1650
Et votre honneur fait bien, quand il ne veut pas voir
Que le transport d'Éraste ait de quoi m'émouvoir.

POLYDORE

On me faisait tantôt redouter sa menace :
Mais les choses depuis ont bien changé de face ;
Et sans le pouvoir fuir, d'un ennemi plus fort   1655
Tu vas être attaqué.

MASCARILLE

Point de moyen d'accord ?

VALÈRE

Moi, le fuir ! Dieu m'en garde. Et qui donc pourrait-ce être ?

POLYDORE

Ascagne.

VALÈRE

Ascagne ?

POLYDORE

Oui, tu le vas voir paraître.

VALÈRE

Lui, qui de me servir m'avait donné sa foi !

POLYDORE

Oui, c'est lui qui prétend avoir affaire à toi,   1660
Et qui veut, dans le champ où l'honneur vous appelle,
Qu'un combat seul à seul vide votre querelle.

MASCARILLE

C'est un brave homme : il sait que les cœurs généreux
Ne mettent point les gens en compromis pour eux.

POLYDORE

Enfin d'une imposture ils te rendent coupable,   1665
Dont le ressentiment m'a paru raisonnable ;
Si bien qu'Albert et moi sommes tombés d'accord
Que tu satisferais Ascagne sur ce tort,
Mais aux yeux d'un chacun, et sans nulles remises,
Dans les formalités en pareil cas requises.   1670

VALÈRE

Et Lucile, mon père, a d'un cœur endurci...

POLYDORE

Lucile épouse Éraste, et te condamne aussi ;
Et pour convaincre mieux tes discours d'injustice,
Veut qu'à tes propres yeux cet hymen s'accomplisse.

VALÈRE

Ha ! c'est une impudence à me mettre en fureur :   1675
Elle a donc perdu sens, foi, conscience, honneur ?

SCÈNE VII

MASCARILLE, LUCILE, ÉRASTE,
POLYDORE, ALBERT, VALÈRE

ALBERT

Hé bien ! les combattants ? On amène le nôtre :
Avez-vous disposé le courage du vôtre ?

VALÈRE

Oui, oui, me voilà prêt, puisqu'on m'y veut forcer ;
Et si j'ai pu trouver sujet de balancer,   1680
Un reste de respect en pouvait être cause,
Et non pas la valeur du bras que l'on m'oppose.
Mais c'est trop me pousser, ce respect est à bout :
A toute extrémité mon esprit se résout,
Et l'on fait voir un trait de perfidie étrange,   1685
Dont il faut hautement que mon amour se venge.
Non pas que cet amour prétende encore à vous :
Tout son feu se résout en ardeur de courroux ;
Et quand j'aurai rendu votre honte publique,
Votre coupable hymen n'aura rien qui me pique.   1690
Allez, ce procédé, Lucile, est odieux :
A peine en puis-je croire au rapport de mes yeux ;

C'est de toute pudeur se montrer ennemie,
Et vous devriez mourir d'une telle infamie.

LUCILE

Un semblable discours me pourrait affliger,   1695
Si je n'avais en main qui m'en saura venger.
Voici venir Ascagne; il aura l'avantage
De vous faire changer bien vite de langage,
Et sans beaucoup d'effort.

SCÈNE VIII

MASCARILLE, LUCILE, ÉRASTE,
ALBERT, VALÈRE, GROS-RENÉ, MARINETTE,
ASCAGNE, FROSINE, POLYDORE

VALÈRE

                    Il ne le fera pas,
Quand il joindrait au sien encor vingt autres bras.   1700
Je le plains de défendre une sœur criminelle;
Mais puisque son erreur me veut faire querelle,
Nous le satisferons, et vous, mon brave, aussi.

ÉRASTE

Je prenais intérêt tantôt à tout ceci;
Mais enfin, comme Ascagne a pris sur lui l'affaire,   1705
Je ne veux plus en prendre, et je le laisse faire.

VALÈRE

C'est bien fait, la prudence est toujours de saison;
Mais...

ÉRASTE

            Il saura pour tous vous mettre à la raison.

VALÈRE

Lui ?

POLYDORE

        Ne t'y trompe pas; tu ne sais pas encore
Quel étrange garçon est Ascagne.

ALBERT

                        Il l'ignore.   1710
Mais il pourra dans peu le lui faire savoir.

VALÈRE

Sus donc! que maintenant il me le fasse voir.

MARINETTE

Aux yeux de tous ?

GROS-RENÉ

Cela ne serait pas honnête.

VALÈRE

Se moque-t-on de moi ? Je casserai la tête
A quelqu'un des rieurs. Enfin voyons l'effet.   1715

ASCAGNE

Non, non, je ne suis pas si méchant qu'on me fait;
Et dans cette aventure où chacun m'intéresse,
Vous allez voir plutôt éclater ma faiblesse,
Connaître que le Ciel, qui dispose de nous,
Ne me fit pas un cœur pour tenir contre vous,   1720
Et qu'il vous réservait, pour victoire facile,
De finir le destin du frère de Lucile.
Oui, bien loin de vanter le pouvoir de mon bras,
Ascagne va par vous recevoir le trépas;
Mais il veut bien mourir, si sa mort nécessaire   1725
Peut avoir maintenant de quoi vous satisfaire,
En vous donnant pour femme, en présence de tous,
Celle qui justement ne peut être qu'à vous.

VALÈRE

Non, quand toute la terre, après sa perfidie
Et les traits effrontés...

ASCAGNE

Ah! souffrez que je die,   1730
Valère, que le cœur qui vous est engagé
D'aucun crime envers vous ne peut être chargé :
Sa flamme est toujours pure et sa constance extrême,
Et j'en prends à témoin votre père lui-même.

POLYDORE

Oui, mon fils, c'est assez rire de ta fureur,   1735
Et je vois qu'il est temps de te tirer d'erreur.
Celle à qui par serment ton âme est attachée
Sous l'habit que tu vois à tes yeux est cachée;
Un intérêt de bien, dès ses plus jeunes ans,
Fit ce déguisement qui trompe tant de gens;   1740

Et depuis peu l'amour en a su faire un autre,
Qui t'abusa, joignant leur famille à la nôtre.
Ne va point regarder à tout le monde aux yeux :
Je te fais maintenant un discours sérieux.
Oui, c'est elle, en un mot, dont l'adresse subtile,   1745
La nuit, reçut ta foi sous le nom de Lucile,
Et qui par ce ressort, qu'on ne comprenait pas,
A semé parmi vous un si grand embarras.
Mais, puisqu'Ascagne ici fait place à Dorothée,
Il faut voir de vos feux toute imposture ôtée,   1750
Et qu'un nœud plus sacré donne force au premier.

ALBERT

Et c'est là justement ce combat singulier
Qui devait envers nous réparer votre offense,
Et pour qui les édits n'ont point fait de défense.

POLYDORE

Un tel événement rend tes esprits confus;   1755
Mais en vain tu voudrais balancer là-dessus.

VALÈRE

Non, non, je ne veux pas songer à m'en défendre;
Et si cette aventure a lieu de me surprendre,
La surprise me flatte, et je me sens saisir
De merveille à la fois, d'amour et de plaisir.   1760
Se peut-il que ces yeux... ?

ALBERT

                    Cet habit, cher Valère,
Souffre mal les discours que vous lui pourriez faire.
Allons lui faire en prendre un autre; et cependant
Vous saurez le détail de tout cet incident.

VALÈRE

Vous, Lucile, pardon, si mon âme abusée...   1765

LUCILE

L'oubli de cette injure est une chose aisée.

ALBERT

Allons, ce compliment se fera bien chez nous,
Et nous aurons loisir de nous en faire tous.

ÉRASTE

Mais vous ne songez pas, en tenant ce langage,
Qu'il reste encore ici des sujets de carnage :   1770

Voilà bien à tous deux notre amour couronné;
Mais de son Mascarille et de mon Gros-René,
Par qui doit Marinette être ici possédée ?
Il faut que par le sang l'affaire soit vidée.

MASCARILLE

Nenni, nenni : mon sang dans mon corps sied trop bien.
Qu'il l'épouse en repos, cela ne me fait rien :   [1775
De l'humeur que je sais la chère Marinette,
L'hymen ne ferme pas la porte à la fleurette.

MARINETTE

Et tu crois que de toi je ferais mon galant ?
Un mari, passe encor : tel qu'il est, on le prend;   1780
On n'y va pas chercher tant de cérémonie.
Mais il faut qu'un galant soit fait à faire envie.

GROS-RENÉ

Écoute : quand l'hymen aura joint nos deux peaux,
Je prétends qu'on soit sourde à tous les damoiseaux.

MASCARILLE

Tu crois te marier pour toi tout seul, compère ?   1785

GROS-RENÉ

Bien entendu : je veux une femme sévère,
Ou je ferai beau bruit.

MASCARILLE

          Eh! mon Dieu! tu feras
Comme les autres font, et tu t'adouciras.
Ces gens, avant l'hymen, si fâcheux et critiques,
Dégénèrent souvent en maris pacifiques.   1790

MARINETTE

Va, va, petit mari, ne crains rien de ma foi :
Les douceurs ne feront que blanchir contre moi,
Et je te dirai tout.

MASCARILLE

          Oh! las! fine pratique!
Un mari confident!...

MARINETTE

          Taisez-vous, as de pique.

ALBERT

Pour la troisième fois, allons-nous-en chez nous   1795
Poursuivre en liberté des entretiens si doux.

NOTICE
LES PRÉCIEUSES RIDICULES

La troupe circulante de Molière est à Rouen en 1658. Elle obtient la protection de Monsieur, frère du roi, et débute à Paris, au Louvre, en présence de Louis XIV, le 24 octobre. Elle joue *Nicomède* et une farce, *le Docteur amoureux*, qui obtient un grand succès, puis s'installe au théâtre du Petit-Bourbon, face à l'église Saint-Germain-l'Auxerrois où elle partage la salle avec les Italiens. Molière y fait jouer les farces et les comédies qu'il a créées en province. A Paris, la farce a disparu depuis vingt-cinq ans. Les spectateurs retrouvent chez Molière le goût perdu du rire franc et sain. L'Hôtel de Bourgogne voit avec inquiétude s'installer un nouveau théâtre, qui réussit à merveille et avec lequel il ne peut lutter.

Puisque la farce est à la base de son succès parisien, et lui a permis de s'établir dans la capitale, c'est encore une farce que Molière se propose d'offrir à son public. Mais cette fois, il se dégagera des canevas traditionnels qu'il avait utilisés jusqu'alors. C'est dans la réalité, et plus précisément dans l'actualité parisienne, qu'il ira chercher son sujet. Ainsi naissent *les Précieuses ridicules*. Sans doute, deux ans auparavant, l'abbé de Pure avait-il donné aux Italiens sur le même sujet un scénario malheureusement perdu. Mais il est peu probable qu'il ait fourni à Molière autre chose qu'une idée de départ.

Or, cette idée était excellente, car la préciosité était alors en pleine vogue à Paris. Née à l'Hôtel de Rambouillet, dans une société aristocratique et mondaine, elle s'était vite répandue dans les milieux bourgeois. Des salons précieux, dont le plus célèbre est celui de Madeleine de Scudéry, s'ouvraient à Paris. On y cultivait une littérature raffinée de salon, petits vers, madrigaux aux pointes ingénieuses, on s'y perdait en débats interminables sur l'amour ou la galanterie ; on y lisait avec passion des romans en dix tomes, comme le *Cyrus* et la *Clélie*. Littérature essentiellement féminine, groupements de salons, autour des maîtresses de maison, société de snobs dont le souci essentiel était de se distinguer du vulgaire, en opposant l'amour platonique à l'amour charnel, telle apparaît en gros la préciosité. Les précieuses avaient créé une langue artificielle, riche en métaphores parfois ridicules, en images cocasses, dont certaines ont d'ailleurs survécu dans notre langue actuelle. De surenchère en surenchère certains précieux en arrivèrent, sinon à utiliser, du moins à imaginer un langage symbolique presque incompréhensible, hermétique, réservé aux seuls initiés de ces petites chapelles. Ces apparences mignardes et recherchées, ces jeux de mots et d'esprit, ces pointes à l'italienne, recouvraient d'ailleurs un mouvement féministe très hardi, qui prêchait l'émancipation de la femme, le droit à l'amour, et luttait vigoureusement contre les contraintes sociales du mariage bourgeois, où la jeune fille était alors le plus souvent sacrifiée à des intérêts d'argent.

Ce mouvement précieux, qui connut un développement considérable au lendemain des troubles civils de la Fronde, était devenu une mode parisienne. On en parlait, on en discutait, on riait parfois des manières et du langage ridicule des « salonnières » précieuses.

Bien décidé à rester dans le genre de la farce qui assurait son succès, Molière abordait donc un sujet d'une actualité alors brûlante à Paris. L'entreprise n'était pas sans danger, car il était à prévoir que les intéressées réagiraient contre ses moqueries. On sait par des témoignages contemporains que tout l'Hôtel de Rambouillet était présent à la première représentation. Molière avait pris des précautions, répandant partout le bruit qu'il ne visait pas les excellentes précieuses parisiennes, mais leurs ridicules imitatrices, ces « pecques provinciales » qu'il avait rencontrées dans ses pérégrinations. Précaution oratoire habile qui a fait croire à certains historiens, mais à tort, que *les Précieuses ridicules* avaient été composées en province ; en réalité, c'étaient bien les précieuses parisiennes qui étaient visées et atteintes. La mention du principal recueil précieux, le *Recueil de Sercy*, les claires allusions à Madeleine de Scudéry, le démontrent surabondamment. D'ailleurs le public parisien ne connaissait évidemment que la préciosité parisienne et ne pouvait penser, en écoutant la pièce, qu'aux précieuses de Paris, dont tout le monde parlait, et qui avaient déjà trouvé des censeurs, tel Scarron dans sa comédie de *l'Héritier ridicule*.

Ainsi Molière, dans sa pièce ouvertement satirique, mêlait, pour la première fois, deux genres très différents, la farce et la comédie de mœurs. Mais, en s'attaquant à l'actualité, il allait soulever la colère de ses victimes. Il fut peut-être l'objet de menaces ; un « alcôviste de qualité » parvint à faire retirer la pièce de l'affiche pendant quinze jours. Un libraire malhonnête tenta de publier une édition clandestine d'une copie dérobée. Un obscur écrivain, peu scrupuleux, Somaize, lui opposa les *Véritables précieuses* et traduisit même en vers ses *Précieuses ridicules*. Puis il exploita la vogue de la préciosité en publiant son *Dictionnaire des Précieuses*. Molière se défendit de son mieux et hâta la publication de sa pièce, avec quelques atténuations dans le texte, et une préface lénifiante, mais où éclatent la joie et l'orgueil du succès.

Molière avait fait de son mieux pour donner tout l'éclat possible à sa première comédie parisienne. Des costumes somptueux, mais parodiques, où les rubans et les plumes étaient multipliés jusqu'à l'extravagance, habillaient les faux marquis et déchaînèrent les rires. Et surtout Molière s'était assuré le concours de Jodelet, le dernier farceur parisien, extrêmement populaire, qu'il avait enlevé au théâtre du Marais. Mascarille sous le masque, Jodelet enfariné, quel merveilleux couple de farceurs !

La verve et l'esprit satirique que Molière avait mis dans sa caricature de Cathos et de Madelon divertirent tout Paris et firent de Molière l'acteur à succès, le héros du jour, au grand désespoir des comédiens de l'Hôtel de Bourgogne, qu'il avait d'ailleurs égratignés au passage. *Les Précieuses ridicules*, première attaque des travers des contemporains, préludaient aux grandes comédies où les vices du siècle allaient être dénoncés et qui devaient attirer à leur auteur de nouveaux et plus graves inconvénients.

Les Précieuses ridicules furent créées au théâtre du Petit-Bourbon le 18 novembre 1659, accompagnées sur l'affiche de *Cinna*. La pièce connut, dans sa nouveauté, quarante-quatre représentations, ce qui était alors un chiffre considérable. Les recettes étaient magnifiques, car on avait doublé le prix des places. Molière était harcelé de demandes de représentations privées ; Mme du Plessis-Guénégaud, le ministre Le Tellier, le prince de Condé se firent jouer la pièce en leurs hôtels ; Monsieur, protecteur de la troupe, la fit représenter au Louvre et Mazarin la vit à Vincennes.

Le succès mondain doublait ainsi le succès populaire. La carrière parisienne de Molière s'ouvrait, grâce aux *Précieuses ridicules*, sur un triomphe général. Depuis lors, la pièce n'a plus quitté le répertoire.

LES PRÉCIEUSES RIDICULES

COMÉDIE

REPRÉSENTÉE POUR LA PREMIÈRE FOIS
SUR LE THÉATRE DU PETIT-BOURBON
LE 18e NOVEMBRE 1659

PAR LA

TROUPE DE MONSIEUR, FRÈRE UNIQUE DU ROI

PRÉFACE

C'est une chose étrange qu'on imprime les gens malgré eux. Je ne vois rien de si injuste, et je pardonnerais toute autre violence plutôt que celle-là.

Ce n'est pas que je veuille faire ici l'auteur modeste, et mépriser, par honneur, ma comédie. J'offenserais mal à propos tout Paris, si je l'accusais d'avoir pu applaudir à une sottise. Comme le public est le juge absolu de ces sortes d'ouvrages, il y aurait de l'impertinence à moi de le démentir ; et, quand j'aurais eu la plus mauvaise opinion du monde de mes *Précieuses ridicules* avant leur représentation, je dois croire maintenant qu'elles valent quelque chose, puisque tant de gens ensemble en ont dit du bien. Mais, comme une grande partie des grâces qu'on y a trouvées dépendent de l'action et du ton de voix, il m'importait qu'on ne les dépouillât pas de ces ornements ; et je trouvais que le succès qu'elles avaient eu dans la représentation était assez beau pour en demeurer là. J'avais résolu, dis-je, de ne les faire voir qu'à la chandelle, pour ne point donner lieu à quelqu'un de dire le proverbe ; et je ne voulais pas qu'elles sautassent du théâtre de Bourbon dans la galerie du Palais. Cependant je n'ai pu l'éviter, et je suis tombé dans la disgrâce de voir une copie dérobée de ma pièce entre les mains des libraires, accompagnée d'un privilège obtenu par surprise. J'ai eu beau crier : O temps ! ô mœurs ! on m'a fait voir une nécessité pour moi d'être imprimé, ou d'avoir un procès ; et le dernier mal est encore pire que le premier. Il faut donc se laisser aller à la destinée, et consentir à une chose qu'on ne laisserait pas de faire sans moi.

Mon Dieu ! l'étrange embarras qu'un livre à mettre au jour, et qu'un auteur est neuf la première fois qu'on l'imprime ! Encore si l'on m'avait donné du temps, j'aurais pu mieux songer à moi, et j'aurais pris toutes les précautions que messieurs les auteurs, à présent mes confrères, ont coutume de prendre en semblables occasions. Outre quelque grand seigneur que j'aurais été prendre malgré lui pour protecteur de mon ouvrage, et dont j'aurais tenté la libéralité par une épître dédicatoire bien fleurie, j'aurais tâché de faire une belle et docte préface ; et je ne manque point de livres qui m'auraient fourni tout ce qu'on peut dire de savant sur la tragédie et la comédie, l'étymologie de toutes deux, leur origine, leur définition et le reste.

J'aurais parlé aussi à mes amis, qui, pour la recommandation de ma pièce, ne m'auraient pas refusé, ou des vers français, ou des vers latins. J'en ai même qui m'auraient loué en grec, et l'on n'ignore pas qu'une louange en grec est d'une merveilleuse efficace à la tête d'un livre. Mais on me met au jour sans me donner le loisir de me reconnaître ; et je ne puis même obtenir la liberté de dire deux mots pour justifier mes intentions sur le sujet de cette comédie. J'aurais voulu faire voir qu'elle se tient partout dans les bornes de la satire honnête et permise ; que les plus excellentes choses sont sujettes à être copiées par de mauvais singes qui méritent d'être bernés ; que ces vicieuses imitations de ce qu'il y a de plus parfait ont été de tout temps la matière de la comédie ; et que, par la même raison les véritables savants et les vrais braves ne se sont point encore avisés de s'offenser du Docteur de la comédie, et du Capitan ; non plus que les juges, les princes et les rois, de voir Trivelin, ou quelque autre, sur le théâtre, faire ridiculement le juge, le prince ou le roi : aussi les véritables précieuses auraient tort de se piquer, lorsqu'on joue les ridicules qui les imitent mal. Mais enfin, comme j'ai dit, on ne me laisse pas le temps de respirer, et M. de Luyne veut m'aller relier de ce pas : à la bonne heure, puisque Dieu l'a voulu.

PERSONNAGES

LA GRANGE |
DU CROISY ∫ amants rebutés.
GORGIBUS, bon bourgeois.
MAGDELON, fille de Gorgibus, précieuse ridicule.
CATHOS, nièce de Gorgibus, précieuse ridicule.
MAROTTE, servante des précieuses ridicules.
ALMANZOR, laquais des précieuses ridicules.
LE MARQUIS DE MASCARILLE, valet de la Grange.
LE VICOMTE DE JODELET, valet de du Croisy.
DEUX PORTEURS DE CHAISE.
VOISINES.
VIOLONS.

SCÈNE I

LA GRANGE, DU CROISY

Du Croisy. — Seigneur La Grange...

La Grange. — Quoi ?

Du Croisy. — Regardez-moi un peu sans rire.

La Grange. — Eh bien ?

Du Croisy. — Que dites-vous de notre visite ? en êtes-vous fort satisfait ?

La Grange. — A votre avis, avons-nous sujet de l'être tous deux ?

Du Croisy. — Pas tout à fait, à dire vrai.

La Grange. — Pour moi, je vous avoue que j'en suis tout scandalisé. A-t-on jamais vu, dites-moi, deux pecques provinciales faire plus les renchéries que celles-là, et deux hommes traités avec plus de mépris que nous ? A peine ont-elles pu se résoudre à nous faire donner des sièges. Je n'ai jamais vu tant parler à l'oreille qu'elles ont fait entre elles, tant bâiller, tant se frotter les yeux, et demander tant de fois : « Quelle heure est-il ? » Ont-elles répondu que oui et non à tout ce que nous avons pu leur dire ? Et ne m'avouerez-vous pas enfin que, quand nous aurions été les dernières personnes du monde, on ne pouvait nous faire pis qu'elles ont fait ?

Du Croisy. — Il me semble que vous prenez la chose fort à cœur.

La Grange. — Sans doute, je l'y prends, et de telle façon, que je veux me venger de cette impertinence. Je connais ce qui nous a fait mépriser. L'air précieux n'a pas seulement infecté Paris, il s'est aussi répandu dans les provinces, et nos donzelles ridicules en ont humé leur bonne part. En un mot, c'est un ambigu de précieuse et de coquette que leur personne. Je vois ce qu'il faut être pour en être bien reçu; et si vous m'en croyez, nous leur jouerons tous deux une pièce qui leur fera voir leur sottise, et pourra leur apprendre à connaître un peu mieux leur monde.

Du Croisy. — Et comment encore ?

La Grange. — J'ai un certain valet, nommé Mascarille, qui passe, au sentiment de beaucoup de gens, pour une manière de bel esprit; car il n'y a rien à meilleur marché que le bel esprit maintenant. C'est un extravagant, qui s'est mis dans la tête de vouloir faire l'homme de condition. Il se pique ordinairement de galanterie et de vers, et dédaigne les autres valets, jusqu'à les appeler brutaux.

Du Croisy. — Eh bien! qu'en prétendez-vous faire ?

La Grange. — Ce que j'en prétends faire ? Il faut... Mais sortons d'ici auparavant.

SCÈNE II

GORGIBUS, DU CROISY, LA GRANGE

Gorgibus. — Eh bien! vous avez vu ma nièce et ma fille : les affaires iront-elles bien ? Quel est le résultat de cette visite ?

La Grange. — C'est une chose que vous pourrez mieux apprendre d'elles que de nous. Tout ce que nous pouvons vous dire, c'est que nous vous rendons grâce de la faveur que vous nous avez faite, et demeurons vos très humbles serviteurs.

Gorgibus. — Ouais! il semble qu'ils sortent mal satisfaits d'ici. D'où pourrait venir leur mécontentement ? Il faut savoir un peu ce que c'est. Holà!

SCÈNE III

MAROTTE, GORGIBUS

Marotte. — Que désirez-vous, Monsieur ?

Gorgibus. — Où sont vos maîtresses ?

MAROTTE. — Dans leur cabinet.

GORGIBUS. — Que font-elles ?

MAROTTE. — De la pommade pour les lèvres.

GORGIBUS. — C'est trop pommadé. Dites-leur qu'elles descendent. Ces pendardes-là, avec leur pommade, ont, je pense, envie de me ruiner. Je ne vois partout que blancs d'œufs, lait virginal, et mille autres brimborions que je ne connais point. Elles ont usé, depuis que nous sommes ici, le lard d'une douzaine de cochons, pour le moins, et quatre valets vivraient tous les jours des pieds de mouton qu'elles emploient.

SCÈNE IV

MAGDELON, CATHOS, GORGIBUS

GORGIBUS. — Il est bien nécessaire vraiment de faire tant de dépense pour vous graisser le museau. Dites-moi un peu ce que vous avez fait à ces Messieurs, que je les vois sortir avec tant de froideur ? Vous avais-je pas commandé de les recevoir comme des personnes que je voulais vous donner pour maris ?

MAGDELON. — Et quelle estime, mon père, voulez-vous que nous fassions du procédé irrégulier de ces gens-là ?

CATHOS. — Le moyen, mon oncle, qu'une fille un peu raisonnable se pût accommoder de leur personne ?

GORGIBUS. — Et qu'y trouvez-vous à redire ?

MAGDELON. — La belle galanterie que la leur! Quoi ? débuter d'abord par le mariage!

GORGIBUS. — Et par où veux-tu donc qu'ils débutent ? par le concubinage ? N'est-ce pas un procédé dont vous avez sujet de vous louer toutes deux aussi bien que moi ? Est-il rien de plus obligeant que cela ? Et ce lien sacré où ils aspirent, n'est-il pas un témoignage de l'honnêteté de leurs intentions ?

MAGDELON. — Ah! mon père, ce que vous dites là est du dernier bourgeois. Cela me fait honte de vous ouïr parler de la sorte, et vous devriez un peu vous faire apprendre le bel air des choses.

GORGIBUS. — Je n'ai que faire ni d'air ni de chanson. Je te dis que le mariage est une chose simple et sacrée, et que c'est faire en honnêtes gens que de débuter par là.

MAGDELON. — Mon Dieu, que, si tout le monde vous ressemblait, un roman serait bientôt fini! La belle chose que ce serait si d'abord Cyrus épousait Mandane, et qu'Aronce de plain-pied fût marié à Clélie!

GORGIBUS. — Que me vient conter celle-ci ?

MAGDELON. — Mon père, voilà ma cousine qui vous dira, aussi bien que moi, que le mariage ne doit jamais arriver qu'après les autres aventures. Il faut qu'un amant, pour être agréable, sache débiter les beaux sentiments, pousser le doux, le tendre et le passionné, et que sa recherche soit dans les formes. Premièrement, il doit voir au temple, ou à la promenade, ou dans quelque cérémonie publique, la personne dont il devient amoureux; ou bien être conduit fatalement chez elle par un parent ou un ami, et sortir de là tout rêveur et mélancolique. Il cache un temps sa passion à l'objet aimé, et cependant lui rend plusieurs visites, où l'on ne manque jamais de mettre sur le tapis une question galante qui exerce les esprits de l'assemblée. Le jour de la déclaration arrive, qui se doit faire ordinairement dans une allée de quelque jardin, tandis que la compagnie s'est un peu éloignée; et cette déclaration est suivie d'un prompt courroux, qui paraît à notre rougeur, et qui, pour un temps, bannit l'amant de notre présence. Ensuite il trouve moyen de nous apaiser, de nous accoutumer insensiblement au discours de sa passion, et de tirer de nous cet aveu qui fait tant de peine. Après cela viennent les aventures, les rivaux qui se jettent à la traverse d'une inclination établie, les persécutions des pères, les jalousies conçues sur de fausses apparences, les plaintes, les désespoirs, les enlèvements, et ce qui s'ensuit. Voilà comme les choses se traitent dans les belles manières et ce sont des règles dont, en bonne galanterie, on ne saurait se dispenser. Mais en venir de but en blanc à l'union conjugale, ne faire l'amour qu'en faisant le contrat du mariage, et prendre justement le roman par la queue! encore un coup, mon père, il ne se peut rien de plus marchand que ce procédé; et j'ai mal au cœur de la seule vision que cela me fait.

GORGIBUS. — Quel diable de jargon entends-je ici ? Voici bien du haut style.

CATHOS. — En effet, mon oncle, ma cousine donne dans le vrai de la chose. Le moyen de bien recevoir des gens qui sont tout à fait incongrus en galanterie ? Je m'en vais gager qu'ils n'ont jamais vu la carte de Tendre.

et que Billets-Doux, Petits-Soins, Billets-Galants et Jolis-Vers sont des terres inconnues pour eux. Ne voyez-vous pas que toute leur personne marque cela, et qu'ils n'ont point cet air qui donne d'abord bonne opinion des gens ? Venir en visite amoureuse avec une jambe toute unie, un chapeau désarmé de plumes, une tête irrégulière en cheveux, et un habit qui souffre une indigence de rubans !... mon Dieu, quels amants sont-ce là ! Quelle frugalité d'ajustement et quelle sécheresse de conversation ! On n'y dure point, on n'y tient pas. J'ai remarqué encore que leurs rabats ne sont pas de la bonne faiseuse, et qu'il s'en faut plus d'un grand demi-pied que leurs hauts-de-chausses ne soient assez larges.

GORGIBUS. — Je pense qu'elles sont folles toutes deux, et je ne puis rien comprendre à ce baragouin. Cathos, et vous, Magdelon...

MAGDELON. — Eh ! de grâce, mon père, défaites-vous de ces noms étranges, et nous appelez autrement.

GORGIBUS. — Comment, ces noms étranges ! Ne sont-ce pas vos noms de baptême ?

MAGDELON. — Mon Dieu, que vous êtes vulgaire ! Pour moi, un de mes étonnements, c'est que vous ayez pu faire une fille si spirituelle que moi. A-t-on jamais parlé dans le beau style de Cathos ni de Magdelon ? et ne m'avouerez-vous pas que ce serait assez d'un de ces noms pour décrier le plus beau roman du monde ?

CATHOS. — Il est vrai, mon oncle, qu'une oreille un peu délicate pâtit furieusement à entendre prononcer ces mots-là ; et le nom de Polyxène que ma cousine a choisi, et celui d'Aminte que je me suis donné, ont une grâce dont il faut que vous demeuriez d'accord.

GORGIBUS. — Écoutez, il n'y a qu'un mot qui serve : je n'entends point que vous ayez d'autres noms que ceux qui vous ont été donnés par vos parrains et marraines ; et pour ces Messieurs dont il est question, je connais leurs familles et leurs biens, et je veux résolument que vous vous disposiez à les recevoir pour maris. Je me lasse de vous avoir sur les bras, et la garde de deux filles est une charge un peu trop pesante pour un homme de mon âge.

CATHOS. — Pour moi, mon oncle, tout ce que je vous puis dire, c'est que je trouve le mariage une chose tout à fait choquante. Comment est-ce qu'on peut souffrir la pensée de coucher contre un homme vraiment nu ?

MAGDELON. — Souffrez que nous prenions un peu

haleine parmi le beau monde de Paris, où nous ne faisons que d'arriver. Laissez-nous faire à loisir le tissu
de notre roman, et n'en pressez point tant la conclu-
sion.

Gorgibus. — Il n'en faut point douter, elles sont
achevées. Encore un coup, je n'entends rien à toutes
ces balivernes ; je veux être maître absolu ; et pour trancher toutes sortes de discours, ou vous serez mariées
toutes deux avant qu'il soit peu, ou, ma foi ! vous serez
religieuses : j'en fais un bon serment.

SCÈNE V

CATHOS, MAGDELON

Cathos. — Mon Dieu ! ma chère, que ton père a la
forme enfoncée dans la matière ! que son intelligence est
épaisse et qu'il fait sombre dans son âme !

Magdelon. — Que veux-tu, ma chère ? J'en suis en
confusion pour lui. J'ai peine à me persuader que je
puisse être véritablement sa fille, et je crois que quelque
aventure, un jour, me viendra développer une naissance
plus illustre.

Cathos. — Je le croirais bien ; oui, il y a toutes les
apparences du monde ; et pour moi, quand je me regarde
aussi...

SCÈNE VI

MAROTTE, CATHOS, MAGDELON

Marotte. — Voilà un laquais qui demande si vous
êtes au logis, et dit que son maître vous veut venir voir.

Magdelon. — Apprenez, sotte, à vous énoncer moins
vulgairement. Dites : « Voilà un nécessaire qui demande
si vous êtes en commodité d'être visibles. »

Marotte. — Dame ! je n'entends point le latin, et je
n'ai pas appris, comme vous, la filofie dans *le Grand
Cyre*.

Magdelon. — L'impertinente ! Le moyen de souffrir
cela ? Et qui est-il, le maître de ce laquais ?

Marotte. — Il me l'a nommé le marquis de Mascarille.

MAGDELON. — Ah! ma chère, un marquis! Oui, allez dire qu'on nous peut voir. C'est sans doute un bel esprit qui aura ouï parler de nous.

CATHOS. — Assurément, ma chère.

MAGDELON. — Il faut le recevoir dans cette salle basse, plutôt qu'en notre chambre. Ajustons un peu nos cheveux au moins, et soutenons notre réputation. Vite, venez nous tendre ici dedans le conseiller des grâces.

MAROTTE. — Par ma foi, je ne sais point quelle bête c'est là : il faut parler chrétien, si vous voulez que je vous entende.

CATHOS. — Apportez-nous le miroir, ignorante que vous êtes, et gardez-vous bien d'en salir la glace par la communication de votre image.

SCÈNE VII

MASCARILLE, DEUX PORTEURS

MASCARILLE. — Holà, porteurs, holà! Là, là, là, là, là, là. Je pense que ces marauds-là ont dessein de me briser à force de heurter contre les murailles et les pavés.

PREMIER PORTEUR. — Dame! c'est que la porte est étroite : vous avez voulu aussi que nous soyons entrés jusqu'ici.

MASCARILLE. — Je le crois bien. Voudriez-vous, faquins, que j'exposasse l'embonpoint de mes plumes aux inclémences de la saison pluvieuse, et que j'allasse imprimer mes souliers en boue ? Allez, ôtez votre chaise d'ici.

DEUXIÈME PORTEUR. — Payez-nous donc, s'il vous plaît, Monsieur.

MASCARILLE. — Hem ?

DEUXIÈME PORTEUR. — Je dis, Monsieur, que vous nous donniez de l'argent, s'il vous plaît.

MASCARILLE, *lui donnant un soufflet.* — Comment, coquin, demander de l'argent à une personne de ma qualité !

DEUXIÈME PORTEUR. — Est-ce ainsi qu'on paye les pauvres gens ? et votre qualité nous donne-t-elle à dîner ?

MASCARILLE. — Ah! ah! ah! je vous apprendrai à vous connaître! Ces canailles-là s'osent jouer à moi.

PREMIER PORTEUR, *prenant un des bâtons de sa chaise.* — Çà! payez-nous vitement!

MASCARILLE. — Quoi ?

PREMIER PORTEUR. — Je dis que je veux avoir de l'argent tout à l'heure.

MASCARILLE. — Il est raisonnable.

PREMIER PORTEUR. — Vite donc.

MASCARILLE. — Oui-da. Tu parles comme il faut, toi; mais l'autre est un coquin qui ne sait ce qu'il dit. Tiens : es-tu content ?

PREMIER PORTEUR. — Non, je ne suis pas content : vous avez donné un soufflet à mon camarade, et...

MASCARILLE. — Doucement. Tiens, voilà pour le soufflet. On obtient tout de moi quand on s'y prend de la bonne façon. Allez, venez me reprendre tantôt pour aller au Louvre, au petit coucher.

SCÈNE VIII

MAROTTE, MASCARILLE

MAROTTE. — Monsieur, voilà mes maîtresses qui vont venir tout à l'heure.

MASCARILLE. — Qu'elles ne se pressent point : je suis ici posté commodément pour attendre.

MAROTTE. — Les voici.

SCÈNE IX

MAGDELON, CATHOS, MASCARILLE
ALMANZOR

MASCARILLE, *après avoir salué.* — Mesdames, vous serez surprises, sans doute, de l'audace de ma visite; mais votre réputation vous attire cette méchante affaire, et le mérite a pour moi des charmes si puissants, que je cours partout après lui.

MAGDELON. — Si vous poursuivez le mérite, ce n'est pas sur nos terres que vous devez chasser.

CATHOS. — Pour voir chez nous le mérite, il a fallu que vous l'y ayez amené.

MASCARILLE. — Ah! je m'inscris en faux contre vos paroles. La renommée accuse juste en contant ce que vous valez; et vous allez faire pic, repic et capot tout ce qu'il y a de galant dans Paris.

MAGDELON. — Votre complaisance pousse un peu trop avant la libéralité de ses louanges; et nous n'avons garde, ma cousine et moi, de donner de notre sérieux dans le doux de votre flatterie.

CATHOS. — Ma chère, il faudrait faire donner des sièges.

MAGDELON. — Holà, Almanzor!

ALMANZOR. — Madame.

MAGDELON. — Vite, voiturez-nous ici les commodités de la conversation.

MASCARILLE. — Mais au moins, y a-t-il sûreté ici pour moi ?

CATHOS. — Que craignez-vous ?

MASCARILLE. — Quelque vol de mon cœur, quelque assassinat de ma franchise. Je vois ici des yeux qui ont la mine d'être de fort mauvais garçons, de faire insulte aux libertés, et de traiter une âme de Turc à More. Comment diable, d'abord qu'on les approche, ils se mettent sur leur garde meurtrière ? Ah! par ma foi, je m'en défie, et je m'en vais gagner au pied, ou je veux caution bourgeoise qu'ils ne me feront point de mal.

MAGDELON. — Ma chère, c'est le caractère enjoué.

CATHOS. — Je vois bien que c'est un Amilcar.

MAGDELON. — Ne craignez rien : nos yeux n'ont point de mauvais desseins, et votre cœur peut dormir en assurance sur leur prud'homie.

CATHOS. — Mais de grâce, Monsieur, ne soyez pas inexorable à ce fauteuil qui vous tend les bras il y a un quart d'heure; contentez un peu l'envie qu'il a de vous embrasser.

MASCARILLE, *après s'être peigné et avoir ajusté ses canons.* — Eh bien, Mesdames, que dites-vous de Paris ?

MAGDELON. — Hélas! qu'en pourrions-nous dire ? Il faudrait être l'antipode de la raison, pour ne pas confesser que Paris est le grand bureau des merveilles, le centre du bon goût, du bel esprit et de la galanterie.

MASCARILLE. — Pour moi, je tiens que hors de Paris, il n'y a point de salut pour les honnêtes gens.

CATHOS. — C'est une vérité incontestable.

MASCARILLE. — Il y fait un peu crotté; mais nous avons la chaise.

MAGDELON. — Il est vrai que la chaise est un retranchement merveilleux contre les insultes de la boue et du mauvais temps.

MASCARILLE. — Vous recevez beaucoup de visites : quel bel esprit est des vôtres ?

MAGDELON. — Hélas! nous ne sommes pas encore connues; mais nous sommes en passe de l'être, et nous avons une amie particulière qui nous a promis d'amener ici tous ces Messieurs du *Recueil des pièces choisies*.

CATHOS. — Et certains autres qu'on nous a nommés aussi pour être les arbitres souverains des belles choses.

MASCARILLE. — C'est moi qui ferai votre affaire mieux que personne : ils me rendent tous visite; et je puis dire que je ne me lève jamais sans une demi-douzaine de beaux esprits.

MAGDELON. — Eh! mon Dieu, nous vous serons obligées de la dernière obligation, si vous nous faites cette amitié; car enfin il faut avoir la connaissance de tous ces Messieurs-là, si l'on veut être du beau monde. Ce sont ceux qui donnent le branle à la réputation dans Paris, et vous savez qu'il y en a tel dont il ne faut que la seule fréquentation pour vous donner bruit de connaisseuse, quand il n'y aurait rien autre chose que cela. Mais pour moi, ce que je considère particulièrement, c'est que, par le moyen de ces visites spirituelles, on est instruite de cent choses qu'il faut savoir de nécessité, et qui sont de l'essence d'un bel esprit. On apprend par là chaque jour les petites nouvelles galantes, les jolis commerces de prose et de vers. On sait à point nommé : « Un tel a composé la plus jolie pièce du monde sur un tel sujet; une telle a fait des paroles sur un tel air; celui-ci a fait un madrigal sur une jouissance; celui-là a composé des stances sur une infidélité; Monsieur un tel écrivit hier au soir un sixain à Mademoiselle une telle, dont elle lui a envoyé la réponse ce matin sur les huit heures; un tel auteur a fait un tel dessein; celui-là en est à la troisième partie de son roman; cet autre met ses ouvrages sous la presse. » C'est là ce qui vous fait valoir dans les compagnies; et si l'on ignore ces choses, je ne donnerais pas un clou de tout l'esprit qu'on peut avoir.

CATHOS. — En effet, je trouve que c'est renchérir sur le ridicule, qu'une personne se pique d'esprit et ne sache pas jusqu'au moindre petit quatrain qui se fait chaque jour; et pour moi, j'aurais toutes les hontes du monde s'il fallait qu'on vînt à me demander si j'aurais vu quelque chose de nouveau que je n'aurais pas vu.

MASCARILLE. — Il est vrai qu'il est honteux de n'avoir pas des premiers tout ce qui se fait; mais ne vous mettez pas en peine : je veux établir chez vous une Académie de beaux esprits, et je vous promets qu'il ne se fera pas un bout de vers dans Paris que vous ne sachiez par cœur avant tous les autres. Pour moi, tel que vous me voyez, je m'en escrime un peu quand je veux; et vous verrez courir de ma façon, dans les belles ruelles de Paris, deux cents chansons, autant de sonnets, quatre cents épigrammes et plus de mille madrigaux, sans compter les énigmes et les portraits.

MAGDELON. — Je vous avoue que je suis furieusement pour les portraits; je ne vois rien de si galant que cela.

MASCARILLE. — Les portraits sont difficiles, et demandent un esprit profond : vous en verrez de ma manière qui ne vous déplairont pas.

CATHOS. — Pour moi, j'aime terriblement les énigmes.

MASCARILLE. — Cela exerce l'esprit, et j'en ai fait quatre encore ce matin, que je vous donnerai à deviner.

MAGDELON. — Les madrigaux sont agréables, quand ils sont bien tournés.

MASCARILLE. — C'est mon talent particulier; et je travaille à mettre en madrigaux toute l'histoire romaine.

MAGDELON. — Ah! certes, cela sera du dernier beau. J'en retiens un exemplaire au moins, si vous le faites imprimer.

MASCARILLE. — Je vous en promets à chacune un, et des mieux reliés. Cela est au-dessous de ma condition; mais je le fais seulement pour donner à gagner aux libraires qui me persécutent.

MAGDELON. — Je m'imagine que le plaisir est grand de se voir imprimé.

MASCARILLE. — Sans doute. Mais à propos, il faut que je vous dise un impromptu que je fis hier chez une duchesse de mes amies que je fus visiter; car je suis diablement fort sur les impromptus.

CATHOS. — L'impromptu est justement la pierre de touche de l'esprit.

MASCARILLE. — Écoutez donc.

MAGDELON. — Nous y sommes de toutes nos oreilles.

MASCARILLE

Oh! oh! je n'y prenais pas garde :
Tandis que, sans songer à mal, je vous regarde,
Votre œil en tapinois me dérobe mon cœur.
Au voleur, au voleur, au voleur, au voleur!

CATHOS. — Ah! mon Dieu! voilà qui est poussé dans le dernier galant.

MASCARILLE. — Tout ce que je fais a l'air cavalier; cela ne sent point le pédant.

MAGDELON. — Il en est éloigné de plus de deux mille lieues.

MASCARILLE. — Avez-vous remarqué ce commencement : *Oh, oh ?* Voilà qui est extraordinaire : *oh, oh!* Comme un homme qui s'avise tout d'un coup : *oh, oh!* La surprise : *oh, oh!*

MAGDELON. — Oui, je trouve ce *oh, oh!* admirable.

MASCARILLE. — Il semble que cela ne soit rien.

CATHOS. — Ah! mon Dieu, que dites-vous ? Ce sont là de ces sortes de choses qui ne se peuvent payer.

MAGDELON. — Sans doute; et j'aimerais mieux avoir fait ce *oh, oh!* qu'un poème épique.

MASCARILLE. — Tudieu! vous avez le goût bon.

MAGDELON. — Eh! je ne l'ai pas tout à fait mauvais.

MASCARILLE. — Mais n'admirez-vous pas aussi *je n'y prenais pas garde ? Je n'y prenais pas garde,* je ne m'apercevais pas de cela : façon de parler naturelle : *je n'y prenais pas garde. Tandis que sans songer à mal,* tandis qu'innocemment, sans malice, comme un pauvre mouton; *je vous regarde,* c'est-à-dire, je m'amuse à vous considérer, je vous observe, je vous contemple; *Votre œil en tapinois...* Que vous semble de ce mot *tapinois ?* n'est-il pas bien choisi ?

CATHOS. — Tout à fait bien.

MASCARILLE. — *Tapinois,* en cachette : il semble que ce soit un chat qui vienne de prendre une souris : *tapinois.*

MAGDELON. — Il ne se peut rien de mieux.

MASCARILLE. — *Me dérobe mon cœur,* me l'emporte, me le ravit. *Au voleur, au voleur, au voleur, au voleur!* Ne diriez-vous pas que c'est un homme qui crie et court après un voleur pour le faire arrêter ? *Au voleur, au voleur, au voleur, au voleur!*

MAGDELON. — Il faut avouer que cela a un tour spirituel et galant.

MASCARILLE. — Je veux vous dire l'air que j'ai fait dessus.

CATHOS. — Vous avez appris la musique ?

MASCARILLE. — Moi ? Point du tout.

CATHOS. — Et comment donc cela se peut-il ?

MASCARILLE. — Les gens de qualité savent tout sans avoir jamais rien appris.

MAGDELON. — Assurément, ma chère.

MASCARILLE. — Écoutez si vous trouverez l'air à votre

goût. *Hem, hem. La, la, la, la, la.* La brutalité de la saison a furieusement outragé la délicatesse de ma voix ; mais il n'importe, c'est à la cavalière.

(Il chante.)

Oh, oh ! je n'y prenais pas...

CATHOS. — Ah ! que voilà un air qui est passionné ! Est-ce qu'on n'en meurt point ?

MAGDELON. — Il y a de la chromatique là-dedans.

MASCARILLE. — Ne trouvez-vous pas la pensée bien exprimée dans le chant ? *Au voleur !...* Et puis, comme si l'on criait bien fort : *au, au, au, au, au, au, voleur !* Et tout d'un coup, comme une personne essoufflée : *au voleur !*

MAGDELON. — C'est là savoir le fin des choses, le grand fin, le fin du fin. Tout est merveilleux, je vous assure ; je suis enthousiasmée de l'air et des paroles.

CATHOS. — Je n'ai encore rien vu de cette force-là.

MASCARILLE. — Tout ce que je fais me vient naturellement, c'est sans étude.

MAGDELON. — La nature vous a traité en vraie mère passionnée, et vous en êtes l'enfant gâté.

MASCARILLE. — A quoi donc passez-vous le temps ?

CATHOS. — A rien du tout.

MAGDELON. — Nous avons été jusqu'ici dans un jeûne effroyable de divertissements.

MASCARILLE. — Je m'offre à vous mener l'un de ces jours à la comédie, si vous voulez ; aussi bien on en doit jouer une nouvelle que je serai bien aise que nous voyions ensemble.

MAGDELON. — Cela n'est pas de refus.

MASCARILLE. — Mais je vous demande d'applaudir comme il faut, quand nous serons là ; car je me suis engagé de faire valoir la pièce, et l'auteur m'en est venu prier encore ce matin. C'est la coutume ici qu'à nous autres gens de condition les auteurs viennent lire leurs pièces nouvelles, pour nous engager à les trouver belles, et leur donner de la réputation ; et je vous laisse à penser si, quand nous disons quelque chose, le parterre ose nous contredire. Pour moi, j'y suis fort exact ; et quand j'ai promis à quelque poète, je crie toujours : « Voilà qui est beau ! » devant que les chandelles soient allumées.

MAGDELON. — Ne m'en parlez point : c'est un admirable lieu que Paris ; il s'y passe cent choses tous les jours qu'on ignore dans les provinces, quelque spirituelle qu'on puisse être.

CATHOS. — C'est assez : puisque nous sommes instruites,

nous ferons notre devoir de nous écrier comme il faut sur tout ce qu'on dira.

MASCARILLE. — Je ne sais si je me trompe, mais vous avez toute la mine d'avoir fait quelque comédie.

MAGDELON. — Eh! il pourrait être quelque chose de ce que vous dites.

MASCARILLE. — Ah! ma foi, il faudra que nous la voyions. Entre nous, j'en ai composé une que je veux faire représenter.

CATHOS. — Hé, à quels comédiens la donnerez-vous?

MASCARILLE. — Belle demande! Aux grands comédiens. Il n'y a qu'eux qui soient capables de faire valoir les choses; les autres sont des ignorants qui récitent comme l'on parle; ils ne savent pas faire ronfler les vers, et s'arrêter au bel endroit : et le moyen de connaître où est le beau vers, si le comédien ne s'y arrête, et ne vous avertit par là qu'il faut faire le brouhaha?

CATHOS. — En effet, il y a manière de faire sentir aux auditeurs les beautés d'un ouvrage; et les choses ne valent que ce qu'on les fait valoir.

MASCARILLE. — Que vous semble de ma petite-oie? La trouvez-vous congruante à l'habit?

CATHOS. — Tout à fait.

MASCARILLE. — Le ruban est bien choisi.

MAGDELON. — Furieusement bien. C'est Perdrigeon tout pur.

MASCARILLE. — Que dites-vous de mes canons?

MAGDELON. — Ils ont tout à fait bon air.

MASCARILLE. — Je puis me vanter au moins qu'ils ont un grand quartier plus que tous ceux qu'on fait.

MAGDELON. — Il faut avouer que je n'ai jamais vu porter si haut l'élégance de l'ajustement.

MASCARILLE. — Attachez un peu sur ces gants la réflexion de votre odorat.

MAGDELON. — Ils sentent terriblement bon.

CATHOS. — Je n'ai jamais respiré une odeur mieux conditionnée.

MASCARILLE. — Et celle-là?

MAGDELON. — Elle est tout à fait de qualité; le sublime en est touché délicieusement.

MASCARILLE. — Vous ne me dites rien de mes plumes : comment les trouvez-vous?

CATHOS. — Effroyablement belles.

MASCARILLE. — Savez-vous que le brin me coûte un

louis d'or ? Pour moi, j'ai cette manie de vouloir donner
généralement sur tout ce qu'il y a de plus beau.

MAGDELON. — Je vous assure que nous sympathisons
vous et moi : j'ai une délicatesse furieuse pour tout ce que
je porte; et jusqu'à mes chaussettes, je ne puis rien souffrir qui ne soit de la bonne ouvrière.

MASCARILLE, *s'écriant brusquement*. — Ahi, ahi, ahi, doucement! Dieu me damne, Mesdames, c'est fort mal en
user; j'ai à me plaindre de votre procédé; cela n'est pas
honnête.

CATHOS. — Qu'est-ce donc ? qu'avez-vous ?

MASCARILLE. — Quoi ? toutes deux contre mon cœur,
en même temps! m'attaquer à droite et à gauche! Ah!
c'est contre le droit des gens; la partie n'est pas égale; et
je m'en vais crier au meurtre.

CATHOS. — Il faut avouer qu'il dit les choses d'une
manière particulière.

MAGDELON. — Il a un tour admirable dans l'esprit.

CATHOS. — Vous avez plus de peur que de mal, et votre
cœur crie avant qu'on l'écorche.

MASCARILLE. — Comment diable! il est écorché depuis
la tête jusqu'aux pieds.

SCÈNE X

MAROTTE, MASCARILLE, CATHOS, MAGDELON

MAROTTE. — Madame, on demande à vous voir.

MAGDELON. — Qui ?

MAROTTE. — Le vicomte de Jodelet.

MASCARILLE. — Le vicomte de Jodelet ?

MAROTTE. — Oui, Monsieur.

CATHOS. — Le connaissez-vous ?

MASCARILLE. — C'est mon meilleur ami.

MAGDELON. — Faites entrer vitement.

MASCARILLE. — Il y a quelque temps que nous ne nous
sommes vus, et je suis ravi de cette aventure.

CATHOS. — Le voici.

SCÈNE XI

JODELET, MASCARILLE, CATHOS, MAGDELON, MAROTTE

MASCARILLE. — Ah! vicomte!

JODELET, *s'embrassant l'un l'autre.* — Ah! marquis!

MASCARILLE. — Que je suis aise de te rencontrer!

JODELET. — Que j'ai de joie de te voir ici!

MASCARILLE. — Baise-moi donc encore un peu, je te prie.

MAGDELON. — Ma toute bonne, nous commençons d'être connues; voilà le beau monde qui prend le chemin de nous venir voir.

MASCARILLE. — Mesdames, agréez que je vous présente ce gentilhomme-ci : sur ma parole, il est digne d'être connu de vous.

JODELET. — Il est juste de venir vous rendre ce qu'on vous doit; et vos attraits exigent leurs droits seigneuriaux sur toutes sortes de personnes.

MAGDELON. — C'est pousser vos civilités jusqu'aux derniers confins de la flatterie.

CATHOS. — Cette journée doit être marquée dans notre almanach comme une journée bienheureuse.

MAGDELON. — Allons, petit garçon, faut-il toujours vous répéter les choses ? Voyez-vous pas qu'il faut le surcroît d'un fauteuil ?

MASCARILLE. — Ne vous étonnez pas de voir le Vicomte de la sorte; il ne fait que sortir d'une maladie qui lui a rendu le visage pâle comme vous le voyez.

JODELET. — Ce sont fruits des veilles de la cour et des fatigues de la guerre.

MASCARILLE. — Savez-vous, Mesdames, que vous voyez dans le Vicomte un des plus vaillants hommes du siècle ? C'est un brave à trois poils.

JODELET. — Vous ne m'en devez rien, Marquis; et nous savons ce que vous savez faire aussi.

MASCARILLE. — Il est vrai que nous nous sommes vus tous deux dans l'occasion.

JODELET. — Et dans des lieux où il faisait fort chaud.

MASCARILLE, *les regardant toutes deux.* — Oui; mais non pas si chaud qu'ici. Hai, hai, hai!

JODELET. — Notre connaissance s'est faite à l'armée; et la première fois que nous nous vîmes, il commandait un régiment de cavalerie sur les galères de Malte.

MASCARILLE. — Il est vrai; mais vous étiez pourtant dans l'emploi avant que j'y fusse; et je me souviens que je n'étais que petit officier encore, que vous commandiez deux mille chevaux.

JODELET. — La guerre est une belle chose; mais, ma foi, la cour récompense bien mal aujourd'hui les gens de service comme nous.

MASCARILLE. — C'est ce qui fait que je veux pendre l'épée au croc.

CATHOS. — Pour moi, j'ai un furieux tendre pour les hommes d'épée.

MAGDELON. — Je les aime aussi; mais je veux que l'esprit assaisonne la bravoure.

MASCARILLE. — Te souvient-il, Vicomte, de cette demi-lune que nous emportâmes sur les ennemis au siège d'Arras ?

JODELET. — Que veux-tu dire avec ta demi-lune ? C'était bien une lune tout entière.

MASCARILLE. — Je pense que tu as raison.

JODELET. — Il m'en doit bien souvenir, ma foi : j'y fus blessé à la jambe d'un coup de grenade, dont je porte encore les marques. Tâtez un peu, de grâce, vous sentirez quelque coup, c'était là.

CATHOS. — Il est vrai que la cicatrice est grande.

MASCARILLE. — Donnez-moi un peu votre main, et tâtez celui-ci, là, justement au derrière de la tête : y êtes-vous ?

MAGDELON. — Oui : je sens quelque chose.

MASCARILLE. — C'est un coup de mousquet que je reçus la dernière campagne que j'ai faite.

JODELET. — Voici un autre coup qui me perça de part en part à l'attaque de Gravelines.

MASCARILLE, *mettant la main sur le bouton de son haut-de-chausses.* — Je vais vous montrer une furieuse plaie.

MAGDELON. — Il n'est pas nécessaire : nous le croyons sans y regarder.

MASCARILLE. — Ce sont des marques honorables qui font voir ce qu'on est.

CATHOS. — Nous ne doutons point de ce que vous êtes.

MASCARILLE. — Vicomte, as-tu là ton carrosse ?

JODELET. — Pourquoi ?

MASCARILLE. — Nous mènerions promener ces Dames hors des portes, et leur donnerions un cadeau.

MAGDELON. — Nous ne saurions sortir aujourd'hui.

MASCARILLE. — Ayons donc les violons pour danser.

JODELET. — Ma foi, c'est bien avisé.

MAGDELON. — Pour cela, nous y consentons; mais il faut donc quelque surcroît de compagnie.

MASCARILLE. — Holà! Champagne, Picard, Bourguignon, Casquaret, Basque, la Verdure, Lorrain, Provençal, la Violette! Au diable soient tous les laquais! Je ne pense pas qu'il y ait gentilhomme en France plus mal servi que moi. Ces canailles me laissent toujours seul.

MAGDELON — Almanzor, dites aux gens de Monsieur qu'ils aillent quérir des violons, et nous faites venir ces Messieurs et ces Dames d'ici près, pour peupler la solitude de notre bal.

MASCARILLE. — Vicomte, que dis-tu de ces yeux?

JODELET. — Mais toi-même, Marquis, que t'en semble?

MASCARILLE. — Moi, je dis que nos libertés auront peine à sortir d'ici les braies nettes. Au moins, pour moi, je reçois d'étranges secousses, et mon cœur ne tient plus qu'à un filet.

MAGDELON. — Que tout ce qu'il dit est naturel! Il tourne les choses le plus agréablement du monde.

CATHOS. — Il est vrai qu'il fait une furieuse dépense en esprit.

MASCARILLE. — Pour vous montrer que je suis véritable, je veux faire un impromptu là-dessus.

CATHOS. — Eh! je vous en conjure de toute la dévotion de mon cœur : que nous ayons quelque chose qu'on ait fait pour nous.

JODELET. — J'aurais envie d'en faire autant; mais je me trouve un peu incommodé de la veine poétique, pour la quantité des saignées que j'y ai faites ces jours passés.

MASCARILLE. — Que diable est cela? Je fais toujours bien le premier vers; mais j'ai peine à faire les autres. Ma foi, ceci est un peu trop pressé : je vous ferai un impromptu à loisir, que vous trouverez le plus beau du monde.

JODELET. — Il a de l'esprit comme un démon.

MAGDELON. — Et du galant, et du bien tourné.

MASCARILLE. — Vicomte, dis-moi un peu, y a-t-il longtemps que tu n'as vu la Comtesse?

JODELET. — Il y a plus de trois semaines que je ne lui ai rendu visite.

MASCARILLE. — Sais-tu bien que le Duc m'est venu voir

ce matin, et m'a voulu mener à la campagne courir un cerf avec lui ?

MAGDELON. — Voici nos amies qui viennent.

SCÈNE XII

JODELET, MASCARILLE, CATHOS,
MAGDELON, MAROTTE, LUCILE

MAGDELON. — Mon Dieu, mes chères, nous vous demandons pardon. Ces Messieurs ont eu fantaisie de nous donner les âmes des pieds; et nous vous avons envoyé quérir pour remplir les vides de notre assemblée.

LUCILE. — Vous nous avez obligées, sans doute.

MASCARILLE. — Ce n'est ici qu'un bal à la hâte; mais l'un de ces jours nous vous en donnerons un dans les formes. Les violons sont-ils venus ?

ALMANZOR. — Oui, Monsieur; ils sont ici.

CATHOS. — Allons donc, mes chères, prenez place.

MASCARILLE, *dansant lui seul comme par prélude.* — La, la, la, la, la, la, la, la.

MAGDELON. — Il a tout à fait la taille élégante.

CATHOS. — Et a la mine de danser proprement.

MASCARILLE, *ayant pris Magdelon.* — Ma franchise va danser la courante aussi bien que mes pieds. En cadence, violons, en cadence. Oh! quels ignorants! Il n'y a pas moyen de danser avec eux. Le diable vous emporte! ne sauriez-vous jouer en mesure ? La, la, la, la, la, la, la, la. Ferme, ô violons de village.

JODELET, *dansant ensuite.* — Holà! ne pressez pas si fort la cadence : je ne fais que sortir de maladie.

SCÈNE XIII

DU CROISY, LA GRANGE, MASCARILLE

LA GRANGE. — Ah! ah! coquins, que faites-vous ici ? Il y a trois heures que nous vous cherchons.

MASCARILLE, *se sentant battre.* — Ahy! ahy! ahy! vous ne m'aviez pas dit que les coups en seraient aussi.

JODELET. — Ahy! ahy! ahy!

La Grange. — C'est bien à vous, infâme que vous êtes, à vouloir faire l'homme d'importance.

Du Croisy. — Voilà qui vous apprendra à vous connaître.

Ils sortent.

SCÈNE XIV

MASCARILLE, JODELET, CATHOS, MAGDELON

Magdelon. — Que veut donc dire ceci ?

Jodelet. — C'est une gageure.

Cathos. — Quoi! vous laisser battre de la sorte!

Mascarille. — Mon Dieu, je n'ai pas voulu faire semblant de rien; car je suis violent, et je me serais emporté.

Magdelon. — Endurer un affront comme celui-là, en notre présence!

Mascarille. — Ce n'est rien : ne laissons pas d'achever. Nous nous connaissons il y a longtemps; et entre amis, on ne va pas se piquer pour si peu de chose.

SCÈNE XV

DU CROISY, LA GRANGE, MASCARILLE, JODELET, MAGDELON, CATHOS

La Grange. — Ma foi, marauds, vous ne vous rirez pas de nous, je vous promets. Entrez, vous autres.

Magdelon. — Quelle est donc cette audace, de venir nous troubler de la sorte dans notre maison ?

Du Croisy. — Comment, Mesdames, nous endurerons que nos laquais soient mieux reçus que nous ? qu'ils viennent vous faire l'amour à nos dépens, et vous donnent le bal ?

Magdelon. — Vos laquais ?

La Grange. — Oui, nos laquais : et cela n'est ni beau ni honnête de nous les débaucher comme vous faites.

Magdelon. — O Ciel! quelle insolence!

La Grange. — Mais ils n'auront pas l'avantage de se servir de nos habits pour vous donner dans la vue; et si vous les voulez aimer, ce sera, ma foi, pour leurs beaux yeux. Vite, qu'on les dépouille sur-le-champ.

JODELET. — Adieu notre braverie.

MASCARILLE. — Voilà le marquisat et la vicomté à bas.

DU CROISY. — Ha! ha! coquins, vous avez l'audace d'aller sur nos brisées! Vous irez chercher autre part de quoi vous rendre agréables aux yeux de vos belles, je vous en assure.

LA GRANGE. — C'est trop que de nous supplanter, et de nous supplanter avec nos propres habits.

MASCARILLE. — O Fortune, quelle est ton inconstance.

DU CROISY. — Vite, qu'on leur ôte jusqu'à la moindre chose.

LA GRANGE. — Qu'on emporte toutes ces hardes, dépêchez. Maintenant, Mesdames, en l'état qu'ils sont, vous pouvez continuer vos amours avec eux tant qu'il vous plaira; nous vous laissons toute sorte de liberté pour cela, et nous vous protestons, Monsieur et moi, que nous n'en serons aucunement jaloux.

CATHOS. — Ah! quelle confusion!

MAGDELON. — Je crève de dépit.

VIOLONS, *au Marquis.* — Qu'est-ce donc que ceci? Qui nous payera, nous autres?

MASCARILLE. — Demandez à Monsieur le Vicomte.

VIOLONS, *au Vicomte.* — Qui est-ce qui nous donnera de l'argent?

JODELET. — Demandez à Monsieur le Marquis.

SCÈNE XVI

GORGIBUS, MASCARILLE, MAGDELON

GORGIBUS. — Ah! coquines que vous êtes, vous nous mettez dans de beaux draps blancs, à ce que je vois! et je viens d'apprendre de belles affaires, vraiment, de ces Messieurs qui sortent!

MAGDELON. — Ah! mon père, c'est une pièce sanglante qu'ils nous ont faite.

GORGIBUS. — Oui, c'est une pièce sanglante, mais qui est un effet de votre impertinence, infâmes! Ils se sont ressentis du traitement que vous leur avez fait; et cependant, malheureux que je suis, il faut que je boive l'affront.

MAGDELON. — Ah! je jure que nous en serons vengés, ou que je mourrai en la peine. Et vous, marauds, osez-vous vous tenir ici après votre insolence ?

MASCARILLE. — Traiter comme cela un marquis! Voilà ce que c'est que du monde! la moindre disgrâce nous fait mépriser de ceux qui nous chérissaient. Allons, camarade, allons chercher fortune autre part : je vois bien qu'on n'aime ici que la vaine apparence, et qu'on n'y considère point la vertu toute nue.

Ils sortent tous deux.

SCÈNE XVII

GORGIBUS, MAGDELON, CATHOS, VIOLONS

VIOLONS. — Monsieur, nous entendons que vous nous contentiez à leur défaut pour ce que nous avons joué ici.

GORGIBUS, *les battant.* — Oui, oui, je vous vais contenter, et voici la monnaie dont je vous veux payer. Et vous, pendardes, je ne sais qui me tient que je ne vous en fasse autant. Nous allons servir de fable et de risée à tout le monde, et voilà ce que vous vous êtes attiré par vos extravagances. Allez vous cacher, vilaines; allez vous cacher pour jamais. Et vous, qui êtes cause de leur folie, sottes billevesées, pernicieux amusements des esprits oisifs, romans, vers, chansons, sonnets et sonnettes, puissiez-vous être à tous les diables!

NOTICE
SUR
SGANARELLE OU LE COCU IMAGINAIRE

Six mois après *les Précieuses ridicules*, Molière, fidèle au genre, offrait à son public une nouvelle comédie en un acte.

Cette pièce était en vers, innovation importante, qui soulignait la volonté de l'auteur de lui donner une forme plus littéraire, celle de la comédie. Mais c'était encore une farce; cette fois, Molière s'était bien gardé d'aller chercher son sujet dans l'actualité. Il en revenait aux thèmes traditionnels des vieux scénarios, éprouvés dès longtemps. Celui des fausses apparences traînait un peu partout, même dans les titres de ses contemporains, la *Fausse apparence* de Scarron, les *Apparences trompeuses* de Boisrobert. Tout cela venait des dramaturges espagnols qui avaient traité le sujet sur le mode pathétique. Molière le reprend, mais dans le registre de la farce : c'est une étonnante suite de malentendus et de quiproquos qui sépare un moment les deux amoureux et qui fait croire à Sganarelle que sa femme le trompe. Pour sortir de tout ce « galimatias », comme dit un personnage de la pièce, un dénouement commode remet les choses en place.

Sganarelle, qui s'installe pour longtemps dans le répertoire moliéresque, a pris la place de Mascarille. Au bouffon pur, à la marionnette qui a rempli son rôle quand elle a fait rire le public, Molière substitue un nouveau héros, grotesque lui aussi, mais qui, pris dans une situation comique invraisemblable, reste humain, dans sa pauvre humanité ridicule. Un psychanalyste moderne pourrait utilement travailler sur son cas. Car c'est essentiellement un faible, bourré de « complexes », mais satisfait de lui-même, un jaloux sans amour vrai, un couard qui a des velléités de combattre, mais chez qui la lâcheté l'emporte. Et, comme on l'a justement remarqué, ce bouffon côtoie par moment le tragique, précisément parce qu'il est, dans ses réactions sentimentales, vraiment humain.

Ainsi Molière, par une nouvelle alliance, mêle à la farce qu'il avait déjà enrichie d'une étude de mœurs dans *les Précieuses ridicules* une étude de caractère qui l'élève au niveau de la vraie comédie.

Un témoignage contemporain nous renseigne sur le jeu extraordinaire de Molière dans le rôle de Sganarelle. Il voulut souligner par le geste et la mimique les sentiments du personnage. On admira « les grimaces, les roulements d'yeux » du jaloux. Molière, élève en cela de Scaramouche, était un mime merveilleux, jouant avec tout son corps, traduisant les nuances du texte par les expressions diverses du visage. « Jamais personne, dit ce contemporain, ne sut si bien démonter son visage et l'on peut dire que dans cette pièce il en change plus de vingt fois. » Ainsi l'habile comédien animait-il par son jeu un texte, d'ailleurs excellemment écrit, d'une langue savoureuse et drue, pleine de proverbes et d'expressions populaires. C'est par tout cela que *le Cocu imaginaire* tient une place toute spéciale dans la série des farces de Molière.

La première représentation eut lieu le 28 mai 1660 au théâtre du Petit-Bourbon. La pièce remporta d'abord un vif succès, moindre cependant que celui des *Précieuses ridicules*, mais aussi durable, puisque *le Cocu imaginaire* est celle de ses pièces que Molière joua le plus souvent, cent vingt-deux fois exactement. Mais le succès de cette farce s'éteignit avec le XVIIᵉ siècle.

La publication de la pièce donna lieu à de curieux incidents, qui attestent l'intérêt que le public lui portait.

Le libraire Ribou, qui avait tenté, l'année précédente, de publier clandestinement *les Précieuses ridicules*, recommença son coup et mit en vente une édition subreptice du *Cocu imaginaire*. Puis il en publia une seconde édition, augmentée de commentaires, d'ailleurs élogieux, d'un spectateur. Ainsi dépouillé de son bien, Molière se fâcha, s'adressa à la justice et fit saisir l'édition frauduleuse. Le même libraire publia aussi une comédie intitulée *la Cocue imaginaire*, précédée d'une préface impudente où l'auteur couvrait de louanges celui qu'il pillait; Molière exerça de nouvelles poursuites et obtint une nouvelle saisie. Mais toutes ces manœuvres illicites du libraire, qui en attendait de bons bénéfices, prouvent surabondamment que la curiosité publique était tenue en éveil à chaque création de Molière.

SGANARELLE

OU

LE COCU IMAGINAIRE

COMÉDIE

REPRÉSENTÉE POUR LA PREMIÈRE FOIS
SUR LE THÉATRE DU PETIT-BOURBON,
LE 28ᵉ MAI 1660

PAR LA

TROUPE DE MONSIEUR, FRÈRE UNIQUE DU ROI

PERSONNAGES

GORGIBUS, bourgeois de Paris.
CÉLIE, sa fille.
LÉLIE, amant de Célie.
GROS-RENÉ, valet de Lélie.
SGANARELLE, bourgeois de Paris, et cocu imaginaire.
SA FEMME.
VILLEBREQUIN, père de Valère.
LA SUIVANTE de Célie.
UN PARENT de Sganarelle.

La scène est à Paris.

SCÈNE I

GORGIBUS, CÉLIE, sa Suivante

CÉLIE, *sortant tout éplorée, et son père la suivant.*

Ah! n'espérez jamais que mon cœur y consente.

GORGIBUS

Que marmottez-vous là, petite impertinente ?
Vous prétendez choquer ce que j'ai résolu ?
Je n'aurai pas sur vous un pouvoir absolu ?
Et par sottes raisons votre jeune cervelle   5
Voudrait régler ici la raison paternelle ?
Qui de nous deux à l'autre a droit de faire loi ?
A votre avis, qui mieux, ou de vous ou de moi,
O sotte, peut juger ce qui vous est utile ?
Par la corbleu! gardez d'échauffer trop ma bile :   10
Vous pourriez éprouver, sans beaucoup de longueur,
Si mon bras sait encor montrer quelque vigueur.
Votre plus court sera, Madame la mutine,
D'accepter sans façons l'époux qu'on vous destine.
J'ignore, dites-vous, de quelle humeur il est,   15
Et dois auparavant consulter s'il vous plaît :
Informé du grand bien qui lui tombe en partage,
Dois-je prendre le soin d'en savoir davantage ?
Et cet époux, ayant vingt mille bons ducats,
Pour être aimé de vous, doit-il manquer d'appas ?   20
Allez, tel qu'il puisse être, avec cette somme
Je vous suis caution qu'il est très honnête homme.

CÉLIE

Hélas !

GORGIBUS

Eh bien, « hélas! » Que veut dire ceci ?
Voyez le bel hélas! qu'elle nous donne ici!
Hé! que si la colère une fois me transporte,   25
Je vous ferai chanter hélas! de belle sorte!
Voilà, voilà le fruit de ces empressements
Qu'on vous voit nuit et jour à lire vos romans :
De quolibets d'amour votre tête est remplie,
Et vous parlez de Dieu bien moins que de Célie.   30
Jetez-moi dans le feu tous ces méchants écrits,
Qui gâtent tous les jours tant de jeunes esprits.
Lisez-moi comme il faut, au lieu de ces sornettes,
Les *Quatrains* de Pybrac, et les doctes *Tablettes*
Du conseiller Matthieu, ouvrage de valeur,   35
Et plein de beaux dictons à réciter par cœur.
La Guide des pécheurs est encore un bon livre :
C'est là qu'en peu de temps on apprend à bien vivre;
Et si vous n'aviez lu que ces moralités,
Vous sauriez un peu mieux suivre mes volontés.   40

CÉLIE

Quoi ? vous prétendez donc, mon père, que j'oublie
La constante amitié que je dois à Lélie ?
J'aurais tort si, sans vous, je disposais de moi;
Mais vous-mêmes à ses vœux engageâtes ma foi.

GORGIBUS

Lui fût-elle engagée encore davantage,   45
Un autre est survenu dont le bien l'en dégage.
Lélie est fort bien fait; mais apprends qu'il n'est rien
Qui ne doive céder au soin d'avoir du bien;
Que l'or donne aux plus laids certain charme pour plaire,
Et que sans lui le reste est une triste affaire.   50
Valère, je crois bien, n'est pas de toi chéri;
Mais, s'il ne l'est amant, il le sera mari.
Plus que l'on ne le croit ce nom d'époux engage
Et l'amour est souvent un fruit du mariage.
Mais suis-je pas bien fat de vouloir raisonner   55
Où de droit absolu j'ai pouvoir d'ordonner ?
Trêve donc, je vous prie, à vos impertinences;
Que je n'entende plus vos sottes doléances.
Ce gendre doit venir vous visiter ce soir :
Manquez un peu, manquez à le bien recevoir!   60
Si je ne vous lui vois faire fort bon visage,
Je vous... Je ne veux pas en dire davantage.

SCÈNE II

CÉLIE, SA SUIVANTE

LA SUIVANTE

Quoi ? refuser, Madame, avec cette rigueur,
Ce que tant d'autres gens voudraient de tout leur cœur!
A des offres d'hymen répondre par des larmes,   65
Et tarder tant à dire un oui si plein de charmes!
Hélas! que ne veut-on aussi me marier ?
Ce ne serait pas moi qui se ferait prier;
Et loin qu'un pareil oui me donnât de la peine,
Croyez que j'en dirais bien vite une douzaine.   70
Le précepteur qui fait répéter la leçon
A votre jeune frère a fort bonne raison
Lorsque, nous discourant des choses de la terre,
Il dit que la femelle est ainsi que le lierre,
Qui croît beau tant qu'à l'arbre il se tient bien serré, 75
Et ne profite point s'il en est séparé.
Il n'est rien de plus vrai, ma très chère maîtresse,
Et je l'éprouve en moi, chétive pécheresse.
Le bon Dieu fasse paix à mon pauvre Martin!
Mais j'avais, lui vivant, le teint d'un chérubin,   80
L'embonpoint merveilleux, l'œil gai, l'âme contente;
Et je suis maintenant ma commère dolente.
Pendant cet heureux temps, passé comme un éclair,
Je me couchais sans feu dans le fort de l'hiver;
Sécher même les draps me semblait ridicule :   85
Et je tremble à présent dedans la canicule.
Enfin il n'est rien tel, Madame, croyez-moi,
Que d'avoir un mari la nuit auprès de soi;
Ne fût-ce que pour l'heur d'avoir qui vous salue
D'un *Dieu vous soit en aide !* alors qu'on éternue.   90

CÉLIE

Peux-tu me conseiller de commettre un forfait,
D'abandonner Lélie, et prendre ce mal fait ?

LA SUIVANTE

Votre Lélie aussi n'est, ma foi, qu'une bête,
Puisque si hors de temps son voyage l'arrête;
Et la grande longueur de son éloignement   95
Me le fait soupçonner de quelque changement.

CÉLIE, *lui montrant le portrait de Lélie.*

Ah! ne m'accable point par ce triste présage;
Vois attentivement les traits de ce visage :
Ils jurent à mon cœur d'éternelles ardeurs;
Je veux croire, après tout, qu'ils ne sont pas menteurs, 100
Et comme c'est celui que l'art y représente,
Il conserve à mes feux une amitié constante.

LA SUIVANTE

Il est vrai que ces traits marquent un digne amant,
Et que vous avez lieu de l'aimer tendrement.

CÉLIE

Et cependant il faut... Ah! soutiens-moi.

Laissant tomber le portrait de Lélie.

LA SUIVANTE

Madame,   105
D'où vous pourrait venir... ? Ah! bons Dieux! elle pâme.
Hé vite, holà quelqu'un!

SCÈNE III

CÉLIE, LA SUIVANTE, SGANARELLE

SGANARELLE

Qu'est-ce donc ? Me voilà.

LA SUIVANTE

Ma maîtresse se meurt.

SGANARELLE

Quoi ? ce n'est que cela ?
Je croyais tout perdu, de crier de la sorte.
Mais approchons pourtant. Madame, êtes-vous morte ? 110
Hays! elle ne dit mot.

LA SUIVANTE

Je vais faire venir
Quelqu'un pour l'emporter : veuillez la soutenir.

SCÈNE IV

CÉLIE, SGANARELLE, sa Femme

SGANARELLE, *en lui passant la main sur le sein.*

Elle est froide partout et je ne sais qu'en dire.
Approchons-nous pour voir si sa bouche respire.
Ma foi, je ne sais pas, mais j'y trouve encor, moi,   115
Quelque signe de vie.

LA FEMME DE SGANARELLE, *regardant par la fenêtre.*

Ah! qu'est-ce que je vois ?
Mon mari dans ses bras...! Mais je m'en vais descendre :
Il me trahit sans doute, et je veux le surprendre.

SGANARELLE

Il faut se dépêcher de l'aller secourir.
Certes, elle aurait tort de se laisser mourir :   120
Aller en l'autre monde est très grande sottise,
Tant que dans celui-ci l'on peut être de mise.

Il l'emporte avec un homme que la suivante amène.

SCÈNE V

LA FEMME DE SGANARELLE, *seule.*

Il s'est subitement éloigné de ces lieux,
Et sa fuite a trompé mon désir curieux;
Mais de sa trahison je ne fais plus de doute,   125
Et le peu que j'ai vu me la découvre toute.
Je ne m'étonne plus de l'étrange froideur
Dont je le vois répondre à ma pudique ardeur :
Il réserve, l'ingrat, ses caresses à d'autres,
Et nourrit leurs plaisirs par le jeûne des nôtres.   130
Voilà de nos maris le procédé commun :
Ce qui leur est permis leur devient importun.
Dans les commencements ce sont toutes merveilles;
Ils témoignent pour nous des ardeurs non pareilles;
Mais les traîtres bientôt se lassent de nos feux,   135
Et portent autre part ce qu'ils doivent chez eux.

Ah! que j'ai de dépit que la loi n'autorise
A changer de mari comme on fait de chemise!
Cela serait commode; et j'en sais telle ici
Qui comme moi, ma foi, le voudrait bien aussi.   140

> *En ramassant le portrait que Célie avait laissé*
> *tomber.*

Mais quel est ce bijou que le sort me présente ?
L'émail en est fort beau, la gravure charmante.
Ouvrons.

SCÈNE VI

SGANARELLE et sa Femme

SGANARELLE

On la croirait morte, et ce n'était rien.
Il n'en faut plus qu'autant : elle se porte bien.
Mais j'aperçois ma femme.

SA FEMME

O Ciel! c'est miniature,   145
Et voilà d'un bel homme une vive peinture.

SGANARELLE, *à part, et regardant sur l'épaule de sa femme.*

Que considère-t-elle avec attention ?
Ce portrait, mon honneur, ne nous dit rien de bon.
D'un fort vilain soupçon je me sens l'âme émue.

SA FEMME, *sans l'apercevoir, continue.*

Jamais rien de plus beau ne s'offrit à ma vue;   150
Le travail plus que l'or s'en doit encor priser.
Hon! que cela sent bon!

SGANARELLE, *à part.*

Quoi ? peste! le baiser!
Ah! j'en tiens.

SA FEMME, *poursuit.*

Avouons qu'on doit être ravie
Quand d'un homme ainsi fait on se peut voir servie,
Et que s'il en contait avec attention,   155
Le penchant serait grand à la tentation.
Ah! que n'ai-je un mari d'une aussi bonne mine,
Au lieu de mon pelé, de mon rustre...!

SGANARELLE, *lui arrachant le portrait.*

Ah! mâtine!

Nous vous y surprenons en faute contre nous,
Et diffamant l'honneur de votre cher époux.   160
Donc, à votre calcul, ô ma trop digne femme,
Monsieur, tout bien compté, ne vaut pas bien Madame ?
Et, de par Belzébut, qui vous puisse emporter,
Quel plus rare parti pourriez-vous souhaiter ?
Peut-on trouver en moi quelque chose à redire ?   165
Cette taille, ce port que tout le monde admire,
Ce visage si propre à donner de l'amour,
Pour qui mille beautés soupirent nuit et jour;
Bref, en tout et partout, ma personne charmante
N'est donc pas un morceau dont vous soyez contente ? 170
Et pour rassasier votre appétit gourmand,
Il faut à son mari le ragoût d'un galant ?

SA FEMME

J'entends à demi mot où va la raillerie.
Tu crois par ce moyen...

SGANARELLE

        A d'autres, je vous prie!
La chose est avérée, et je tiens dans mes mains   175
Un bon certificat du mal dont je me plains.

SA FEMME

Mon courroux n'a déjà que trop de violence,
Sans le charger encor d'une nouvelle offense.
Écoute, ne crois pas retenir mon bijou,
Et songe un peu...

SGANARELLE

       Je songe à te rompre le cou.   180
Que ne puis-je, aussi bien que je tiens la copie,
Tenir l'original!

SA FEMME

    Pourquoi ?

SGANARELLE

       Pour rien, mamie :
Doux objet de mes vœux, j'ai grand tort de crier,
Et mon front de vos dons vous doit remercier.

Regardant le portrait de Lélie.

Le voilà, le beau fils, le mignon de couchette,   185
Le malheureux tison de ta flamme secrète,
Le drôle avec lequel...!

SA FEMME

Avec lequel... ? Poursuis.

SGANARELLE

Avec lequel, te dis-je..., et j'en crève d'ennuis.

SA FEMME

Que me veut donc par là conter ce maître ivrogne ?

SGANARELLE

Tu ne m'entends que trop, Madame la carogne.   190
Sganarelle est un nom qu'on ne me dira plus,
Et l'on va m'appeler seigneur Corneillius.
J'en suis pour mon honneur ; mais à toi qui me l'ôtes,
Je t'en ferai du moins pour un bras ou deux côtes.

SA FEMME

Et tu m'oses tenir de semblables discours ?   195

SGANARELLE

Et tu m'oses jouer de ces diables de tours ?

SA FEMME

Et quels diables de tours ? Parle donc sans rien feindre.

SGANARELLE

Ah ! cela ne vaut pas la peine de se plaindre !
D'un panache de cerf sur le front me pourvoir,
Hélas ! voilà vraiment un beau venez-y-voir !   200

SA FEMME

Donc, après m'avoir fait la plus sensible offense
Qui puisse d'une femme exciter la vengeance,
Tu prends d'un feint courroux le vain amusement
Pour prévenir l'effet de mon ressentiment ?
D'un pareil procédé l'insolence est nouvelle :   205
Celui qui fait l'offense est celui qui querelle.

SGANARELLE

Eh ! la bonne effrontée ! A voir ce fier maintien,
Ne la croirait-on pas une femme de bien ?

SA FEMME

Va, poursuis ton chemin, cajole tes maîtresses,
Adresse-leur tes vœux, et fais-leur des caresses ;   270
Mais rends-moi mon portrait sans te jouer de moi.

Elle lui arrache le portrait et s'enfuit.

SGANARELLE, *courant après elle.*

Oui, tu crois m'échapper : je l'aurai malgré toi.

SCÈNE VII

LÉLIE, GROS-RENÉ

GROS-RENÉ

Enfin, nous y voici. Mais, Monsieur, si je l'ose,
Je voudrais vous prier de me dire une chose.

LÉLIE

Hé bien! parle.

GROS-RENÉ

   Avez-vous le diable dans le corps   215
Pour ne pas succomber à de pareils efforts ?
Depuis huit jours entiers, avec vos longues traites,
Nous sommes à piquer de chiennes de mazettes,
De qui le train maudit nous a tant secoués,
Que je m'en sens pour moi tous les membres roués;   220
Sans préjudice encor d'un accident bien pire,
Qui m'afflige un endroit que je ne veux pas dire :
Cependant, arrivé, vous sortez bien et beau,
Sans prendre de repos, ni manger un morceau.

LÉLIE

Ce grand empressement n'est point digne de blâme :   225
De l'hymen de Célie on alarme mon âme;
Tu sais que je l'adore; et je veux être instruit,
Avant tout autre soin, de ce funeste bruit.

GROS-RENÉ

Oui; mais un bon repas vous serait nécessaire,
Pour s'aller éclaircir, Monsieur, de cette affaire :   230
Et votre cœur, sans doute, en deviendrait plus fort
Pour pouvoir résister aux attaques du sort.
J'en juge par moi-même; et la moindre disgrâce,
Lorsque je suis à jeun, me saisit, me terrasse;
Mais quand j'ai bien mangé, mon âme est ferme à tout, 235
Et les plus grands revers n'en viendraient pas à bout.
Croyez-moi, bourrez-vous, et sans réserve aucune,
Contre les coups que peut vous porter la fortune;
Et, pour fermer chez vous l'entrée à la douleur,
De vingt verres de vin entourez votre cœur.   240

LÉLIE

Je ne saurais manger.

GROS-RENÉ, à part ce demi-vers.

         Si-fait bien moi, je meure.
Votre dîner pourtant serait prêt tout à l'heure.

LÉLIE

Tais-toi, je te l'ordonne.

GROS-RENÉ

         Ah! quel ordre inhumain!

LÉLIE

J'ai de l'inquiétude, et non pas de la faim.

GROS-RENÉ

Et moi, j'ai de la faim, et de l'inquiétude   245
De voir qu'un sot amour fait toute votre étude.

LÉLIE

Laisse-moi m'informer de l'objet de mes vœux,
Et, sans m'importuner, va manger si tu veux.

GROS-RENÉ

Je ne réplique point à ce qu'un maître ordonne.

SCÈNE VIII

LÉLIE, seul.

Non, non, à trop de peur mon âme s'abandonne :   250
Le père m'a promis, et la fille a fait voir
Des preuves d'un amour qui soutient mon espoir.

SCÈNE IX

SGANARELLE, LÉLIE

SGANARELLE

Nous l'avons, et je puis voir à l'aise la trogne
Du malheureux pendard qui cause ma vergogne.
Il ne m'est point connu.

LÉLIE, *à part.*

Dieu! qu'aperçois-je ici ?   255
Et si c'est mon portrait, que dois-je croire aussi ?

SGANARELLE *continue.*

Ah! pauvre Sganarelle! à quelle destinée
Ta réputation est-elle condamnée!

*Apercevant Lélie qui le regarde, il se retourne
d'un autre côté.*

Faut...

LÉLIE, *à part.*

Ce gage ne peut, sans alarmer ma foi,
Être sorti des mains qui le tenaient de moi.   260

SGANARELLE

Faut-il que désormais à deux doigts l'on te montre,
Qu'on te mette en chansons, et qu'en toute rencontre
On te rejette au nez le scandaleux affront
Qu'une femme mal née imprime sur ton front ?

LÉLIE, *à part.*

Me trompé-je ?

SGANARELLE

Ah! truande, as-tu bien le courage   265
De m'avoir fait cocu dans la fleur de mon âge ?
Et femme d'un mari qui peut passer pour beau,
Faut-il qu'un marmouset, un maudit étourneau ?...

LÉLIE, *à part, et regardant encore son portrait.*

Je ne m'abuse point : c'est mon portrait lui-même.

SGANARELLE *lui retourne le dos.*

Cet homme est curieux.

LÉLIE, *à part.*

Ma surprise est extrême.   270

SGANARELLE

A qui donc en a-t-il ?

LÉLIE, *à part.*

Je le veux accoster.

(Haut.)
Puis-je... ? Hé! de grâce, un mot.

SGANARELLE *le fuit encore.*

Que me veut-il conter ?

LÉLIE

Puis-je obtenir de vous de savoir l'aventure
Qui fait dedans vos mains trouver cette peinture ?

SGANARELLE, *à part, et examinant le portrait qu'il tient
et Lélie.*

D'où lui vient ce désir ? Mais je m'avise ici...   275
Ah! ma foi, me voilà de son trouble éclairci!
Sa surprise à présent n'étonne plus mon âme :
C'est mon homme, ou plutôt c'est celui de ma femme.

LÉLIE

Retirez-moi de peine, et dites d'où vous vient...

SGANARELLE

Nous savons, Dieu merci, le souci qui vous tient.   280
Ce portrait qui vous fâche est votre ressemblance;
Il était en des mains de votre connaissance;
Et ce n'est pas un fait qui soit secret pour nous
Que les douces ardeurs de la dame et de vous.
Je ne sais pas si j'ai, dans sa galanterie,   285
L'honneur d'être connu de votre seigneurie;
Mais faites-moi celui de cesser désormais
Un amour qu'un mari peut trouver fort mauvais;
Et songez que les nœuds du sacré mariage...

LÉLIE

Quoi ? celle, dites-vous, dont vous tenez ce gage... ?   290

SGANARELLE

Est ma femme, et je suis son mari.

LÉLIE

                           Son mari ?

SGANARELLE

Oui, son mari, vous dis-je, et mari très marri;
Vous en savez la cause, et je m'en vais l'apprendre
Sur l'heure à ses parents.

SCÈNE X

LÉLIE, *seul.*

                    Ah! que viens-je d'entendre!
L'on me l'avait bien dit, et que c'était de tous   295
L'homme le plus mal fait qu'elle avait pour époux.

Ah! quand mille serments de ta bouche infidèle
Ne m'auraient pas promis une flamme éternelle,
Le seul mépris d'un choix si bas et si honteux
Devait bien soutenir l'intérêt de mes feux,   300
Ingrate, et quelque bien... Mais ce sensible outrage,
Se mêlant aux travaux d'un assez long voyage,
Me donne tout à coup un choc si violent
Que mon cœur devient faible, et mon corps chancelant.

SCÈNE XI

LÉLIE, LA FEMME DE SGANARELLE

LA FEMME DE SGANARELLE, *se tournant vers Lélie.*

Malgré moi, mon perfide... Hélas! quel mal vous presse ?
Je vous vois prêt, Monsieur, à tomber en faiblesse.   [305

LÉLIE

C'est un mal qui m'a pris assez subitement.

LA FEMME DE SGANARELLE

Je crains ici pour vous l'évanouissement :
Entrez dans cette salle, en attendant qu'il passe.

LÉLIE

Pour un moment ou deux j'accepte cette grâce.   310

SCÈNE XII

SGANARELLE ET LE PARENT DE SA FEMME

LE PARENT

D'un mari sur ce point j'approuve le souci;
Mais c'est prendre la chèvre un peu bien vite aussi;
Et tout ce que de vous je viens d'ouïr contre elle
Ne conclut point, parent, qu'elle soit criminelle.
C'est un point délicat; et de pareils forfaits,   315
Sans les bien avérer, ne s'imputent jamais.

SGANARELLE

C'est-à-dire qu'il faut toucher au doigt la chose.

Le Parent

Le trop de promptitude à l'erreur nous expose.
Qui sait comme en ses mains ce portrait est venu,
Et si l'homme, après tout, lui peut être connu ?   320
Informez-vous-en donc; et si c'est ce qu'on pense,
Nous serons les premiers à punir son offense.

SCÈNE XIII

SGANARELLE, *seul.*

On ne peut pas mieux dire. En effet, il est bon
D'aller tout doucement. Peut-être, sans raison,
Me suis-je en tête mis ces visions cornues,   325
Et les sueurs au front m'en sont trop tôt venues.
Par ce portrait enfin dont je suis alarmé
Mon déshonneur n'est pas tout à fait confirmé.
Tâchons donc par nos soins...

SCÈNE XIV

SGANARELLE, sa Femme, LÉLIE,
sur la porte de Sganarelle, et parlant à sa femme.

SGANARELLE *poursuit.*

Ah ! que vois-je ? Je meure.
Il n'est plus question de portrait à cette heure :   330
Voici, ma foi, la chose en propre original.

La Femme de Sganarelle, *à Lélie.*

C'est par trop vous hâter, Monsieur ; et votre mal,
Si vous sortez sitôt, pourra bien vous reprendre.

Lélie

Non, non, je vous rends grâce, autant qu'on puisse rendre,
De l'obligeant secours que vous m'avez prêté.   335

SGANARELLE, *à part.*

Le masque encore après lui fait civilité !

SCÈNE XV

SGANARELLE, LÉLIE

SGANARELLE, *à part.*

Il m'aperçoit. Voyons ce qu'il me pourra dire.

LÉLIE, *à part.*

Ah! mon âme s'émeut, et cet objet m'inspire...
Mais je dois condamner cet injuste transport,
Et n'imputer mes maux qu'aux rigueurs de mon sort. 340
Envions seulement le bonheur de sa flamme.

(Passant auprès de lui et le regardant)

Oh! trop heureux d'avoir une si belle femme!

SCÈNE XVI

SGANARELLE, CÉLIE *regardant aller Lélie.*

SGANARELLE, *sans voir Célie.*

Ce n'est point s'expliquer en termes ambigus.
Cet étrange propos me rend aussi confus
Que s'il m'était venu des cornes à la tête.   345

Il se tourne du côté que Lélie s'en vient d'en aller.

Allez, ce procédé n'est point du tout honnête.

CÉLIE, *à part.*

Quoi ? Lélie a paru tout à l'heure à mes yeux.
Qui pourrait me cacher son retour en ces lieux ?

SGANARELLE *poursuit.*

« Oh! trop heureux d'avoir une si belle femme! »
Malheureux bien plutôt de l'avoir, cette infâme,   350
Dont le coupable feu, trop bien vérifié,
Sans respect ni demi nous a cocufié!

*Célie approche peu à peu de lui, attend que son
transport soit fini pour lui parler.*

Mais je le laisse aller après un tel indice,
Et demeure les bras croisés comme un jocrisse ?
Ah! je devais du moins lui jeter son chapeau,   355
Lui ruer quelque pierre, ou crotter son manteau,

Et sur lui hautement, pour contenter ma rage,
Faire au larron d'honneur crier le voisinage.

CÉLIE

Celui qui maintenant devers vous est venu,
Et qui vous a parlé, d'où vous est-il connu ?   360

SGANARELLE

Hélas! ce n'est pas moi qui le connais, Madame;
C'est ma femme.

CÉLIE

        Quel trouble agite ainsi votre âme ?

SGANARELLE

Ne me condamnez point d'un deuil hors de saison,
Et laissez-moi pousser des soupirs à foison.

CÉLIE

D'où vous peuvent venir ces douleurs non communes ?
                                            [365

SGANARELLE

Si je suis affligé, ce n'est pas pour des prunes;
Et je le donnerais à bien d'autres qu'à moi
De se voir sans chagrin au point où je me voi.
Des maris malheureux vous voyez le modèle :
On dérobe l'honneur au pauvre Sganarelle;   370
Mais c'est peu que l'honneur dans mon affliction,
L'on me dérobe encor la réputation.

CÉLIE

Comment ?

SGANARELLE

        Ce damoiseau, parlant par révérence,
Me fait cocu, Madame, avec toute licence;
Et j'ai su par mes yeux avérer aujourd'hui   375
Le commerce secret de ma femme et de lui.

CÉLIE

Celui qui maintenant...

SGANARELLE

        Oui, oui, me déshonore :
Il adore ma femme, et ma femme l'adore.

CÉLIE

Ah! j'avais bien jugé que ce secret retour
Ne pouvait me couvrir que quelque lâche tour;   380
Et j'ai tremblé d'abord, en le voyant paraître,
Par un pressentiment de ce qui devait être.

SGANARELLE

Vous prenez ma défense avec trop de bonté.
Tout le monde n'a pas la même charité;
Et plusieurs qui tantôt ont appris mon martyre,   385
Bien loin d'y prendre part, n'en ont rien fait que rire.

CÉLIE

Est-il rien de plus noir que ta lâche action,
Et peut-on lui trouver une punition ?
Dois-tu ne te pas croire indigne de la vie,
Après t'être souillé de cette perfidie ?   390
O Ciel! est-il possible ?

SGANARELLE

                    Il est trop vrai pour moi.

CÉLIE

Ah! traître! scélérat! âme double et sans foi!

SGANARELLE

La bonne âme!

CÉLIE

              Non, non, l'enfer n'a point de gêne
Qui ne soit pour ton crime une trop douce peine.

SGANARELLE

Que voilà bien parler!

CÉLIE

                  Avoir ainsi traité   395
Et la même innocence et la même bonté!

SGANARELLE. *Il soupire haut.*

Hay!

CÉLIE

      Un cœur qui jamais n'a fait la moindre chose
A mérité l'affront où ton mépris l'expose!

SGANARELLE

Il est vrai.

CÉLIE

            Qui bien loin... Mais c'est trop, et ce cœur
Ne saurait y songer sans mourir de douleur.   400

SGANARELLE

Ne vous fâchez pas tant, ma très chère Madame :
Mon mal vous touche trop, et vous me percez l'âme.

CÉLIE

Mais ne t'abuse pas jusqu'à te figurer
Qu'à des plaintes sans fruit j'en veuille demeurer :
Mon cœur, pour se venger, sait ce qu'il te faut faire,   405
Et j'y cours de ce pas; rien ne m'en peut distraire.

SCÈNE XVII

SGANARELLE, *seul.*

Que le Ciel la préserve à jamais de danger!
Voyez quelle bonté de vouloir me venger!
En effet, son courroux, qu'excite ma disgrâce,
M'enseigne hautement ce qu'il faut que je fasse;   410
Et l'on ne doit jamais souffrir sans dire mot
De semblables affronts, à moins qu'être un vrai sot.
Courons donc le chercher, ce pendard qui m'affronte :
Montrons notre courage à venger notre honte.
Vous apprendrez, maroufle, à rire à nos dépens,   415
Et sans aucun respect faire cocus les gens!

Il se retourne ayant fait trois ou quatre pas.

Doucement, s'il vous plaît! Cet homme a bien la mine
D'avoir le sang bouillant et l'âme un peu mutine;
Il pourrait bien, mettant affront dessus affront,
Charger de bois mon dos comme il a fait mon front.   420
Je hais de tout mon cœur les esprits colériques,
Et porte grand amour aux hommes pacifiques;
Je ne suis point battant, de peur d'être battu,
Et l'humeur débonnaire est ma grande vertu.
Mais mon honneur me dit que d'une telle offense   425
Il faut absolument que je prenne vengeance.
Ma foi, laissons-le dire autant qu'il lui plaira :
Au diantre qui pourtant rien du tout en fera!
Quand j'aurai fait le brave, et qu'un fer, pour ma peine,
M'aura d'un vilain coup transpercé la bedaine,   430
Que par la ville ira le bruit de mon trépas,
Dites-moi, mon honneur, en serez-vous plus gras ?
La bière est un séjour par trop mélancolique,
Et trop malsain pour ceux qui craignent la colique;
Et quant à moi, je trouve, ayant tout compassé,   435
Qu'il vaut mieux être encor cocu que trépassé :
Quel mal cela fait-il ? la jambe en devient-elle
Plus tortue, après tout, et la taille moins belle ?

Peste soit qui premier trouva l'invention
De s'affliger l'esprit de cette vision,   440
Et d'attacher l'honneur de l'homme le plus sage
Aux choses que peut faire une femme volage!
Puisqu'on tient à bon droit tout crime personnel,
Que fait là notre honneur pour être criminel?
Des actions d'autrui l'on nous donne le blâme.   445
Si nos femmes sans nous ont un commerce infâme,
Il faut que tout le mal tombe sur notre dos;
Elles font la sottise, et nous sommes les sots!
C'est un vilain abus, et les gens de police
Nous devraient bien régler une telle injustice.   450
N'avons-nous pas assez des autres accidents
Qui nous viennent happer en dépit de nos dents?
Les querelles, procès, faim, soif et maladie,
Troublent-ils pas assez le repos de la vie,
Sans s'aller, de surcroît, aviser sottement   455
De se faire un chagrin qui n'a nul fondement?
Moquons-nous de cela, méprisons les alarmes,
Et mettons sous nos pieds les soupirs et les larmes.
Si ma femme a failli, qu'elle pleure bien fort;
Mais pourquoi moi pleurer, puisque je n'ai point tort?
En tout cas, ce qui peut m'ôter ma fâcherie,   [460
C'est que je ne suis pas seul de ma confrérie:
Voir cajoler sa femme et n'en témoigner rien
Se pratique aujourd'hui par force gens de bien.
N'allons donc point chercher à faire une querelle   465
Pour un affront qui n'est que pure bagatelle.
L'on m'appellera sot de ne me venger pas;
Mais je le serais fort de courir au trépas.

                                   Mettant la main sur son estomac.

Je me sens là pourtant remuer une bile
Qui veut me conseiller quelque action virile;   470
Oui, le courroux me prend; c'est trop être poltron:
Je veux résolument me venger du larron.
Déjà pour commencer, dans l'ardeur qui m'enflamme,
Je vais dire partout qu'il couche avec ma femme.

SCÈNE XVIII

GORGIBUS, CÉLIE, LA SUIVANTE

CÉLIE

Oui, je veux bien subir une si juste loi :   475
Mon père, disposez de mes vœux et de moi;
Faites, quand vous voudrez, signer cet hyménée;
A suivre mon devoir je suis déterminée;
Je prétends gourmander mes propres sentiments,
Et me soumettre en tout à vos commandements.   480

GORGIBUS

Ah! voilà qui me plaît, de parler de la sorte.
Parbleu! si grande joie à l'heure me transporte,
Que mes jambes sur l'heure en cabrioleraient,
Si nous n'étions point vus de gens qui s'en riraient.
Approche-toi de moi, viens çà que je t'embrasse :   485
Une telle action n'a pas mauvaise grâce;
Un père, quand il veut, peut sa fille baiser,
Sans que l'on ait sujet de s'en scandaliser.
Va, le contentement de te voir si bien née
Me fera rajeunir de dix fois une année.   490

SCÈNE XIX

CÉLIE, LA SUIVANTE

LA SUIVANTE

Ce changement m'étonne.

CÉLIE

        Et lorsque tu sauras
Par quel motif j'agis, tu m'en estimeras.

LA SUIVANTE

Cela pourrait bien être.

CÉLIE

        Apprends donc que Lélie
A pu blesser mon cœur par une perfidie;
Qu'il était en ces lieux sans...

La Suivante
                    Mais il vient à nous.   495

SCÈNE XX

CÉLIE, LÉLIE, la Suivante

Lélie

Avant que pour jamais je m'éloigne de vous,
Je veux vous reprocher au moins en cette place...

Célie

Quoi ? me parler encore ? avez-vous cette audace !

Lélie

Il est vrai qu'elle est grande ; et votre choix est tel,
Qu'à vous rien reprocher je serais criminel.   500
Vivez, vivez contente, et bravez ma mémoire,
Avec le digne époux qui vous comble de gloire.

Célie

Oui, traître ! j'y veux vivre ! et mon plus grand désir,
Ce serait que ton cœur en eût du déplaisir.

Lélie

Qui rend donc contre moi ce courroux légitime ?   505

Célie

Quoi ? tu fais le surpris et demandes ton crime ?

SCÈNE XXI

CÉLIE, LÉLIE, SGANARELLE, la Suivante

Sganarelle entre armé.

Guerre, guerre mortelle à ce larron d'honneur
Qui sans miséricorde a souillé notre honneur !

Célie, à Lélie.

Tourne, tourne les yeux sans me faire répondre.

Lélie

Ah ! je vois...

CÉLIE

Cet objet suffit pour te confondre.   510

LÉLIE

Mais pour vous obliger bien plutôt à rougir.

SGANARELLE

Ma colère à présent est en état d'agir ;
Dessus ses grands chevaux est monté mon courage,
Et si je le rencontre, on verra du carnage.
Oui, j'ai juré sa mort : rien ne peut l'empêcher :   515
Où je le trouverai, je le veux dépêcher.
Au beau milieu du cœur il faut que je lui donne...

LÉLIE

A qui donc en veut-on ?

SGANARELLE

Je n'en veux à personne.

LÉLIE

Pourquoi ces armes-là ?

SGANARELLE

C'est un habillement.
Que j'ai pris pour la pluie.

A part.

Ah ! quel contentement   520
J'aurais à le tuer ! Prenons-en le courage.

LÉLIE

Hay ?

SGANARELLE, *se donnant des coups de poings sur l'estomac
et des soufflets pour s'exciter.*

Je ne parle pas.

A part.

Ah ! poltron dont j'enrage !
Lâche ! vrai cœur de poule !

CÉLIE

Il t'en doit dire assez,
Cet objet dont tes yeux nous paraissent blessés.

LÉLIE

Oui, je connais par là que vous êtes coupable   525
De l'infidélité la plus inexcusable
Qui jamais d'un amant puisse outrager la foi.

SGANARELLE, *à part.*

Que n'ai-je un peu de cœur!

CÉLIE

                    Ah! cesse devant moi,
Traître, de ce discours l'insolence cruelle!

SGANARELLE

Sganarelle, tu vois qu'elle prend ta querelle :   530
Courage, mon enfant, sois un peu vigoureux;
Là, hardi! tâche à faire un effort généreux,
En le tuant tandis qu'il tourne le derrière.

LÉLIE, *faisant deux ou trois pas sans dessein, fait retourner
          Sganarelle qui s'approchait pour le tuer.*

Puisqu'un pareil discours émeut votre colère,
Je dois de votre cœur me montrer satisfait,   535
Et l'applaudir ici du beau choix qu'il a fait.

CÉLIE

Oui, oui, mon choix est tel qu'on n'y peut rien reprendre.

LÉLIE

Allez, vous faites bien de le vouloir défendre.

SGANARELLE

Sans doute elle fait bien de défendre mes droits.
Cette action, Monsieur, n'est point selon les lois.   540
J'ai raison de m'en plaindre; et si je n'étais sage,
On verrait arriver un étrange carnage.

LÉLIE

D'où vous naît cette plainte, et quel chagrin brutal... ?

SGANARELLE

Suffit. Vous savez bien où le bois me fait mal;
Mais votre conscience et le soin de votre âme   545
Vous devraient mettre aux yeux que ma femme est ma
Et vouloir à ma barbe en faire votre bien   [femme,
Que ce n'est pas du tout agir en bon chrétien.

LÉLIE

Un semblable soupçon est bas et ridicule.
Allez, dessus ce point n'ayez aucun scrupule :   550
Je sais qu'elle est à vous; et, bien loin de brûler...

CÉLIE

Ah! qu'ici tu sais bien, traître, dissimuler!

LÉLIE

Quoi ? me soupçonnez-vous d'avoir une pensée
De qui son âme ait lieu de se croire offensée ?
De cette lâcheté voulez-vous me noircir ?   555

CÉLIE

Parle, parle à lui-même, il pourra t'éclaircir.

SGANARELLE

Vous me défendez mieux que je ne saurais faire,
Et du biais qu'il faut vous prenez cette affaire.

SCÈNE XXII

CÉLIE, LÉLIE, SGANARELLE, Sa Femme, la Suivante

LA FEMME DE SGANARELLE, *à Célie.*

Je ne suis point d'humeur à vouloir contre vous
Faire éclater, Madame, un esprit trop jaloux ;   560
Mais je ne suis point dupe, et vois ce qui se passe.
Il est de certains feux de fort mauvaise grâce ;
Et votre âme devrait prendre un meilleur emploi
Que de séduire un cœur qui doit n'être qu'à moi.

CÉLIE

La déclaration est assez ingénue.   565

SGANARELLE, *à sa femme.*

L'on ne demandait pas, carogne, ta venue :
Tu la viens quereller lorsqu'elle me défend,
Et tu trembles de peur qu'on t'ôte ton galant.

CÉLIE

Allez, ne croyez pas que l'on en ait envie.

Se tournant vers Lélie.

Tu vois si c'est mensonge ; et j'en suis fort ravie.   570

LÉLIE

Que me veut-on conter ?

LA SUIVANTE

                    Ma foi, je ne sais pas
Quand on verra finir ce galimatias ;

Déjà depuis longtemps je tâche à le comprendre,
Et si plus je l'écoute, et moins je puis l'entendre :
Je vois bien à la fin que je m'en dois mêler.   575

Allant se mettre entre Lélie et sa maîtresse.

Répondez-moi par ordre, et me laissez parler.

A Lélie.

Vous, qu'est-ce qu'à son cœur peut reprocher le vôtre ?

LÉLIE

Que l'infidèle a pu me quitter pour un autre;
Que lorsque, sur le bruit de son hymen fatal,
J'accours tout transporté d'un amour sans égal,   580
Dont l'ardeur résistait à se croire oubliée,
Mon abord en ces lieux la trouve mariée.

LA SUIVANTE

Mariée! à qui donc ?

LÉLIE, *montrant Sganarelle.*

A lui.

LA SUIVANTE

Comment, à lui ?

LÉLIE

Oui-da.

LA SUIVANTE

Qui vous l'a dit ?

LÉLIE

C'est lui-même, aujourd'hui.

LA SUIVANTE, *à Sganarelle.*

Est-il vrai ?

SGANARELLE

Moi ? J'ai dit que c'était à ma femme   585
Que j'étais marié.

LÉLIE

Dans un grand trouble d'âme
Tantôt de mon portrait je vous ai vu saisi.

SGANARELLE

Il est vrai : le voilà.

LÉLIE

Vous m'avez dit aussi
Que celle aux mains de qui vous aviez pris ce gage
Était liée à vous des nœuds du mariage.   590

SGANARELLE, *montrant sa femme.*

Sans doute. Et je l'avais de ses mains arraché,
Et n'eusse pas sans lui découvert son péché.

LA FEMME DE SGANARELLE

Que me viens-tu conter par ta plainte importune ?
Je l'avais sous mes pieds rencontré par fortune;
Et même, quand, après ton injuste courroux,   595

Montrant Lélie.

J'ai fait, dans sa faiblesse, entrer Monsieur chez nous,
Je n'ai pas reconnu les traits de sa peinture.

CÉLIE

C'est moi qui du portrait ai causé l'aventure;
Et je l'ai laissé choir en cette pâmoison.

A Sganarelle.

Qui m'a fait par vos soins remettre à la maison.   600

LA SUIVANTE

Vous voyez que sans moi vous y seriez encore
Et vous aviez besoin de mon peu d'ellébore.

SGANARELLE

Prendrons-nous tout ceci pour de l'argent comptant ?
Mon front l'a, sur mon âme, eu bien chaude pourtant!

SA FEMME

Ma crainte toutefois n'est pas trop dissipée;   605
Et doux que soit le mal, je crains d'être trompée.

SGANARELLE

Hé! mutuellement croyons-nous gens de bien :
Je risque plus du mien que tu ne fais du tien;
Accepte sans façon le marché qu'on propose.

SA FEMME

Soit. Mais gare le bois si j'apprends quelque chose!   610

CÉLIE, *à Lélie, après avoir parlé bas ensemble.*

Ah! Dieux! s'il est ainsi, qu'est-ce donc que j'ai fait ?
Je dois de mon courroux appréhender l'effet :
Oui, vous croyant sans foi, j'ai pris, pour ma vengeance,
Le malheureux secours de mon obéissance;
Et depuis un moment mon cœur vient d'accepter
Un hymen que toujours j'eus lieu de rebuter;

J'ai promis à mon père; et ce qui me désole...
Mais je le vois venir.

LÉLIE

Il me tiendra parole.

SCÈNE XXIII

CÉLIE, LÉLIE, GORGIBUS,
SGANARELLE, sa Femme, la Suivante

LÉLIE

Monsieur, vous me voyez en ces lieux de retour
Brûlant des mêmes feux, et mon ardente amour   620
Verra, comme je crois, la promesse accomplie
Qui me donna l'espoir de l'hymen de Célie.

GORGIBUS

Monsieur, que je revois en ces lieux de retour
Brûlant des mêmes feux, et dont l'ardente amour
Verra, que vous croyez, la promesse accomplie   625
Qui vous donna l'espoir de l'hymen de Célie,
Très humble serviteur à Votre Seigneurie.

LÉLIE

Quoi ? Monsieur, est-ce ainsi qu'on trahit mon espoir ?

GORGIBUS

Oui, Monsieur, c'est ainsi que je fais mon devoir :
Ma fille en suit les lois.

CÉLIE

Mon devoir m'intéresse,   630
Mon père, à dégager vers lui votre promesse.

GORGIBUS

Est-ce répondre en fille à mes commandements ?
Tu te démens bien tôt de tes bons sentiments !
Pour Valère tantôt... Mais j'aperçois son père :
Il vient assurément pour conclure l'affaire.   635

SCÈNE DERNIÈRE

CÉLIE, LÉLIE, GORGIBUS,
SGANARELLE, sa Femme, VILLEBREQUIN, la Suivante

GORGIBUS

Qui vous amène ici, seigneur Villebrequin ?

VILLEBREQUIN

Un secret important, que j'ai su ce matin,
Qui rompt absolument ma parole donnée.
Mon fils, dont votre fille acceptait l'hyménée,
Sous des liens cachés trompant les yeux de tous,   640
Vit, depuis quatre mois, avec Lise en époux;
Et comme des parents le bien et la naissance
M'ôtent tout le pouvoir d'en casser l'alliance,
Je vous viens...

GORGIBUS

        Brisons là. Si, sans votre congé,
Valère votre fils ailleurs s'est engagé,   645
Je ne vous puis celer que ma fille Célie
Dès longtemps par moi-même est promise à Lélie;
Et que, riche en vertus, son retour aujourd'hui
M'empêche d'agréer un autre époux que lui.

VILLEBREQUIN

Un tel choix me plaît fort.

LÉLIE

        Et cette juste envie   650
D'un bonheur éternel va couronner ma vie.

GORGIBUS

Allons choisir le jour pour se donner la foi.

SGANARELLE

A-t-on mieux cru jamais être cocu que moi ?
Vous voyez qu'en ce fait la plus forte apparence
Peut jeter dans l'esprit une fausse créance.   655
De cet exemple-ci ressouvenez-vous bien;
Et, quand vous verriez tout, ne croyez jamais rien.

Peu de temps après la représentation du *Cocu imaginaire*, la troupe de Monsieur connut une crise grave. Sans que les comédiens en fussent avertis, le surintendant des bâtiments fit détruire le théâtre du Petit-Bourbon, en vue de l'agrandissement du Louvre. Son emplacement est aujourd'hui occupé par la colonnade du Louvre. Molière se trouvait donc sans salle. Les comédiens rivaux de l'Hôtel de Bourgogne se réjouissaient de le voir dans l'embarras; ils en profitèrent pour essayer de désorganiser sa troupe en engageant quelques compagnons de Molière. Ils en furent pour leurs frais, car la troupe resta fidèlement groupée autour de son chef. Louis XIV lui donna d'ailleurs la salle du Palais-Royal.

Maintenant que Molière s'est solidement établi à Paris par ses farces, il pense que, paraissant sur un nouveau et beau théâtre, il se doit de montrer au public qu'il est capable d'écrire et de faire représenter des pièces moins sommaires et plus nobles que des farces. Le mariage de Louis XIV avec Marie-Thérèse a remis l'Espagne à la mode. Molière se souvient que, depuis deux ans au moins, il a dans ses cartons une grande comédie héroïque, en cinq actes et en vers, *Dom Garcie de Navarre ou le Prince jaloux*, dont il a déjà donné des lectures publiques dans des salons amis. Il en a emprunté le sujet à *l'Heureuse Jalousie du prince Rodrigue* de l'Italien Cicognini, lui-même sans doute imitateur d'un original espagnol perdu.

Molière pensait probablement frapper un grand coup avec cette pièce nouvelle, écrite sur un mode encore inemployé par lui, à mi-chemin entre la comédie et la tragédie, mettant en scène, non plus des bouffons, mais des princes et des princesses. Ainsi montrerait-il à son public qu'il était capable de rivaliser avec ses rivaux de l'Hôtel de Bourgogne dans le genre noble et sérieux.

Mais le sujet qu'il avait choisi était ambigu et déconcerta un public qui avait déjà classé Molière et ses compagnons comme une troupe comique, pour qui la jalousie de Sganarelle était plus à portée que celle de Dom Garcie.

Molière avait cru bien faire en transformant son héroïne en véritable précieuse, de sentiments élevés, sensible à sa gloire, comme les héros cornéliens, à sa réputation ; elle entend rester maîtresse de ses sens, et dès le début du premier acte, entre dans le jeu de la casuistique amoureuse chère aux précieuses, en dissertant sur une de ces « questions d'amour » en faveur dans les salons : un véritable amant peut-il être jaloux ? Dom Garcie n'est pas un héros de roman ; c'est un malade qui s'accorde mal avec l'héroïne trop romanesque.

D'un style maladroit qui souligne l'insignifiance de l'intrigue, cette tragédie bourgeoise est aussi incapable d'émouvoir profondément le spectateur que de le faire rire. A son modèle italien Molière avait emprunté tout un arsenal romanesque, travesti, reconnaissance tardive de parenté, histoire de billet déchiré, comme on en trouve dans tous les romans précieux.

Tout cela était noyé dans une intrigue à tiroirs qui ramenait les personnages quatre fois de suite dans la même situation.

Par *Dom Garcie de Navarre*, Molière entendait répondre à ses ennemis qui ne voulaient voir en lui qu'un bouffon. Il avait eu le soin, un an avant la représentation, de prendre un privilège pour l'impression de sa pièce, nouvelle preuve de l'importance qu'il lui attachait.

Ajoutons que les contemporains ne goûtèrent pas, cette fois, leurs acteurs préférés. Madeleine Béjart leur parut une « vieille femme » dans Elvire et Molière, si souvent applaudi, parut froid dans le rôle de Dom Garcie, où il voulut sans doute s'éloigner de la déclamation pompeuse, alors pratiquée dans la tragédie, mais à laquelle le public était habitué par l'Hôtel de Bourgogne. Il dut même abandonner le rôle avant la fin des représentations. Elles ne durèrent cependant pas longtemps. Joué le 4 février 1661, *Dom Garcie* fit un « four » complet, comme on disait déjà à l'époque. Quinze jours plus tard, la pièce était retirée de l'affiche ; une reprise aussi malheureuse en 1663 mit fin à sa carrière. Molière ne publia même pas sa pièce, qui ne fut imprimée qu'après sa mort. Aucun libraire ne se soucia, cette fois, d'en dérober une copie.

Molière, qui avait si bien réussi en jaloux bouffon,

échoua donc en jaloux héroïque. Il avait fait fausse route et devait ne jamais revenir à ce genre de la comédie héroïque. Est-ce par pure commodité, comme il le fit bien souvent, ou pour faire reproche à son public de son indifférence et de son incompréhension, qu'il reprit, presque mot pour mot, plusieurs passages de *Dom Garcie de Navarre* dans ses pièces ultérieures ? Des tirades entières de *Dom Garcie*, dont celle sur la jalousie, se retrouvent dans *le Misanthrope*, où le contexte leur donne un accent nouveau ; d'autres fragments furent utilisés dans *Tartuffe*, dans *Amphitryon*, et dans *les Femmes savantes*. Comme on l'a dit en son temps, Molière prenait son bien où il le trouvait, — même chez lui.

DOM GARCIE DE NAVARRE

OU

LE PRINCE JALOUX

COMÉDIE

REPRÉSENTÉE POUR LA PREMIÈRE FOIS
SUR LE THÉATRE DE LA SALLE DU PALAIS ROYAL
LE 4 FÉVRIER 1661

PAR LA

TROUPE DE MONSIEUR, FRÈRE UNIQUE DU ROI

PERSONNAGES

DOM GARCIE, prince de Navarre, amant d'Elvire.
ELVIRE, princesse de Léon.
ÉLISE, confidente d'Elvire.
DOM ALPHONSE, prince de Léon, cru prince de Castille, sous le
   nom de DOM SYLVE.
IGNÈS, comtesse, amante de Dom Sylve, aimée par Mauregat, usur-
   pateur de l'État de Léon.
DOM ALVAR, confident de Dom Garcie, amant d'Élise.
DOM LOPE, autre confident de Dom Garcie, amant rebuté d'Élise.
DOM PÈDRE, écuyer d'Ignès.

La scène est dans Astorgue, ville d'Espagne, dans le royaume de Léon.

ACTE PREMIER

SCÈNE I

DONE ELVIRE, ÉLISE

DONE ELVIRE

Non, ce n'est point un choix qui pour ces deux amants
Sut régler de mon cœur les secrets sentiments ;
Et le Prince n'a point dans tout ce qu'il peut être
Ce qui fit préférer l'amour qu'il fait paraître.
Dom Sylve, comme lui, fit briller à mes yeux   5
Toutes les qualités d'un héros glorieux ;
Même éclat de vertus, joint à même naissance,
Me parlait en tous deux pour cette préférence ;
Et je serais encore à nommer le vainqueur,
Si le mérite seul prenait droit sur un cœur :   10
Mais ces chaînes du ciel qui tombent sur nos âmes
Décidèrent en moi le destin de leurs flammes ;
Et toute mon estime, égale entre les deux,
Laissa vers Dom Garcie entraîner tous mes vœux.

ÉLISE

Cet amour que pour lui votre astre vous inspire   15
N'a sur vos actions pris que bien peu d'empire,
Puisque nos yeux, Madame, ont pu longtemps douter
Qui de ces deux amants vous vouliez mieux traiter.

DONE ELVIRE

De ces nobles rivaux l'amoureuse poursuite
A de fâcheux combats, Élise, m'a réduite.   20
Quand je regardais l'un, rien ne me reprochait
Le tendre mouvement où mon âme penchait :
Mais je me l'imputais à beaucoup d'injustice
Quand de l'autre à mes yeux s'offrait le sacrifice ;

Et Dom Sylve, après tout, dans ses soins amoureux   25
Me semblait mériter un destin plus heureux.
Je m'opposais encor ce qu'au sang de Castille
Du feu roi de Léon semble devoir la fille,
Et la longue amitié qui d'un étroit lien
Joignit les intérêts de son père et du mien.   30
Ainsi, plus dans mon âme un autre prenait place,
Plus de tous ses respects je plaignais la disgrâce;
Ma pitié, complaisante à ses brûlants soupirs,
D'un dehors favorable amusait ses désirs,
Et voulait réparer, par ce faible avantage,   35
Ce qu'au fond de mon cœur je lui faisais d'outrage.

ÉLISE

Mais son premier amour, que vous avez appris,
Doit de cette contrainte affranchir vos esprits;
Et puisqu'avant ses soins, où pour vous il s'engage,
Done Ignès de son cœur avait reçu l'hommage,   40
Et que, par des liens aussi fermes que doux,
L'amitié vous unit, cette comtesse et vous,
Son secret révélé vous est une matière
A donner à vos vœux liberté tout entière;
Et vous pouvez, sans crainte, à cet amant confus   45
D'un devoir d'amitié couvrir tous vos refus.

DONE ELVIRE

Il est vrai que j'ai lieu de chérir la nouvelle
Qui m'apprit que Dom Sylve était un infidèle,
Puisque par ses ardeurs mon cœur tyrannisé
Contre elles à présent se voit autorisé,   50
Qu'il en peut justement combattre les hommages,
Et, sans scrupule, ailleurs donner tous ses suffrages;
Mais enfin quelle joie en peut prendre ce cœur,
Si d'une autre contrainte il souffre la rigueur,
Si d'un prince jaloux l'éternelle faiblesse   55
Reçoit indignement les soins de ma tendresse,
Et semble préparer, dans mon juste courroux,
Un éclat à briser tout commerce entre nous?

ÉLISE

Mais si de votre bouche il n'a point su sa gloire,
Est-ce un crime pour lui que de n'oser la croire?   60
Et ce qui d'un rival a pu flatter les feux
L'autorise-t-il pas à douter de vos vœux?

DONE ELVIRE

Non, non, de cette sombre et lâche jalousie
Rien ne peut excuser l'étrange frénésie;
Et par mes actions je l'ai trop informé   65
Qu'il peut bien se flatter du bonheur d'être aimé.
Sans employer la langue, il est des interprètes
Qui parlent clairement des atteintes secrètes :
Un soupir, un regard, une simple rougeur,
Un silence est assez pour expliquer un cœur;   70
Tout parle dans l'amour; et sur cette matière
Le moindre jour doit être une grande lumière,
Puisque chez notre sexe, où l'honneur est puissant,
On ne montre jamais tout ce que l'on ressent.
J'ai voulu, je l'avoue, ajuster ma conduite,   75
Et voir d'un œil égal l'un et l'autre mérite;
Mais que contre ses vœux on combat vainement,
Et que la différence est connue aisément
De toutes ces faveurs qu'on fait avec étude,
A celles où du cœur fait pencher l'habitude!   80
Dans les unes toujours on paraît se forcer;
Mais les autres, hélas! se font sans y penser,
Semblables à ces eaux si pures et si belles,
Qui coulent sans effort des sources naturelles.
Ma pitié pour Dom Sylve avait beau l'émouvoir,   85
J'en trahissais les soins sans m'en apercevoir;
Et mes regards au Prince, en un pareil martyre,
En disaient toujours plus que je n'en voulais dire.

ÉLISE

Enfin, si les soupçons de cet illustre amant,
Puisque vous le voulez, n'ont point de fondement,   90
Pour le moins font-ils foi d'une âme bien atteinte,
Et d'autres chériraient ce qui fait votre plainte.
De jaloux mouvements doivent être odieux,
S'ils partent d'un amour qui déplaise à nos yeux;
Mais tout ce qu'un amant nous peut montrer d'alarmes   95
Doit, lorsque nous l'aimons, avoir pour nous des charmes :
C'est par là que son feu se peut mieux exprimer :
Et plus il est jaloux, plus nous devons l'aimer.
Ainsi, puisqu'en votre âme un prince magnanime...

DONE ELVIRE

Ah! ne m'avancez point cette étrange maxime.   100
Partout la jalousie est un monstre odieux :
Rien n'en peut adoucir les traits injurieux;

Et plus l'amour est cher qui lui donne naissance,
Plus on doit ressentir les coups de cette offense.
Voir un prince emporté, qui perd à tous moments   105
Le respect que l'amour inspire aux vrais amants;
Qui, dans les soins jaloux où son âme se noie,
Querelle également mon chagrin et ma joie,
Et dans tous mes regards ne peut rien remarquer
Qu'en faveur d'un rival il ne veuille expliquer :   110
Non, non, par ces soupçons je suis trop offensée;
Et sans déguisement je te dis ma pensée :
Le prince Dom Garcie est cher à mes désirs;
Il peut d'un cœur illustre échauffer les soupirs;
Au milieu de Léon on a vu son courage   115
Me donner de sa flamme un noble témoignage,
Braver en ma faveur des périls les plus grands,
M'enlever aux desseins de nos lâches tyrans,
Et dans ces murs forcés mettre ma destinée
A couvert des horreurs d'un indigne hyménée;   120
Et je ne cèle point que j'aurais de l'ennui
Que la gloire en fût due à quelque autre qu'à lui;
Car un cœur amoureux prend un plaisir extrême
A se voir redevable, Élise, à ce qu'il aime,
Et sa flamme timide ose mieux éclater,   125
Lorsqu'en favorisant elle croit s'acquitter.
Oui, j'aime qu'un secours, qui hasarde sa tête,
Semble à sa passion donner droit de conquête;
J'aime que mon péril m'ait jetée en ses mains;
Et si les bruits communs ne sont pas des bruits vains, 130
Si la bonté du Ciel nous ramène mon frère,
Les vœux les plus ardents que mon cœur puisse faire,
C'est que son bras encor sur un perfide sang
Puisse aider à ce frère à reprendre son rang,
Et par d'heureux succès d'une haute vaillance   135
Mériter tous les soins de sa reconnaissance;
Mais, avec tout cela, s'il pousse mon courroux,
S'il ne purge ses feux de leurs transports jaloux
Et ne les range aux lois que je lui veux prescrire,
C'est inutilement qu'il prétend Done Elvire :   140
L'hymen ne peut nous joindre, et j'abhorre des nœuds
Qui deviendraient sans doute un enfer pour tous deux.

ÉLISE

Bien que l'on pût avoir des sentiments tout autres,
C'est au Prince, Madame, à se régler aux vôtres;

Et dans votre billet ils sont si bien marqués,   145
Que quand il les verra de la sorte expliqués...

DONE ELVIRE

Je n'y veux point, Élise, employer cette lettre :
C'est un soin qu'à ma bouche il me vaut mieux commettre.
La faveur d'un écrit laisse aux mains d'un amant
Des témoins trop constants de notre attachement.   150
Ainsi donc empêchez qu'au Prince on ne la livre.

ÉLISE

Toutes vos volontés sont des lois qu'on doit suivre.
J'admire cependant que le Ciel ait jeté
Dans le goût des esprits tant de diversité,
Et que ce que les uns regardent comme outrage   155
Soit vu par d'autres yeux sous un autre visage.
Pour moi, je trouverais mon sort tout à fait doux,
Si j'avais un amant qui pût être jaloux;
Je saurais m'applaudir de son inquiétude;
Et ce qui pour mon âme est souvent un peu rude,   160
C'est de voir Dom Alvar ne prendre aucun souci.

DONE ELVIRE

Nous ne le croyions pas si proche : le voici.

SCÈNE II

DONE ELVIRE, DOM ALVAR, ÉLISE

DONE ELVIRE

Votre retour surprend : qu'avez-vous à m'apprendre ?
Dom Alphonse vient-il ? a-t-on lieu de l'attendre ?

DOM ALVAR

Oui, Madame; et ce frère en Castille élevé   165
De rentrer dans ses droits voit le temps arrivé.
Jusqu'ici Dom Louis, qui vit à sa prudence
Par le feu Roi mourant commettre son enfance,
A caché ses destins aux yeux de tout l'État,
Pour l'ôter aux fureurs du traître Mauregat;   170
Et bien que le tyran, depuis sa lâche audace,
L'ait souvent demandé pour lui rendre sa place,
Jamais son zèle ardent n'a pris de sûreté
A l'appât dangereux de sa fausse équité.

Mais, les peuples émus par cette violence   175
Que vous a voulu faire une injuste puissance,
Ce généreux vieillard a cru qu'il était temps
D'éprouver le succès d'un espoir de vingt ans :
Il a tenté Léon, et ses fidèles trames
Des grands comme du peuple ont pratiqué les âmes,   180
Tandis que la Castille armait dix mille bras
Pour redonner ce prince aux vœux de ses États;
Il fait auparavant semer sa renommée,
Et ne veut le montrer qu'en tête d'une armée,
Que tout prêt à lancer le foudre punisseur   185
Sous qui doit succomber un lâche ravisseur.
On investit Léon, et Dom Sylve en personne
Commande le secours que son père vous donne.

DONE ELVIRE

Un secours si puissant doit flatter notre espoir;
Mais je crains que mon frère y puisse trop devoir.   190

DOM ALVAR

Mais, Madame, admirez que, malgré la tempête
Que votre usurpateur oit gronder sur sa tête,
Tous les bruits de Léon annoncent pour certain
Qu'à la comtesse Ignès il va donner la main.

DONE ELVIRE

Il cherche dans l'hymen de cette illustre fille   195
L'appui du grand crédit où se voit sa famille.
Je ne reçois rien d'elle, et j'en suis en souci;
Mais son cœur au tyran fut toujours endurci.

ÉLISE

De trop puissants motifs d'honneur et de tendresse
Opposent ses refus aux nœuds dont on la presse   200
Pour...

DOM ALVAR

  Le Prince entre ici.

SCÈNE III

DOM GARCIE, DONE ELVIRE,
DOM ALVAR, ÉLISE

DOM GARCIE

          Je viens m'intéresser,
Madame, au doux espoir qu'il vous vient d'annoncer.

Ce frère qui menace un tyran plein de crimes
Flatte de mon amour les transports légitimes :
Son sort offre à mon bras des périls glorieux   205
Dont je puis faire hommage à l'éclat de vos yeux,
Et par eux m'acquérir, si le Ciel m'est propice,
La gloire d'un revers que vous doit sa justice,
Qui va faire à vos pieds choir l'infidélité,
Et rendre à votre sang toute sa dignité.   210
Mais ce qui plus me plaît d'une attente si chère,
C'est que pour être roi, le Ciel vous rend ce frère
Et qu'ainsi mon amour peut éclater au moins
Sans qu'à d'autres motifs on impute ses soins,
Et qu'il soit soupçonné que dans votre personne   215
Il cherche à me gagner les droits d'une couronne.
Oui, tout mon cœur voudrait montrer aux yeux de tous
Qu'il ne regarde en vous autre chose que vous;
Et cent fois, si je puis le dire sans offense,
Ses vœux se sont armés contre votre naissance;   220
Leur chaleur indiscrète a d'un destin plus bas
Souhaité le partage à vos divins appas,
Afin que de ce cœur le noble sacrifice
Pût du Ciel envers vous réparer l'injustice,
Et votre sort tenir des mains de mon amour   225
Tout ce qu'il doit au sang dont vous tenez le jour.
Mais puisque enfin les Cieux de tout ce juste hommage
A mes feux prévenus dérobent l'avantage,
Trouvez bon que ces feux prennent un peu d'espoir
Sur la mort que mon bras s'apprête à faire voir,   230
Et qu'ils osent briguer par d'illustres services
D'un frère et d'un État les suffrages propices.

DONE ELVIRE

Je sais que vous pouvez, Prince, en vengeant nos droits,
Faire pour votre amour parler cent beaux exploits;
Mais ce n'est pas assez, pour le prix qu'il espère,   235
Que l'aveu d'un État et la faveur d'un frère;
Done Elvire n'est pas au bout de cet effort,
Et je vous vois à vaincre un obstacle plus fort.

DOM GARCIE

Oui, Madame, j'entends ce que vous voulez dire :
Je sais bien que pour vous mon cœur en vain soupire; 240
Et l'obstacle puissant qui s'oppose à mes feux,
Sans que vous le nommiez, n'est pas secret pour eux.

DONE ELVIRE

Souvent on entend mal ce qu'on croit bien entendre,
Et par trop de chaleur, Prince, on se peut méprendre;
Mais, puisqu'il faut parler, désirez-vous savoir   245
Quand vous pourrez me plaire, et prendre quelque espoir ?

DOM GARCIE

Ce me sera, Madame, une faveur extrême.

DONE ELVIRE

Quand vous saurez m'aimer comme il faut que l'on aime.

DOM GARCIE

Et que peut-on, hélas! observer sous les cieux
Qui ne cède à l'ardeur que m'inspirent vos yeux ?   250

DONE ELVIRE

Quand votre passion ne fera rien paraître
Dont se puisse indigner celle qui l'a fait naître.

DOM GARCIE

C'est là son plus grand soin.

DONE ELVIRE

                              Quand tous ses mouvements
Ne prendront point de moi de trop bas sentiments.

DOM GARCIE

Ils vous révèrent trop.

DONE ELVIRE

                              Quand d'un injuste ombrage   255
Votre raison saura me réparer l'outrage,
Et que vous bannirez enfin ce monstre affreux
Qui de son noir venin empoisonne vos feux,
Cette jalouse humeur dont l'importun caprice
Aux vœux que vous m'offrez rend un mauvais office,   260
S'oppose à leur attente, et contre eux, à tous coups,
Arme les mouvements de mon juste courroux.

DOM GARCIE

Ah! Madame, il est vrai, quelque effort que je fasse,
Qu'un peu de jalousie en mon cœur trouve place,
Et qu'un rival, absent de vos divins appas,   265
Au repos de ce cœur vient livrer des combats.
Soit caprice ou raison, j'ai toujours la croyance
Que votre âme en ces lieux souffre de son absence,

Et que malgré mes soins, vos soupirs amoureux
Vont trouver à tous coups ce rival trop heureux.   270
Mais si de tels soupçons ont de quoi vous déplaire,
Il vous est bien facile, hélas! de m'y soustraire;
Et leur bannissement, dont j'accepte la loi,
Dépend bien plus de vous qu'il ne dépend de moi.   [275
Oui, c'est vous qui pouvez, par deux mots pleins de flamme,
Contre la jalousie armer toute mon âme,
Et des pleines clartés d'un glorieux espoir
Dissiper les horreurs que ce monstre y fait choir.
Daignez donc étouffer le doute qui m'accable,
Et faites qu'un aveu d'une bouche adorable   280
Me donne l'assurance, au fort de tant d'assauts,
Que je ne puis trouver dans le peu que je vaux.

DONE ELVIRE

Prince, de vos soupçons la tyrannie est grande :
Au moindre mot qu'il dit, un cœur veut qu'on l'entende,
Et n'aime pas ces feux dont l'importunité   285
Demande qu'on s'explique avec tant de clarté.
Le premier mouvement qui découvre notre âme
Doit d'un amant discret satisfaire la flamme;
Et c'est à s'en dédire autoriser nos vœux
Que vouloir plus avant pousser de tels aveux.   290
Je ne dis point quel choix, s'il m'était volontaire,
Entre Dom Sylve et vous mon âme pourrait faire;
Mais vouloir vous contraindre à n'être point jaloux
Aurait dit quelque chose à tout autre que vous;
Et je croyais cet ordre un assez doux langage,   295
Pour n'avoir pas besoin d'en dire davantage.
Cependant votre amour n'est pas encor content :
Il demande un aveu qui soit plus éclatant;
Pour l'ôter de scrupule, il me faut à vous-même,
En des termes exprès, dire que je vous aime;   300
Et peut-être qu'encor, pour vous en assurer,
Vous vous obstineriez à m'en faire jurer.

DOM GARCIE

Hé bien! Madame, hé bien! je suis trop téméraire :
De tout ce qui vous plaît je dois me satisfaire.
Je ne demande point de plus grande clarté;   305
Je crois que vous avez pour moi quelque bonté,
Que d'un peu de pitié mon feu vous sollicite,
Et je me vois heureux plus que je ne mérite.

C'en est fait, je renonce à mes soupçons jaloux.
L'arrêt qui les condamne est un arrêt bien doux,   310
Et je reçois la loi qu'il daigne me prescrire
Pour affranchir mon cœur de leur injuste empire.

DONE ELVIRE

Vous promettez beaucoup, Prince; et je doute fort
Si vous pourrez sur vous faire ce grand effort.

DOM GARCIE

Ah! Madame, il suffit, pour me rendre croyable,   315
Que ce qu'on vous promet doit être inviolable,
Et que l'heur d'obéir à sa divinité
Ouvre aux plus grands efforts trop de facilité.
Que le Ciel me déclare une éternelle guerre,
Que je tombe à vos pieds d'un éclat de tonnerre,   320
Ou, pour périr encor par de plus rudes coups,
Puissé-je voir sur moi fondre votre courroux,
Si jamais mon amour descend à la faiblesse
De manquer aux devoirs d'une telle promesse,
Si jamais dans mon âme aucun jaloux transport   325
Fait...!   *Dom Pèdre apporte un billet.*

DONE ELVIRE

          J'en étais en peine, et tu m'obliges fort.
Que le courrier attende. A ces regards qu'il jette,
Vois-je pas que déjà cet écrit l'inquiète?
Prodigieux effet de son tempérament!
Qui vous arrête, Prince, au milieu du serment?   330

DOM GARCIE

J'ai cru que vous aviez quelque secret ensemble,
Et je ne voulais pas l'interrompre.

DONE ELVIRE

                              Il me semble
Que vous me répondez d'un ton fort altéré;
Je vous vois tout à coup le visage égaré :
Ce changement soudain a lieu de me surprendre;   335
D'où peut-il provenir? le pourrait-on apprendre?

DOM GARCIE

D'un mal qui tout à coup vient d'attaquer mon cœur.

DONE ELVIRE

Souvent plus qu'on ne croit ces maux ont de rigueur,
Et quelque prompt secours vous serait nécessaire.
Mais encor, dites-moi, vous prend-il d'ordinaire?   340

DOM GARCIE

Parfois.

DONE ELVIRE

Ah! prince faible! Hé bien! par cet écrit
Guérissez-le, ce mal : il n'est que dans l'esprit.

DOM GARCIE

Par cet écrit, Madame ? Ah! ma main le refuse :
Je vois votre pensée, et de quoi l'on m'accuse.
Si...

DONE ELVIRE

Lisez-le, vous dis-je, et satisfaites-vous.   345

DOM GARCIE

Pour me traiter après de faible, de jaloux ?
Non, non! Je dois ici vous rendre un témoignage
Qu'à mon cœur cet écrit n'a point donné d'ombrage;
Et bien que vos bontés m'en laissent le pouvoir,
Pour me justifier, je ne veux point le voir.   350

DONE ELVIRE

Si vous vous obstinez à cette résistance,
J'aurais tort de vouloir vous faire violence;
Et c'est assez enfin que vous avoir pressé
De voir de quelle main ce billet m'est tracé.

DOM GARCIE

Ma volonté toujours vous doit être soumise :   355
Si c'est votre plaisir que pour vous je le lise,
Je consens volontiers à prendre cet emploi.

DONE ELVIRE

Oui, oui, Prince, tenez : vous le lirez pour moi.

DOM GARCIE

C'est pour vous obéir, au moins, et je puis dire...

DONE ELVIRE

C'est ce que vous voudrez : dépêchez-vous de lire.   360

DOM GARCIE

Il est de Done Ignès, à ce que je connoi.

DONE ELVIRE

Oui. Je m'en réjouis et pour vous et pour moi.

DOM GARCIE *lit.*

« Malgré l'effort d'un long mépris,
« Le tyran toujours m'aime, et depuis votre absence,
« Vers moi, pour me porter au dessein qu'il a pris,   365
« Il semble avoir tourné toute sa violence,
          « Dont il poursuit l'alliance
          « De vous et de son fils.

     « Ceux qui sur moi peuvent avoir empire,
« Par de lâches motifs qu'un faux honneur inspire   370
     « Approuvent tous cet indigne lien.
« J'ignore encor par où finira mon martyre ;
« Mais je mourrai plutôt que de consentir rien.
          « Puissiez-vous jouir, belle Elvire,
          « D'un destin plus doux que le mien !

                          « DONE IGNÈS. »   375

                                  Il continue.
Dans la haute vertu son âme est affermie.

DONE ELVIRE

Je vais faire réponse à cette illustre amie.
Cependant apprenez, Prince, à vous mieux armer
Contre ce qui prend droit de vous trop alarmer.
J'ai calmé votre trouble avec cette lumière,   380
Et la chose a passé d'une douce manière ;
Mais, à n'en point mentir, il serait des moments
Où je pourrais entrer dans d'autres sentiments.

DOM GARCIE

Hé quoi ! vous croyez donc... ?

DONE ELVIRE

                          Je crois ce qu'il faut croire.
Adieu : de mes avis conservez la mémoire ;   385
Et s'il est vrai pour moi que votre amour soit grand,
Donnez-en à mon cœur les preuves qu'il prétend.

DOM GARCIE

Croyez que désormais c'est toute mon envie,
Et qu'avant qu'y manquer je veux perdre la vie.

ACTE II

SCÈNE I

ÉLISE, DOM LOPE

ÉLISE

Tout ce que fait le Prince, à parler franchement,   390
N'est pas ce qui me donne un grand étonnement ;
Car que d'un noble amour une âme bien saisie
En pousse les transports jusqu'à la jalousie,
Que de doutes fréquents ses vœux soient traversés,
Il est fort naturel, et je l'approuve assez.   395
Mais ce qui me surprend, Dom Lope, c'est d'entendre
Que vous lui préparez les soupçons qu'il doit prendre,
Que votre âme les forme, et qu'il n'est en ces lieux
Fâcheux que par vos soins, jaloux que par vos yeux.
Encore un coup, Dom Lope, une âme bien éprise   400
Des soupçons qu'elle prend ne me rend point surprise ;
Mais qu'on ait sans amour tous les soins d'un jaloux,
C'est une nouveauté qui n'appartient qu'à vous.

DOM LOPE

Que sur cette conduite à son aise l'on glose.
Chacun règle la sienne au but qu'il se propose ;   405
Et rebuté par vous des soins de mon amour,
Je songe auprès du Prince à bien faire ma cour.

ÉLISE

Mais savez-vous qu'enfin il fera mal la sienne,
S'il faut qu'en cette humeur votre esprit l'entretienne ?

DOM LOPE

Et quand, charmante Élise, a-t-on vu, s'il vous plaît,   410
Qu'on cherche auprès des grands que son propre intérêt,
Qu'un parfait courtisan veuille charger leur suite
D'un censeur des défauts qu'on trouve en leur conduite,
Et s'aille inquiéter si son discours leur nuit,
Pourvu que sa fortune en tire quelque fruit ?   415

Tout ce qu'on fait ne va qu'à se mettre en leur grâce :
Par la plus courte voie on y cherche une place;
Et les plus prompts moyens de gagner leur faveur,
C'est de flatter toujours le faible de leur cœur,
D'applaudir en aveugle à ce qu'ils veulent faire,   420
Et n'appuyer jamais ce qui peut leur déplaire :
C'est là le vrai secret d'être bien auprès d'eux.
Les utiles conseils font passer pour fâcheux,
Et vous laissent toujours hors de la confidence
Où vous jette d'abord l'adroite complaisance.   425
Enfin on voit partout que l'art des courtisans
Ne tend qu'à profiter des faiblesses des grands,
A nourrir leurs erreurs, et jamais dans leur âme
Ne porter les avis des choses qu'on y blâme.

ÉLISE

Ces maximes un temps leur peuvent succéder;   430
Mais il est des revers qu'on doit appréhender;
Et dans l'esprit des grands, qu'on tâche de surprendre,
Un rayon de lumière à la fin peut descendre,
Qui sur tous ces flatteurs venge équitablement
Ce qu'a fait à leur gloire un long aveuglement.   435
Cependant je dirai que votre âme s'explique
Un peu bien librement sur votre politique;
Et ses nobles motifs, au Prince rapportés,
Serviraient assez mal vos assiduités.

DOM LOPE

Outre que je pourrais désavouer sans blâme   440
Ces libres vérités sur quoi s'ouvre mon âme,
Je sais fort bien qu'Élise a l'esprit trop discret
Pour aller divulguer cet entretien secret.
Qu'ai-je dit, après tout, que sans moi l'on ne sache ?
Et dans mon procédé que faut-il que je cache ?   445
On peut craindre une chute avec quelque raison,
Quand on met en usage ou ruse ou trahison;
Mais qu'ai-je à redouter, moi, qui partout n'avance
Que les soins approuvés d'un peu de complaisance,
Et qui suis seulement par d'utiles leçons   450
La pente qu'a le Prince à de jaloux soupçons ?
Son âme semble en vivre, et je mets mon étude
A trouver des raisons à son inquiétude,
A voir de tous côtés s'il ne se passe rien
A fournir le sujet d'un secret entretien;   455
Et quand je puis venir, enflé d'une nouvelle,
Donner à son repos une atteinte mortelle,

C'est lors que plus il m'aime, et je vois sa raison
D'une audience avide avaler ce poison,
Et m'en remercier comme d'une victoire   460
Qui comblerait ses jours de bonheur et de gloire.
Mais mon rival paraît : je vous laisse tous deux;
Et bien que je renonce à l'espoir de vos vœux,
J'aurais un peu de peine à voir qu'en ma présence
Il reçût des effets de quelque préférence,   465
Et je veux, si je puis, m'épargner ce souci.

ÉLISE

Tout amant de bon sens en doit user ainsi.

SCÈNE II

DOM ALVAR, ÉLISE

DOM ALVAR

Enfin nous apprenons que le roi de Navarre
Pour les désirs du Prince aujourd'hui se déclare,
Et qu'un nouveau renfort de troupes nous attend   470
Pour le fameux service où son amour prétend.
Je suis surpris, pour moi, qu'avec tant de vitesse
On ait fait avancer... Mais...

SCÈNE III

DOM GARCIE, ÉLISE, DOM ALVAR

DOM GARCIE

                          Que fait la Princesse ?

ÉLISE

Quelques lettres, Seigneur; je le présume ainsi.
Mais elle va savoir que vous êtes ici.   475

SCÈNE IV

DOM GARCIE, *seul*.

J'attendrai qu'elle ait fait. Près de souffrir sa vue,
D'un trouble tout nouveau je me sens l'âme émue;

Et la crainte, mêlée à mon ressentiment,
Jette par tout mon corps un soudain tremblement.
Prince, prends garde au moins qu'un aveugle caprice   480
Ne te conduise ici dans quelque précipice,
Et que de ton esprit les désordres puissants
Ne donnent un peu trop au rapport de tes sens :
Consulte ta raison, prends sa clarté pour guide;
Vois si de tes soupçons l'apparence est solide;   485
Ne démens pas leur voix; mais aussi garde bien
Que, pour les croire trop, ils ne t'imposent rien,
Qu'à tes premiers transports ils n'osent trop permettre,
Et relis posément cette moitié de lettre.
Ha! qu'est-ce que mon cœur, trop digne de pitié,   490
Ne voudrait pas donner pour son autre moitié ?
Mais, après tout, que dis-je ? il suffit bien de l'une,
Et n'en voilà que trop pour voir mon infortune.

« Quoique votre rival...
« Vous devez toutefois vous...   495
« Et vous avez en vous à...
« L'obstacle le plus grand...

« Je chéris tendrement ce...
« Pour me tirer des mains de...
« Son amour, ses devoirs...   500
« Mais il m'est odieux, avec...

« Otez donc à vos feux ce...
« Méritez les regards que l'on...
« Et lorsqu'on vous oblige...
« Ne vous obstinez point à... »   505

Oui, mon sort par ces mots est assez éclairci :
Son cœur, comme sa main, se fait connaître ici;
Et les sens imparfaits de cet écrit funeste
Pour s'expliquer à moi n'ont pas besoin du reste.
Toutefois, dans l'abord agissons doucement;   510
Couvrons à l'infidèle un vif ressentiment;
Et de ce que je tiens ne donnant point d'indice,
Confondons son esprit par son propre artifice.
La voici : ma raison, renferme mes transports,
Et rends-toi pour un temps maîtresse du dehors.   515

SCÈNE V

DONE ELVIRE, DOM GARCIE

DONE ELVIRE

Vous avez bien voulu que je vous fisse attendre ?

DOM GARCIE

Ha ! qu'elle cache bien !

DONE ELVIRE

On vient de nous apprendre
Que le Roi votre père approuve vos projets,
Et veut bien que son fils nous rende nos sujets ;
Et mon âme en a pris une allégresse extrême.   520

DOM GARCIE

Oui, Madame, et mon cœur s'en réjouit de même ;
Mais...

DONE ELVIRE

Le tyran sans doute aura peine à parer
Les foudres que partout il entend murmurer.
Et j'ose me flatter que le même courage
Qui put bien me soustraire à sa brutale rage,   525
Et dans les murs d'Astorgue, arrachés de ses mains,
Me faire un sûr asile à braver ses desseins,
Pourra, de tout Léon achevant la conquête,
Sous ses nobles efforts faire choir cette tête.

DOM GARCIE

Le succès en pourra parler dans quelques jours.   530
Mais, de grâce, passons à quelque autre discours.
Puis-je, sans trop oser, vous prier de me dire
A qui vous avez pris, Madame, soin d'écrire,
Depuis que le destin nous a conduits ici ?

DONE ELVIRE

Pourquoi cette demande, et d'où vient ce souci ?   535

DOM GARCIE

D'un désir curieux de pure fantaisie.

DONE ELVIRE

La curiosité naît de la jalousie.

DOM GARCIE

Non, ce n'est rien du tout de ce que vous pensez :
Vos ordres de ce mal me défendent assez.

DONE ELVIRE

Sans chercher plus avant quel intérêt vous presse,   540
J'ai deux fois à Léon écrit à la Comtesse,
Et deux fois au marquis Dom Louis à Burgos.
Avec cette réponse êtes-vous en repos ?

DOM GARCIE

Vous n'avez point écrit à quelque autre personne,
Madame ?

DONE ELVIRE

          Non, sans doute, et ce discours m'étonne.   545

DOM GARCIE

De grâce, songez bien avant que d'assurer :
En manquant de mémoire, on peut se parjurer.

DONE ELVIRE

Ma bouche sur ce point ne peut être parjure.

DOM GARCIE

Elle a dit toutefois une haute imposture.

DONE ELVIRE

Prince !

DOM GARCIE

          Madame ?

DONE ELVIRE

                    O Ciel ! quel est ce mouvement ?   550
Avez-vous, dites-moi, perdu le jugement ?

DOM GARCIE

Oui, oui, je l'ai perdu, lorsque dans votre vue
J'ai pris, pour mon malheur, le poison qui me tue,
Et que j'ai cru trouver quelque sincérité
Dans les traîtres appas dont je fus enchanté.   555

DONE ELVIRE

De quelle trahison pouvez-vous donc vous plaindre ?

DOM GARCIE

Ah ! que ce cœur est double et sait bien l'art de feindre !
Mais tous moyens de fuir lui vont être soustraits.
Jetez ici les yeux, et connaissez vos traits :

Sans avoir vu le reste, il m'est assez facile   560
De découvrir pour qui vous employez ce style.

DONE ELVIRE

Voilà donc le sujet qui vous trouble l'esprit ?

DOM GARCIE

Vous ne rougissez pas en voyant cet écrit ?

DONE ELVIRE

L'innocence à rougir n'est point accoutumée.

DOM GARCIE

Il est vrai qu'en ces lieux on la voit opprimée.   565
Ce billet démenti pour n'avoir point de seing...

DONE ELVIRE

Pourquoi le démentir, puisqu'il est de ma main ?

DOM GARCIE

Encore est-ce beaucoup que, de franchise pure,
Vous demeuriez d'accord que c'est votre écriture ;
Mais ce sera, sans doute, et j'en serais garant,   570
Un billet qu'on envoie à quelque indifférent ;
Ou du moins, ce qu'il a de tendresse évidente
Sera pour une amie ou pour quelque parente.

DONE ELVIRE

Non, c'est pour un amant que ma main l'a formé,
Et j'ajoute de plus, pour un amant aimé.   575

DOM GARCIE

Et je puis, ô perfide !...

DONE ELVIRE

                          Arrêtez, prince indigne,
De ce lâche transport l'égarement insigne.
Bien que de vous mon cœur ne prenne point de loi,
Et ne doive en ces lieux aucun compte qu'à soi,
Je veux bien me purger, pour votre seul supplice,   580
Du crime que m'impose un insolent caprice.
Vous serez éclairci, n'en doutez nullement ;
J'ai ma défense prête en ce même moment ;
Vous allez recevoir une pleine lumière ;
Mon innocence ici paraîtra tout entière ;   585
Et je veux, vous mettant juge en votre intérêt,
Vous faire prononcer vous-même votre arrêt.

DOM GARCIE

Ce sont propos obscurs, qu'on ne saurait comprendre.

DONE ELVIRE

Bientôt à vos dépens vous me pourrez entendre.
Élise, holà!

SCÈNE VI

DOM GARCIE, DONE ELVIRE, ÉLISE

ÉLISE

Madame.

DONE ELVIRE

       Observez bien au moins   590
Si j'ose à vous tromper employer quelques soins,
Si par un seul coup d'œil, ou geste qui l'instruise,
Je cherche de ce coup à parer la surprise.
Le billet que tantôt ma main avait tracé,
Répondez promptement, où l'avez-vous laissé ?   595

ÉLISE

Madame, j'ai sujet de m'avouer coupable :
Je ne sais comme il est demeuré sur ma table;
Mais on vient de m'apprendre en ce même moment
Que Dom Lope, venant dans mon appartement,
Par une liberté qu'on lui voit se permettre,   600
A fureté partout et trouvé cette lettre.
Comme il la dépliait, Léonor a voulu
S'en saisir promptement avant qu'il eût rien lu :
Et se jetant sur lui, la lettre contestée
En deux justes moitiés dans leurs mains est restée;   605
Et Dom Lope aussitôt prenant un prompt essor,
A dérobé la sienne aux soins de Léonor.

DONE ELVIRE

Avez-vous ici l'autre ?

ÉLISE

       Oui, la voilà, Madame.

DONE ELVIRE

Donnez. Nous allons voir qui mérite le blâme.
Avec votre moitié rassemblez celle-ci.   610
Lisez, et hautement : je veux l'entendre aussi.

DOM GARCIE

« Au prince Dom Garcie. » Ah!

DONE ELVIRE

                              Achevez de lire :
Votre âme pour ce mot ne doit pas s'interdire.

DOM GARCIE *lit.*

« Quoique votre rival, Prince, alarme votre âme,
« Vous devez toutefois vous craindre plus que lui;   615
« Et vous avez en vous à détruire aujourd'hui
« L'obstacle le plus grand que trouve votre flamme.

« Je chéris tendrement ce qu'a fait Dom Garcie
« Pour me tirer des mains de nos fiers ravisseurs;
« Son amour, ses devoirs ont pour moi des douceurs;   620
« Mais il m'est odieux, avec sa jalousie.

« Otez donc à vos feux ce qu'ils en font paraître;
« Méritez les regards que l'on jette sur eux;
« Et lorsqu'on vous oblige à vous tenir heureux,
« Ne vous obstinez point à ne pas vouloir l'être. »   625

DONE ELVIRE

Hé bien! que dites-vous ?

DOM GARCIE

                    Ha! Madame, je dis
Qu'à cet objet mes sens demeurent interdits,
Que je vois dans ma plainte une horrible injustice,
Et qu'il n'est point pour moi d'assez cruel supplice.

DONE ELVIRE

Il suffit. Apprenez que si j'ai souhaité   630
Qu'à vos yeux cet écrit pût être présenté,
C'est pour le démentir, et cent fois me dédire
De tout ce que pour vous vous y venez de lire.
Adieu, Prince.

DOM GARCIE

              Madame, hélas! où fuyez-vous ?

DONE ELVIRE

Où vous ne serez point, trop odieux jaloux.   635

DOM GARCIE

Ha! Madame, excusez un amant misérable,
Qu'un sort prodigieux a fait vers vous coupable,

Et qui, bien qu'il vous cause un courroux si puissant,
Eût été plus blâmable à rester innocent.
Car enfin peut-il être une âme bien atteinte   640
Dont l'espoir le plus doux ne soit mêlé de crainte ?
Et pourriez-vous penser que mon cœur eût aimé,
Si ce billet fatal ne l'eût point alarmé,
S'il n'avait point frémi des coups de cette foudre,
Dont je me figurais tout mon bonheur en poudre ?   645
Vous-mêmes, dites-moi si cet événement
N'eût pas dans mon erreur jeté tout autre amant,
Si d'une preuve, hélas! qui me semblait si claire,
Je pouvais démentir...

DONE ELVIRE

                    Oui, vous le pouviez faire ;
Et dans mes sentiments, assez bien déclarés,   650
Vos doutes rencontraient des garants assurés :
Vous n'aviez rien à craindre ; et d'autres, sur ce gage,
Auraient du monde entier bravé le témoignage.

DOM GARCIE

Moins on mérite un bien qu'on nous fait espérer,
Plus notre âme a de peine à pouvoir s'assurer ;   655
Un sort trop plein de gloire à nos yeux est fragile,
Et nous laisse aux soupçons une pente facile.
Pour moi, qui crois si peu mériter vos bontés,
J'ai douté du bonheur de mes témérités ;
J'ai cru que dans ces lieux rangés sous ma puissance,   660
Votre âme se forçait à quelque complaisance,
Que déguisant pour moi votre sévérité...

DONE ELVIRE

Et je pourrais descendre à cette lâcheté !
Moi prendre le parti d'une honteuse feinte !
Agir par les motifs d'une servile crainte !   665
Trahir mes sentiments ! et, pour être en vos mains,
D'un masque de faveur vous couvrir mes dédains !
La gloire sur mon cœur aurait si peu d'empire !
Vous pouvez le penser, et vous me l'osez dire !
Apprenez que ce cœur ne sait point s'abaisser,   670
Qu'il n'est rien sous les cieux qui puisse l'y forcer ;
Et s'il vous a fait voir, par une erreur insigne,
Des marques de bonté dont vous n'étiez pas digne,
Qu'il saura bien montrer, malgré votre pouvoir,
La haine que pour vous il se résout d'avoir,   675

Braver votre furie, et vous faire connaître
Qu'il n'a point été lâche, et ne veut jamais l'être.

DOM GARCIE

Hé bien! je suis coupable, et ne m'en défends pas;
Mais je demande grâce à vos divins appas:
Je la demande au nom de la plus vive flamme   680
Dont jamais deux beaux yeux aient fait brûler une âme.
Que si votre courroux ne peut être apaisé,
Si mon crime est trop grand pour se voir excusé,
Si vous ne regardez ni l'amour qui le cause,
Ni le vif repentir que mon cœur vous expose,   685
Il faut qu'un coup heureux, en me faisant mourir,
M'arrache à des tourments que je ne puis souffrir.
Non, ne présumez pas qu'ayant su vous déplaire,
Je puisse vivre une heure avec votre colère.
Déjà de ce moment la barbare longueur   690
Sous ses cuisants remords fait succomber mon cœur,
Et de mille vautours les blessures cruelles
N'ont rien de comparable à ses douleurs mortelles.
Madame, vous n'avez qu'à me le déclarer:
S'il n'est point de pardon que je doive espérer,   695
Cette épée aussitôt, par un coup favorable,
Va percer, à vos yeux, le cœur d'un misérable,
Ce cœur, ce traître cœur, dont les perplexités
Ont si fort outragé vos extrêmes bontés:
Trop heureux, en mourant, si ce coup légitime   700
Efface en votre esprit l'image de mon crime,
Et ne laisse aucuns traits de votre aversion
Au faible souvenir de mon affection!
C'est l'unique faveur que demande ma flamme.

DONE ELVIRE

Ha! Prince trop cruel!

DOM GARCIE

          Dites, parlez, Madame.   705

DONE ELVIRE

Faut-il encor pour vous conserver des bontés,
Et vous voir m'outrager par tant d'indignités?

DOM GARCIE

Un cœur ne peut jamais outrager quand il aime;
Et ce que fait l'amour, il l'excuse lui-même.

DONE ELVIRE

L'amour n'excuse point de tels emportements.   710

DOM GARCIE

Tout ce qu'il a d'ardeur passe en ses mouvements;
Et plus il devient fort, plus il trouve de peine...

DONE ELVIRE

Non, ne m'en parlez point, vous méritez ma haine.

DOM GARCIE

Vous me haïssez donc?

DONE ELVIRE

                                    J'y veux tâcher, au moins;
Mais, hélas! je crains bien que j'y perde mes soins,   715
Et que tout le courroux qu'excite votre offense
Ne puisse jusque-là faire aller ma vengeance.

DOM GARCIE

D'un supplice si grand ne tentez point l'effort,
Puisque pour vous venger je vous offre ma mort:
Prononcez-en l'arrêt, et j'obéis sur l'heure.   720

DONE ELVIRE

Qui ne saurait haïr ne peut vouloir qu'on meure.

DOM GARCIE

Et moi, je ne puis vivre à moins que vos bontés
Accordent un pardon à mes témérités.
Résolvez l'un des deux, de punir ou d'absoudre.

DONE ELVIRE

Hélas! j'ai trop fait voir ce que je puis résoudre.   725
Par l'aveu d'un pardon n'est-ce pas se trahir
Que dire au criminel qu'on ne le peut haïr?

DOM GARCIE

Ah! c'en est trop: souffrez, adorable Princesse...

DONE ELVIRE

Laissez: je me veux mal d'une telle faiblesse.

DOM GARCIE

Enfin je suis...

SCÈNE VII

DOM LOPE, DOM GARCIE

DOM LOPE

Seigneur, je viens vous informer   730
D'un secret dont vos feux ont droit de s'alarmer.

DOM GARCIE

Ne me viens point parler de secret ni d'alarme
Dans les doux mouvements du transport qui me charme.
Après ce qu'à mes yeux on vient de présenter,
Il n'est point de soupçons que je doive écouter,   735
Et d'un divin objet la bonté sans pareille
A tous ces vains rapports doit fermer mon oreille :
Ne m'en fais plus.

DOM LOPE

Seigneur, je veux ce qu'il vous plaît :
Mes soins en tout ceci n'ont que votre intérêt.
J'ai cru que le secret que je viens de surprendre   740
Méritait bien qu'en hâte on vous le vînt apprendre;
Mais puisque vous voulez que je n'en touche rien,
Je vous dirai, Seigneur, pour changer d'entretien,
Que déjà dans Léon on voit chaque famille
Lever le masque au bruit des troupes de Castille,   745
Et que surtout le peuple y fait pour son vrai roi
Un éclat à donner au tyran de l'effroi.

DOM GARCIE

La Castille du moins n'aura pas la victoire
Sans que nous essayions d'en partager la gloire;
Et nos troupes aussi peuvent être en état   750
D'imprimer quelque crainte au cœur de Mauregat.
Mais quel est ce secret dont tu voulais m'instruire ?
Voyons un peu.

DOM LOPE

Seigneur, je n'ai rien à vous dire.

DOM GARCIE

Va, va, parle, mon cœur t'en donne le pouvoir.

DOM LOPE

Vos paroles, Seigneur, m'en ont trop fait savoir ;   755
Et puisque mes avis ont de quoi vous déplaire,
Je saurai désormais trouver l'art de me taire.

DOM GARCIE

Enfin, je veux savoir la chose absolument.

DOM LOPE

Je ne réplique point à ce commandement.
Mais, Seigneur, en ce lieu le devoir de mon zèle   760
Trahirait le secret d'une telle nouvelle.
Sortons pour vous l'apprendre ; et, sans rien embrasser,
Vous-même vous verrez ce qu'on en doit penser.

ACTE III

SCÈNE I

DONE ELVIRE, ÉLISE

DONE ELVIRE

Élise, que dis-tu de l'étrange faiblesse
Que vient de témoigner le cœur d'une princesse ?   765
Que dis-tu de me voir tomber si promptement
De toute la chaleur de mon ressentiment,
Et malgré tant d'éclat, relâcher mon courage
Au pardon trop honteux d'un si cruel outrage ?

ÉLISE

Moi, je dis que d'un cœur que nous pouvons chérir   770
Une injure sans doute est bien dure à souffrir ;
Mais que s'il n'en est point qui davantage irrite,
Il n'en est point aussi qu'on pardonne si vite,
Et qu'un coupable aimé triomphe à nos genoux   [775
De tous les prompts transports du plus bouillant courroux,
D'autant plus aisément, Madame, quand l'offense
Dans un excès d'amour peut trouver sa naissance.
Ainsi, quelque dépit que l'on vous ait causé,
Je ne m'étonne point de le voir apaisé ;

Et je sais quel pouvoir, malgré votre menace,   780
A de pareils forfaits donnera toujours grâce.

DONE ELVIRE

Ah ! sache, quelque ardeur qui m'impose des lois,
Que mon front a rougi pour la dernière fois,
Et que si désormais on pousse ma colère,
Il n'est point de retour qu'il faille qu'on espère.   785
Quand je pourrais reprendre un tendre sentiment,
C'est assez contre lui que l'éclat d'un serment ;
Car enfin un esprit qu'un peu d'orgueil inspire
Trouve beaucoup de honte à se pouvoir dédire,
Et souvent, aux dépens d'un pénible combat,   790
Fait sur ses propres vœux un illustre attentat,
S'obstine par honneur, et n'a rien qu'il n'immole
A la noble fierté de tenir sa parole.
Ainsi dans le pardon que l'on vient d'obtenir
Ne prends point de clartés pour régler l'avenir ;   795
Et quoi qu'à mes destins la fortune prépare,
Crois que je ne puis être au prince de Navarre
Que de ces noirs accès qui troublent sa raison
Il n'ait fait éclater l'entière guérison,
Et réduit tout mon cœur, que ce mal persécute,   800
A n'en plus redouter l'affront d'une rechute.

ÉLISE

Mais quel affront nous fait le transport d'un jaloux ?

DONE ELVIRE

En est-il un qui soit plus digne de courroux ?
Et puisque notre cœur fait un effort extrême
Lorsqu'il se peut résoudre à confesser qu'il aime,   805
Puisque l'honneur du sexe, en tout temps rigoureux,
Oppose un fort obstacle à de pareils aveux,
L'amant qui voit pour lui franchir un tel obstacle
Doit-il impunément douter de cet oracle ?
Et n'est-il pas coupable alors qu'il ne croit pas   810
Ce qu'on ne dit jamais qu'après de grands combats ?

ÉLISE

Moi, je tiens que toujours un peu de défiance
En ces occasions n'a rien qui nous offense,
Et qu'il est dangereux qu'un cœur qu'on a charmé
Soit trop persuadé, Madame, d'être aimé,   815
Si...

DONE ELVIRE

N'en disputons plus : chacun a sa pensée.
C'est un scrupule enfin dont mon âme est blessée;
Et contre mes désirs, je sens je ne sais quoi
Me prédire un éclat entre le Prince et moi,
Qui malgré ce qu'on doit aux vertus dont il brille...   820
Mais, ô Ciel! en ces lieux Dom Sylve de Castille!
Ah! Seigneur, par quel sort vous vois-je maintenant?

SCÈNE II

DOM SYLVE, DONE ELVIRE, ÉLISE

DOM SYLVE

Je sais que mon abord, Madame, est surprenant,
Et qu'être sans éclat entré dans cette ville,
Dont l'ordre d'un rival rend l'accès difficile,   825
Qu'avoir pu me soustraire aux yeux de ses soldats,
C'est un événement que vous n'attendiez pas.
Mais si j'ai dans ces lieux franchi quelques obstacles,
L'ardeur de vous revoir peut bien d'autres miracles.
Tout mon cœur a senti par de trop rudes coups   830
Le rigoureux destin d'être éloigné de vous;
Et je n'ai pu nier au tourment qui le tue
Quelques moments secrets d'une si chère vue.
Je viens vous dire donc que je rends grâce aux Cieux
De vous voir hors des mains d'un tyran odieux.   835
Mais parmi les douceurs d'une telle aventure,
Ce qui m'est un sujet d'éternelle torture,
C'est de voir qu'à mon bras les rigueurs de mon sort
Ont envié l'honneur de cet illustre effort,
Et fait à mon rival, avec trop d'injustice,   840
Offrir les doux périls d'un si fameux service.
Oui, Madame, j'avais, pour rompre vos liens,
Des sentiments sans doute aussi beaux que les siens;
Et je pouvais pour vous gagner cette victoire,
Si le Ciel n'eût voulu m'en dérober la gloire.   845

DONE ELVIRE

Je sais, Seigneur, je sais que vous avez un cœur
Qui des plus grands périls vous peut rendre vainqueur;
Et je ne doute point que ce généreux zèle,
Dont la chaleur vous pousse à venger ma querelle,

N'eût, contre les efforts d'un indigne projet,   850
Pu faire en ma faveur tout ce qu'un autre a fait.
Mais, sans cette action dont vous étiez capable,
Mon sort à la Castille est assez redevable :
On sait ce qu'en ami plein d'ardeur et de foi
Le comte votre père a fait pour le feu Roi.   855
Après l'avoir aidé jusqu'à l'heure dernière,
Il donne en ses États un asile à mon frère.
Quatre lustres entiers il y cache son sort
Aux barbares fureurs de quelque lâche effort,
Et pour rendre à son front l'éclat d'une couronne,   860
Contre nos ravisseurs vous marchez en personne :
N'êtes-vous pas content ? et ces soins généreux
Ne m'attachent-ils point par d'assez puissants nœuds ?
Quoi ? votre âme, Seigneur, serait-elle obstinée
A vouloir asservir toute ma destinée,   865
Et faut-il que jamais il ne tombe sur nous
L'ombre d'un seul bienfait, qu'il ne vienne de vous ?
Ah! souffrez, dans les maux où mon destin m'expose,
Qu'aux soins d'un autre aussi je doive quelque chose ;
Et ne vous plaignez point de voir un autre bras   870
Acquérir de la gloire où le vôtre n'est pas.

DOM SYLVE

Oui, Madame, mon cœur doit cesser de s'en plaindre :
Avec trop de raison vous voulez m'y contraindre ;
Et c'est injustement qu'on se plaint d'un malheur,
Quand un autre plus grand s'offre à notre douleur.   875
Ce secours d'un rival m'est un cruel martyre ;
Mais, hélas! de mes maux ce n'est pas là le pire :
Le coup, le rude coup dont je suis atterré,
C'est de me voir par vous ce rival préféré.
Oui, je ne vois que trop que ses feux pleins de gloire   880
Sur les miens dans votre âme emportent la victoire ;
Et cette occasion de servir vos appas,
Cet avantage offert de signaler son bras,
Cet éclatant exploit qui vous fut salutaire,
N'est que le pur effet du bonheur de vous plaire,   885
Que le secret pouvoir d'un astre merveilleux,
Qui fait tomber la gloire où s'attachent vos vœux.
Ainsi tous mes efforts ne seront que fumée.
Contre vos fiers tyrans je conduis une armée ;
Mais je marche en tremblant à cet illustre emploi,   890
Assuré que vos vœux ne seront pas pour moi,

Et que, s'ils sont suivis, la fortune prépare
L'heur des plus beaux succès aux soins de la Navarre.
Ah! Madame, faut-il me voir précipité
De l'espoir glorieux dont je m'étais flatté ?   895
Et ne puis-je savoir quels crimes on m'impute,
Pour avoir mérité cette effroyable chute ?

DONE ELVIRE

Ne me demandez rien avant que regarder
Ce qu'à mes sentiments vous devez demander;
Et sur cette froideur qui semble vous confondre   900
Répondez-vous, Seigneur, ce que je puis répondre.
Car enfin tous vos soins ne sauraient ignorer
Quels secrets de votre âme on m'a su déclarer;
Et je la crois, cette âme, et trop noble et trop haute,
Pour vouloir m'obliger à commettre une faute.   905
Vous-même dites-vous s'il est de l'équité
De me voir couronner une infidélité,
Si vous pouviez m'offrir sans beaucoup d'injustice
Un cœur à d'autres yeux offert en sacrifice,
Vous plaindre avec raison et blâmer mes refus,   910
Lorsqu'ils veulent d'un crime affranchir vos vertus.
Oui, Seigneur, c'est un crime; et les premières flammes
Ont des droits si sacrés sur les illustres âmes,
Qu'il faut perdre grandeurs et renoncer au jour,
Plutôt que de pencher vers un second amour.   915
J'ai pour vous cette ardeur que peut prendre l'estime
Pour un courage haut, pour un cœur magnanime;
Mais n'exigez de moi que ce que je vous dois,
Et soutenez l'honneur de votre premier choix.
Malgré vos feux nouveaux, voyez quelle tendresse   920
Vous conserve le cœur de l'aimable comtesse,
Ce que pour un ingrat (car vous l'êtes, Seigneur)
Elle a d'un choix constant refusé de bonheur,
Quel mépris généreux, dans son ardeur extrême,
Elle a fait de l'éclat que donne un diadème;   925
Voyez combien d'efforts pour vous elle a bravés,
Et rendez à son cœur ce que vous lui devez.

DOM SYLVE

Ah! Madame, à mes yeux n'offrez point son mérite :
Il n'est que trop présent à l'ingrat qui la quitte;
Et si mon cœur vous dit ce que pour elle il sent,   930
J'ai peur qu'il ne soit pas envers vous innocent.

Oui, ce cœur l'ose plaindre, et ne suit pas sans peine
L'impérieux effort de l'amour qui l'entraîne.
Aucun espoir pour vous n'a flatté mes désirs
Qui ne m'ait arraché pour elle des soupirs,   935
Qui n'ait dans ses douceurs fait jeter à mon âme
Quelques tristes regards vers sa première flamme,
Se reprocher l'effet de vos divins attraits,
Et mêler des remords à mes plus chers souhaits.
J'ai fait plus que cela, puisqu'il vous faut tout dire :   940
Oui, j'ai voulu sur moi vous ôter votre empire,
Sortir de votre chaîne, et rejeter mon cœur
Sous le joug innocent de son premier vainqueur.
Mais après mes efforts, ma constance abattue
Voit un cours nécessaire à ce mal qui me tue.   945
Et dût être mon sort à jamais malheureux,
Je ne puis renoncer à l'espoir de mes vœux;
Je ne saurais souffrir l'épouvantable idée
De vous voir par un autre à mes yeux possédée;
Et le flambeau du jour, qui m'offre vos appas,   950
Doit avant cet hymen éclairer mon trépas.
Je sais que je trahis une princesse aimable;
Mais, Madame, après tout, mon cœur est-il coupable ?
Et le fort ascendant que prend votre beauté
Laisse-t-il aux esprits aucune liberté ?   955
Hélas! je suis ici bien plus à plaindre qu'elle :
Son cœur, en me perdant, ne perd qu'un infidèle;
D'un pareil déplaisir on se peut consoler;
Mais moi, par un malheur qui ne peut s'égaler,
J'ai celui de quitter une aimable personne,   960
Et tous les maux encor que mon amour me donne.

DONE ELVIRE

Vous n'avez que les maux que vous voulez avoir,
Et toujours notre cœur est en notre pouvoir :
Il peut bien quelquefois montrer quelque faiblesse;
Mais enfin sur nos sens la raison, la maîtresse...   965

SCÈNE III

DOM GARCIE, DONE ELVIRE, DOM SYLVE

DOM GARCIE

Madame, mon abord, comme je connais bien,
Assez mal à propos trouble votre entretien;

Et mes pas en ce lieu, s'il faut que je le die,
Ne croyaient pas trouver si bonne compagnie.

DONE ELVIRE

Cette vue, en effet, surprend au dernier point ;   970
Et de même que vous, je ne l'attendais point.

DOM GARCIE

Oui, Madame, je crois que de cette visite,
Comme vous l'assurez, vous n'étiez point instruite.
Mais, Seigneur, vous deviez nous faire au moins l'honneur
De nous donner avis de ce rare bonheur,   975
Et nous mettre en état, sans nous vouloir surprendre,
De vous rendre en ces lieux ce qu'on voudrait vous rendre.

DOM SYLVE

Les héroïques soins vous occupent si fort,
Que de vous en tirer, Seigneur, j'aurais eu tort ;
Et des grands conquérants les sublimes pensées   980
Sont aux civilités avec peine abaissées.

DOM GARCIE

Mais les grands conquérants, dont on vante les soins,
Loin d'aimer le secret, affectent les témoins.
Leur âme, dès l'enfance à la gloire élevée,
Les fait dans leurs projets aller tête levée,   985
Et s'appuyant toujours sur des hauts sentiments,
Ne s'abaisse jamais à des déguisements.
Ne commettez-vous point vos vertus héroïques
En passant dans ces lieux par des sourdes pratiques ?
Et ne craignez-vous point qu'on puisse, aux yeux de tous,
Trouver cette action trop indigne de vous ?   [990

DOM SYLVE

Je ne sais si quelqu'un blâmera ma conduite,
Au secret que j'ai fait d'une telle visite ;
Mais je sais qu'aux projets qui veulent la clarté,
Prince, je n'ai jamais cherché l'obscurité ;   995
Et quand j'aurai sur vous à faire une entreprise,
Vous n'aurez pas sujet de blâmer la surprise :
Il ne tiendra qu'à vous de vous en garantir,
Et l'on prendra le soin de vous en avertir.
Cependant demeurons aux termes ordinaires,   1000
Remettons nos débats après d'autres affaires ;
Et d'un sang un peu chaud réprimant les bouillons,
N'oublions pas tous deux devant qui nous parlons.

DONE ELVIRE

Prince, vous avez tort; et sa visite est telle,
Que vous...

DOM GARCIE

        Ah! c'en est trop que prendre sa querelle, 1005
Madame, et votre esprit devrait feindre un peu mieux,
Lorsqu'il veut ignorer sa venue en ces lieux :
Cette chaleur si prompte à vouloir la défendre
Persuade assez mal qu'elle ait pu vous surprendre.

DONE ELVIRE

Quoi que vous soupçonniez, il m'importe si peu,   1010
Que j'aurais du regret d'en faire un désaveu.

DOM GARCIE

Poussez donc jusqu'au bout cet orgueil héroïque,
Et que sans hésiter tout votre cœur s'explique :
C'est au déguisement donner trop de crédit.
Ne désavouez rien, puisque vous l'avez dit.   1015
Tranchez, tranchez le mot, forcez toute contrainte,
Dites que de ses feux vous ressentez l'atteinte,
Que pour vous sa présence a des charmes si doux...

DONE ELVIRE

Et si je veux l'aimer, m'en empêcherez-vous ?
Avez-vous sur mon cœur quelque empire à prétendre ?1020
Et pour régler mes vœux, ai-je votre ordre à prendre ?
Sachez que trop d'orgueil a pu vous décevoir,
Si votre cœur sur moi s'est cru quelque pouvoir;
Et que mes sentiments sont d'une âme trop grande,
Pour vouloir les cacher, lorsqu'on me les demande.   1025
Je ne vous dirai point si le Comte est aimé;
Mais apprenez de moi qu'il est fort estimé,
Que ses hautes vertus, pour qui je m'intéresse,
Méritent mieux que vous les vœux d'une princesse,
Que je garde aux ardeurs, aux soins qu'il me fait voir, 1030
Tout le ressentiment qu'une âme puisse avoir,
Et que si des destins la fatale puissance
M'ôte la liberté d'être sa récompense,
Au moins est-il en moi de promettre à ses vœux
Qu'on ne me verra point le butin de vos feux;   1035
Et sans vous amuser d'une attente frivole,
C'est à quoi je m'engage, et je tiendrai parole.
Voilà mon cœur ouvert, puisque vous le voulez,
Et mes vrais sentiments à vos yeux étalés.

Êtes-vous satisfait ? et mon âme attaquée   1040
S'est-elle, à votre avis, assez bien expliquée ?
Voyez, pour vous ôter tout lieu de soupçonner,
S'il reste quelque jour encore à vous donner.
Cependant, si vos soins s'attachent à me plaire,
Songez que votre bras, Comte, m'est nécessaire,   1045
Et d'un capricieux quels que soient les transports,
Qu'à punir nos tyrans il doit tous ses efforts ;
Fermez l'oreille enfin à toute sa furie ;
Et pour vous y porter, c'est moi qui vous en prie.

SCÈNE IV

DOM GARCIE, DOM SYLVE

DOM GARCIE

Tout vous rit, et votre âme, en cette occasion,   1050
Jouit superbement de ma confusion.
Il vous est doux de voir un aveu plein de gloire
Sur les feux d'un rival marquer votre victoire ;
Mais c'est à votre joie un surcroît sans égal,
D'en avoir pour témoins les yeux de ce rival ;   1055
Et mes prétentions hautement étouffées
A vos vœux triomphants sont d'illustres trophées.
Goûtez à pleins transports ce bonheur éclatant ;
Mais sachez qu'on n'est pas encore où l'on prétend.
La fureur qui m'anime a de trop justes causes,   1060
Et l'on verra peut-être arriver bien des choses.
Un désespoir va loin quand il est échappé,
Et tout est pardonnable à qui se voit trompé.
Si l'ingrate à mes yeux, pour flatter votre flamme,
A jamais n'être à moi vient d'engager son âme,   1065
Je saurai bien trouver, dans mon juste courroux,
Les moyens d'empêcher qu'elle ne soit à vous.

DOM SYLVE

Cet obstacle n'est pas ce qui me met en peine.
Nous verrons quelle attente en tout cas sera vaine ;
Et chacun, de ses feux, pourra par sa valeur   1070
Ou défendre la gloire, ou venger le malheur.
Mais comme, entre rivaux, l'âme la plus posée
A des termes d'aigreur trouve une pente aisée,
Et que je ne veux point qu'un pareil entretien
Puisse trop échauffer votre esprit et le mien,   1075

Prince, affranchissez-moi d'une gêne secrète,
Et me donnez moyen de faire ma retraite.

DOM GARCIE

Non, non, ne craignez point qu'on pousse votre esprit
A violer ici l'ordre qu'on vous prescrit.
Quelque juste fureur qui me presse et vous flatte,   1080
Je sais, Comte, je sais quand il faut qu'elle éclate.
Ces lieux vous sont ouverts : oui, sortez-en, sortez
Glorieux des douceurs que vous en remportez;
Mais, encore une fois, apprenez que ma tête
Peut seule dans vos mains mettre votre conquête.   1085

DOM SYLVE

Quand nous en serons là, le sort en notre bras
De tous nos intérêts videra les débats.

ACTE IV

SCÈNE I

DONE ELVIRE, DOM ALVAR

DONE ELVIRE

Retournez, Dom Alvar, et perdez l'espérance
De me persuader l'oubli de cette offense.
Cette plaie en mon cœur ne saurait se guérir,   1090
Et les soins qu'on en prend ne font rien que l'aigrir.
A quelques faux respects croit-il que je défère ?
Non, non : il a poussé trop avant ma colère;
Et son vain repentir, qui porte ici vos pas,
Sollicite un pardon que vous n'obtiendrez pas.   1095

DOM ALVAR

Madame, il fait pitié. Jamais cœur, que je pense,
Par un plus vif remords n'expia son offense;
Et si dans sa douleur vous le considériez,
Il toucherait votre âme, et vous l'excuseriez.
On sait bien que le Prince est dans un âge à suivre   1100
Les premiers mouvements où son âme se livre,

Et qu'en un sang bouillant toutes les passions
Ne laissent guère place à des réflexions.
Dom Lope, prévenu d'une fausse lumière,
De l'erreur de son maître a fourni la matière.   1105
Un bruit assez confus, dont le zèle indiscret
A de l'abord du Comte éventé le secret,
Vous avait mise aussi de cette intelligence
Qui dans ces lieux gardés a donné sa présence.
Le Prince a cru l'avis, et son amour séduit,   1110
Sur une fausse alarme, a fait tout ce grand bruit.
Mais d'une telle erreur son âme est revenue :
Votre innocence enfin lui vient d'être connue,
Et Dom Lope qu'il chasse est un visible effet
Du vif remords qu'il sent de l'éclat qu'il a fait.   1115

DONE ELVIRE

Ah ! c'est trop promptement qu'il croit mon innocence ;
Il n'en a pas encore une entière assurance :
Dites-lui, dites-lui qu'il doit bien tout peser,
Et ne se hâter point, de peur de s'abuser.

DOM ALVAR

Madame, il sait trop bien...

DONE ELVIRE

     Mais, Dom Alvar, de grâce, 1120
N'étendons pas plus loin un discours qui me lasse :
Il réveille un chagrin qui vient à contretemps
En troubler dans mon cœur d'autres plus importants.
Oui, d'un trop grand malheur la surprise me presse,
Et le bruit du trépas de l'illustre Comtesse,   1125
Doit s'emparer si bien de tout mon déplaisir,
Qu'aucun autre souci n'a droit de me saisir.

DOM ALVAR

Madame, ce peut être une fausse nouvelle ;
Mais mon retour au Prince en porte une cruelle.

DONE ELVIRE

De quelque grand ennui qu'il puisse être agité,   1130
Il en aura toujours moins qu'il n'a mérité.

SCÈNE II

DONE ELVIRE, ÉLISE

ÉLISE

J'attendais qu'il sortît, Madame, pour vous dire
Ce [qui] veut maintenant que votre âme respire,
Puisque votre chagrin dans un moment d'ici,
Du sort de Done Ignès peut se voir éclairci.   1135
Un inconnu qui vient pour cette confidence
Vous fait par un des siens demander audience.

DONE ELVIRE

Élise, il faut le voir : qu'il vienne promptement.

ÉLISE

Mais il veut n'être vu que de vous seulement;
Et par cet envoyé, Madame, il sollicite   1140
Qu'il puisse sans témoins vous rendre sa visite.

DONE ELVIRE

Hé bien! nous serons seuls, et je vais l'ordonner,
Tandis que tu prendras le soin de l'amener.
Que mon impatience en ce moment est forte!
O destins, est-ce joie ou douleur qu'on m'apporte ?   1145

SCÈNE III

DOM PÈDRE, ÉLISE

ÉLISE

Où... ?

DOM PÈDRE

Si vous me cherchez, Madame, me voici.

ÉLISE

En quel lieu votre maître... ?

DOM PÈDRE

Il est proche d'ici :
Le ferai-je venir ?

ÉLISE

Dites-lui qu'il s'avance,
Assuré qu'on l'attend avec impatience,
Et qu'il ne se verra d'aucuns yeux éclairé.   1150
Je ne sais quel secret en doit être auguré :
Tant de précautions qu'il affecte de prendre...
Mais le voici déjà.

SCÈNE IV

DONE IGNÈS, ÉLISE

ÉLISE

Seigneur, pour vous attendre
On a fait... Mais que vois-je ? Ha! Madame, mes yeux...

DONE IGNÈS, *en habit de cavalier.*

Ne me découvrez point, Élise, dans ces lieux,   1155
Et laissez respirer ma triste destinée
Sous une feinte mort que je me suis donnée.
C'est elle qui m'arrache à tous mes fiers týrans,
Car je puis sous ce nom comprendre mes parents.
J'ai par elle évité cet hymen redoutable,   1160
Pour qui j'aurais souffert une mort véritable;
Et sous cet équipage et le bruit de ma mort
Il faut cacher à tous le secret de mon sort,
Pour me voir à l'abri de l'injuste poursuite
Qui pourrait dans ces lieux persécuter ma fuite.   1165

ÉLISE

Ma surprise en public eût trahi vos désirs;
Mais allez là-dedans étouffer des soupirs,
Et des charmants transports d'une pleine allégresse
Saisir à votre aspect le cœur de la Princesse.
Vous la trouverez seule : elle-même a pris soin   1170
Que votre abord fût libre et n'eût aucun témoin.
Vois-je pas Dom Alvar ?

SCÈNE V

DOM ALVAR, ÉLISE

DOM ALVAR

Le Prince me renvoie
Vous prier que pour lui votre crédit s'emploie.
De ses jours, belle Élise, on doit n'espérer rien,
S'il n'obtient par vos soins un moment d'entretien;   1175
Son âme a des transports... Mais le voici lui-même.

SCÈNE VI

DOM GARCIE, DOM ALVAR, ÉLISE

DOM GARCIE

Ah! sois un peu sensible à ma disgrâce extrême,
Élise, et prends pitié d'un cœur infortuné,
Qu'aux plus vives douleurs tu vois abandonné.

ÉLISE

C'est avec d'autres yeux que ne fait la Princesse,   1180
Seigneur, que je verrais le tourment qui vous presse!
Mais nous avons du Ciel ou du tempérament
Que nous jugeons de tout chacun diversement.
Et puisqu'elle vous blâme, et que sa fantaisie
Lui fait un monstre affreux de votre jalousie,   1185
Je serais complaisante, et voudrais m'efforcer
De cacher à ses yeux ce qui peut les blesser.
Un amant suit sans doute une utile méthode,
S'il fait qu'à notre humeur la sienne s'accommode;
Et cent devoirs font moins que ces ajustements   1190
Qui font croire en deux cœurs les mêmes sentiments :
L'art de ces deux rapports fortement les assemble,
Et nous n'aimons rien tant que ce qui nous ressemble.

DOM GARCIE

Je le sais; mais, hélas! les destins inhumains
S'opposent à l'effet de ces justes desseins,   1195
Et, malgré tous mes soins, viennent toujours me tendre
Un piège dont mon cœur ne saurait se défendre.

Ce n'est pas que l'ingrate aux yeux de mon rival
N'ait fait contre mes feux un aveu trop fatal,
Et témoigné pour lui des excès de tendresse   1200
Dont le cruel objet me reviendra sans cesse.
Mais comme trop d'ardeur enfin m'avait séduit
Quand j'ai cru qu'en ces lieux elle l'ait introduit,
D'un trop cuisant ennui je sentirais l'atteinte
A lui laisser sur moi quelque sujet de plainte.   1205
Oui, je veux faire au moins, si je m'en vois quitté,
Que ce soit de son cœur pure infidélité;
Et venant m'excuser d'un trait de promptitude,
Dérober tout prétexte à son ingratitude.

ÉLISE

Laissez un peu de temps à son ressentiment;   1210
Et ne la voyez point, Seigneur, si promptement.

DOM GARCIE

Ah! si tu me chéris, obtiens que je la voie :
C'est une liberté qu'il faut qu'elle m'octroie;
Je ne pars point d'ici, qu'au moins son fier dédain...

ÉLISE

De grâce, différez l'effet de ce dessein.   1215

DOM GARCIE

Non! ne m'oppose point une excuse frivole.

ÉLISE

Il faut que ce soit elle, avec une parole,
Qui trouve les moyens de le faire en aller.
Demeurez donc, Seigneur : je m'en vais lui parler.

DOM GARCIE

Dis-lui que j'ai d'abord banni de ma présence   1220
Celui dont les avis ont causé mon offense,
Que Dom Lope jamais...

SCÈNE VII

DOM GARCIE, DOM ALVAR

DOM GARCIE

Que vois-je, ô justes Cieux!
Faut-il que je m'assure au rapport de mes yeux ?

Ah! sans doute ils me sont des témoins trop fidèles.
Voilà le comble affreux de mes peines mortelles,   1225
Voici le coup fatal qui devait m'accabler;
Et quand par des soupçons je me sentais troubler,
C'était, c'était le ciel, dont la sourde menace
Présageait à mon cœur cette horrible disgrâce.

DOM ALVAR   [1230

Qu'avez-vous vu, Seigneur, qui vous puisse émouvoir ?

DOM GARCIE

J'ai vu ce que mon âme a peine à concevoir;
Et le renversement de toute la nature
Ne m'étonnerait pas comme cette aventure.
C'en est fait... Le destin... Je ne saurais parler.

DOM ALVAR

Seigneur, que votre esprit tâche à se rappeler.   1235

DOM GARCIE

J'ai vu... Vengeance, ô Ciel!

DOM ALVAR

     Quelle atteinte soudaine...

DOM GARCIE

J'en mourrai, Dom Alvar, la chose est bien certaine.

DOM ALVAR

Mais, Seigneur, qui pourrait... ?

DOM GARCIE

     Ah! tout est ruiné;
Je suis, je suis trahi, je suis assassiné :
Un homme... Sans mourir te le puis-je bien dire ?   1240
Un homme dans les bras de l'infidèle Elvire.

DOM ALVAR

Ah! Seigneur! la Princesse est vertueuse au point...

DOM GARCIE

Ah! sur ce que j'ai vu ne me contestez point,
Dom Alvar : c'en est trop que soutenir sa gloire,
Lorsque mes yeux font foi d'une action si noire.   1245

DOM ALVAR

Seigneur, nos passions nous font prendre souvent
Pour chose véritable un objet décevant.

Et de croire qu'une âme à la vertu nourrie
Se puisse...

DOM GARCIE

Dom Alvar, laissez-moi, je vous prie :
Un conseiller me choque en cette occasion,   1250
Et je ne prends avis que de ma passion.

DOM ALVAR

Il ne faut rien répondre à cet esprit farouche.

DOM GARCIE

Ah! que sensiblement cette atteinte me touche!
Mais il faut voir qui c'est, et de ma main punir...
La voici. Ma fureur, te peux-tu retenir ?   1255

SCÈNE VIII

DONE ELVIRE, DOM GARCIE,
DOM ALVAR

DONE ELVIRE

Hé bien! que voulez-vous ? et quel espoir de grâce,
Après vos procédés, peut flatter votre audace ?
Osez-vous à mes yeux encor vous présenter,
Et que me direz-vous que je doive écouter ?

DOM GARCIE

Que toutes les horreurs dont une âme est capable   1260
A vos déloyautés n'ont rien de comparable,
Que le sort, les démons, et le Ciel en courroux,
N'ont jamais rien produit de si méchant que vous.

DONE ELVIRE

Ah! vraiment, j'attendais l'excuse d'un outrage;
Mais, à ce que je vois, c'est un autre langage.   1265

DOM GARCIE

Oui, oui, c'en est un autre; et vous n'attendiez pas
Que j'eusse découvert le traître dans vos bras,
Qu'un funeste hasard par la porte entrouverte
Eût offert à mes yeux votre honte et ma perte.
Est-ce l'heureux amant sur ses pas revenu,   1270
Ou quelque autre rival qui m'était inconnu ?

O Ciel! donne à mon cœur des forces suffisantes
Pour pouvoir supporter des douleurs si cuisantes!
Rougissez maintenant : vous en avez raison,
Et le masque est levé de votre trahison.   1275
Voilà ce que marquaient les troubles de mon âme :
Ce n'était pas en vain que s'alarmait ma flamme :
Par ces fréquents soupçons, qu'on trouvait odieux,
Je cherchais le malheur qu'ont rencontré mes yeux;
Et malgré tous vos soins et votre adresse à feindre,   1280
Mon astre me disait ce que j'avais à craindre.
Mais ne présumez pas que sans être vengé
Je souffre le dépit de me voir outragé.
Je sais que sur les vœux on n'a point de puissance,
Que l'amour veut partout naître sans dépendance,   1285
Que jamais par la force on n'entra dans un cœur,
Et que toute âme est libre à nommer son vainqueur :
Aussi ne trouverais-je aucun sujet de plainte,
Si pour moi votre bouche avait parlé sans feinte;
Et son arrêt livrant mon espoir à la mort,   1290
Mon cœur n'aurait eu droit de s'en prendre qu'au sort.
Mais d'un aveu trompeur voir ma flamme applaudie,
C'est une trahison, c'est une perfidie,
Qui ne saurait trouver de trop grands châtiments,
Et je puis tout permettre à mes ressentiments.   1295
Non, non, n'espérez rien après un tel outrage :
Je ne suis plus à moi; je suis tout à la rage;
Trahi de tous côtés, mis dans un triste état,
Il faut que mon amour se venge avec éclat,
Qu'ici j'immole tout à ma fureur extrême,   1300
Et que mon désespoir achève par moi-même.

DONE ELVIRE

Assez paisiblement vous a-t-on écouté ?
Et pourrai-je à mon tour parler en liberté ?

DOM GARCIE

Et par quels beaux discours, que l'artifice inspire... ?

DONE ELVIRE

Si vous avez encor quelque chose à me dire,   1305
Vous pouvez l'ajouter : je suis prête à l'ouïr;
Sinon, faites au moins que je puisse jouir
De deux ou trois moments de paisible audience.

DOM GARCIE

Hé bien! j'écoute. O Ciel, quelle est ma patience !

DONE ELVIRE

Je force ma colère, et veux, sans nulle aigreur,   1310
Répondre à ce discours si rempli de fureur.

DOM GARCIE

C'est que vous voyez bien...

DONE ELVIRE

            Ah! j'ai prêté l'oreille
Autant qu'il vous a plu : rendez-moi la pareille.
J'admire mon destin, et jamais sous les cieux
Il ne fut rien, je crois, de si prodigieux,   1315
Rien dont la nouveauté soit plus inconcevable,
Et rien que la raison rende moins supportable.
Je me vois un amant qui, sans se rebuter,
Applique tous ses soins à me persécuter,
Qui dans tout cet amour que sa bouche m'exprime   1320
Ne conserve pour moi nul sentiment d'estime.
Rien au fond de ce cœur qu'ont pu blesser mes yeux
Qui fasse droit au sang que j'ai reçu des Cieux,
Et de mes actions défende l'innocence
Contre le moindre effort d'une fausse apparence!   1325
Oui, je vois... Ah! surtout ne m'interrompez point.
Je vois, dis-je, mon sort malheureux à ce point,
Qu'un cœur qui dit qu'il m'aime, et qui doit faire croire
Que, quand tout l'univers douterait de ma gloire,
Il voudrait contre tous en être le garant,   1330
Est celui qui s'en fait l'ennemi le plus grand.
On ne voit échapper aux soins que prend sa flamme
Aucune occasion de soupçonner mon âme.
Mais c'est peu des soupçons : il en fait des éclats
Que, sans être blessé, l'amour ne souffre pas.   1335
Loin d'agir en amant, qui, plus que la mort même,
Appréhende toujours d'offenser ce qu'il aime,
Qui se plaint doucement, et cherche avec respect
A pouvoir s'éclaircir de ce qu'il croit suspect,
A toute extrémité dans ses doutes il passe,   1340
Et ce n'est que fureur, qu'injure et que menace.
Cependant aujourd'hui je veux fermer les yeux
Sur tout ce qui devrait me le rendre odieux,
Et lui donner moyen, par une bonté pure,
De tirer son salut d'une nouvelle injure.   1345
Ce grand emportement qu'il m'a fallu souffrir
Part de ce qu'à vos yeux le hasard vient d'offrir :

J'aurais tort de vouloir démentir votre vue,
Et votre âme sans doute a dû paraître émue.

DOM GARCIE

Et n'est-ce pas... ?

DONE ELVIRE

        Encore un peu d'attention,   1350
Et vous allez savoir ma résolution.
Il faut que de nous deux le destin s'accomplisse.
Vous êtes maintenant sur un grand précipice ;
Et ce que votre cœur pourra délibérer
Va vous y faire choir, ou bien vous en tirer.   1355
Si, malgré cet objet qui vous a pu surprendre,
Prince, vous me rendez ce que vous devez rendre
Et ne demandez point d'autre preuve que moi
Pour condamner l'erreur du trouble où je vous voi,
Si de vos sentiments la prompte déférence   1360
Veut sur ma seule foi croire mon innocence
Et de tous vos soupçons démentir le crédit
Pour croire aveuglément ce que mon cœur vous dit,
Cette soumission, cette marque d'estime,
Du passé dans ce cœur efface tout le crime :   1365
Je rétracte à l'instant ce qu'un juste courroux
M'a fait dans la chaleur prononcer contre vous :
Et si je puis un jour choisir ma destinée
Sans choquer les devoirs du rang où je suis née,
Mon honneur, satisfait par ce respect soudain,   1370
Promet à votre amour et mes yeux et ma main.
Mais prêtez bien l'oreille à ce que je vais dire :
Si cet offre sur vous obtient si peu d'empire,
Que vous me refusiez de me faire entre nous
Un sacrifice entier de vos soupçons jaloux,   1375
S'il ne vous suffit pas de toute l'assurance
Que vous peuvent donner mon cœur et ma naissance,
Et que de votre esprit les ombrages puissants
Forcent mon innocence à convaincre vos sens
Et porter à vos yeux l'éclatant témoignage   1380
D'une vertu sincère à qui l'on fait outrage,
Je suis prête à le faire, et vous serez content ;
Mais il vous faut de moi détacher à l'instant,
A mes vœux pour jamais renoncer de vous-même ;
Et j'atteste du Ciel la puissance suprême   1385
Que, quoi que le destin puisse ordonner de nous,
Je choisirai plutôt d'être à la mort qu'à vous.

Voilà dans ces deux choix de quoi vous satisfaire :
Avisez maintenant celui qui peut vous plaire.

DOM GARCIE

Juste Ciel; jamais rien peut-il être inventé   1390
Avec plus d'artifice et de déloyauté ?
Tout ce que des enfers la malice étudie
A-t-il rien de si noir que cette perfidie ?
Et peut-elle trouver dans toute sa rigueur
Un plus cruel moyen d'embarrasser un cœur ?   1395
Ah! que vous savez bien ici contre moi-même,
Ingrate, vous servir de ma faiblesse extrême,
Et ménager pour vous l'effort prodigieux
De ce fatal amour né de vos traîtres yeux!
Parce qu'on est surprise et qu'on manque d'excuse,   1400
D'un offre de pardon on emprunte la ruse.
Votre feinte douceur forge un amusement
Pour divertir l'effet de mon ressentiment,
Et par le nœud subtil du choix qu'elle embarrasse,
Veut soustraire un perfide au coup qui le menace;   1405
Oui, vos dextérités veulent me détourner
D'un éclaircissement qui vous doit condamner;
Et votre âme, feignant une innocence entière,
Ne s'offre à m'en donner une pleine lumière
Qu'à des conditions qu'après d'ardents souhaits   1410
Vous pensez que mon cœur n'acceptera jamais.
Mais vous serez trompée en me croyant surprendre :
Oui, oui, je prétends voir ce qui doit vous défendre,
Et quel fameux prodige, accusant ma fureur,
Peut de ce que j'ai vu justifier l'horreur.   1415

DONE ELVIRE

Songez que par ce choix vous allez vous prescrire
De ne plus rien prétendre au cœur de Done Elvire.

DOM GARCIE

Soit : je souscris à tout, et mes vœux aussi bien,
En l'état où je suis, ne prétendent plus rien.

DONE ELVIRE

Vous vous repentirez de l'éclat que vous faites.   1420

DOM GARCIE

Non, non, tous ces discours sont de vaines défaites;
Et c'est moi bien plutôt qui dois vous avertir
Que quelque autre dans peu se pourra repentir :

Le traître, quel qu'il soit, n'aura pas l'avantage
De dérober sa vie à l'effort de ma rage.   1425

DONE ELVIRE

Ah! c'est trop en souffrir, et mon cœur irrité
Ne doit plus conserver une sotte bonté :
Abandonnons l'ingrat à son propre caprice,
Et puisqu'il veut périr, consentons qu'il périsse.
Élise... A cet éclat vous voulez me forcer;   1430
Mais je vous apprendrai que c'est trop m'offenser.

Élise entre.

Faites un peu sortir la personne chérie...
Allez, vous m'entendez : dites que je l'en prie.

DOM GARCIE

Et je puis...

DONE ELVIRE

Attendez, vous serez satisfait.

ÉLISE

Voici de son jaloux sans doute un nouveau trait.   1435

DONE ELVIRE

Prenez garde qu'au moins cette noble colère
Dans la même fierté jusqu'au bout persévère;
Et surtout désormais songez bien à quel prix
Vous avez voulu voir vos soupçons éclaircis.
Voici, grâces au Ciel, ce qui les a fait naître,   1440
Ces soupçons obligeants que l'on me fait paraître.
Voyez bien ce visage, et si de Done Ignès
Vos yeux au même instant n'y connaissent les traits.

SCÈNE IX

DOM GARCIE, DONE ELVIRE,
DONE IGNÈS, DOM ALVAR, ÉLISE

DOM GARCIE

O Ciel!

DONE ELVIRE

Si la fureur dont votre âme est émue
Vous trouble jusque-là l'usage de la vue,   1445
Vous avez d'autres yeux à pouvoir consulter
Qui ne vous laisseront aucun lieu de douter.

Sa mort est une adresse au besoin inventée,
Pour fuir l'autorité qui l'a persécutée;
Et sous un tel habit, elle cachait son sort,   1450
Pour mieux jouir du fruit de cette feinte mort.
Madame, pardonnez, s'il faut que je consente
A trahir vos secrets et tromper votre attente :
Je me vois exposée à sa témérité;
Toutes mes actions n'ont plus de liberté;   1455
Et mon honneur en butte aux soupçons qu'il peut prendre
Est réduit à toute heure aux soins de se défendre.
Nos doux embrassements, qu'a surpris ce jaloux,
De cent indignités m'ont fait souffrir les coups.
Oui, voilà le sujet d'une fureur si prompte,   1460
Et l'assuré témoin qu'on produit de ma honte.
Jouissez à cette heure en tyran absolu
De l'éclaircissement que vous avez voulu;
Mais sachez que j'aurai sans cesse la mémoire
De l'outrage sanglant qu'on a fait à ma gloire;   1465
Et si je puis jamais oublier mes serments,
Tombent sur moi du Ciel les plus grands châtiments!
Qu'un tonnerre éclatant mette ma tête en poudre,
Lorsqu'à souffrir vos feux je pourrai me résoudre!
Allons, Madame, allons, ôtons-nous de ces lieux,   1470
Qu'infectent les regards d'un monstre furieux;
Fuyons-en promptement l'atteinte envenimée,
Évitons les effets de sa rage animée,
Et ne faisons des vœux, dans nos justes desseins,
Que pour nous voir bientôt affranchir de ses mains.   1475

DONE IGNÈS

Seigneur, de vos soupçons l'injuste violence
A la même vertu vient de faire une offense.

DOM GARCIE

Quelles tristes clartés dissipent mon erreur,
Enveloppent mes sens d'une profonde horreur,
Et ne laissent plus voir à mon âme abattue   1480
Que l'effroyable objet d'un remords qui me tue!
Ah! Dom Alvar, je vois que vous avez raison;
Mais l'enfer dans mon cœur a soufflé son poison;
Et par un trait fatal d'une rigueur extrême,
Mon plus grand ennemi se rencontre en moi-même.   1485
Que me sert-il d'aimer du plus ardent amour
Qu'une âme consumée ait jamais mis au jour,

Si par ses mouvements, qui font toute ma peine,
Cet amour à tous coups se rend digne de haine ?
Il faut, il faut venger par mon juste trépas   1490
L'outrage que j'ai fait à ses divins appas.
Aussi bien quel conseil aujourd'hui puis-je suivre ?
Ah! j'ai perdu l'objet pour qui j'aimais à vivre :
Si j'ai pu renoncer à l'espoir de ses vœux,
Renoncer à la vie est beaucoup moins fâcheux.   1495

DOM ALVAR
Seigneur...

DOM GARCIE
                Non, Dom Alvar, ma mort est nécessaire :
Il n'est soins ni raisons qui m'en puissent distraire.
Mais il faut que mon sort en se précipitant
Rende à cette princesse un service éclatant;
Et je veux me chercher dans cette illustre envie   1500
Les moyens glorieux de sortir de la vie,
Faire par un grand coup, qui signale ma foi,
Qu'en expirant pour elle, elle ait regret à moi,
Et qu'elle puisse dire, en se voyant vengée :
« C'est par son trop d'amour qu'il m'avait outragée. »   1505
Il faut que de ma main un illustre attentat
Porte une mort trop due au sein de Mauregat,
Que j'aille prévenir par une belle audace
Le coup dont la Castille avec bruit le menace;
Et j'aurai des douceurs dans mon instant fatal   1510
De ravir cette gloire à l'espoir d'un rival.

DOM ALVAR
Un service, Seigneur, de cette conséquence
Aurait bien le pouvoir d'effacer votre offense,
Mais hasarder...

DOM GARCIE
                Allons, par un juste devoir,
Faire à ce noble effort servir mon désespoir.   1515

ACTE V

SCÈNE I

DOM ALVAR, ÉLISE

DOM ALVAR

Oui, jamais il ne fut de si rude surprise :
Il venait de former cette haute entreprise;
A l'avide désir d'immoler Mauregat
De son prompt désespoir il tournait tout l'éclat;
Ses soins précipités voulaient à son courage   1520
De cette juste mort assurer l'avantage,
Y chercher son pardon, et prévenir l'ennui
Qu'un rival partageât cette gloire avec lui;
Il sortait de ces murs, quand un bruit trop fidèle
Est venu lui porter la fâcheuse nouvelle   1525
Que ce même rival, qu'il voulait prévenir,
A remporté l'honneur qu'il pensait obtenir,
L'a prévenu lui-même en immolant le traître,
Et pousse dans ce jour Dom Alphonse à paraître,
Qui d'un si prompt succès va goûter la douceur,   1530
Et vient prendre en ces lieux la princesse sa sœur.
Et, ce qui n'a pas peine à gagner la croyance,
On entend publier que c'est la récompense
Dont il prétend payer le service éclatant
Du bras qui lui fait jour au trône qui l'attend.   1535

ÉLISE

Oui, Done Elvire a su ces nouvelles semées,
Et du vieux Dom Louis les trouve confirmées,
Qui vient de lui mander que Léon dans ce jour
De Dom Alphonse et d'elle attend l'heureux retour,
Et que c'est là qu'on doit, par un revers prospère, 1540
Lui voir prendre un époux de la main de ce frère :
Dans ce peu qu'il en dit, il donne assez à voir
Que Dom Sylve est l'époux qu'elle doit recevoir.

DOM ALVAR

Ce coup au cœur du Prince...

ÉLISE

Est sans doute bien rude,
Et je le trouve à plaindre en son inquiétude.   1545
Son intérêt pourtant, si j'en ai bien jugé,
Est encor cher au cœur qu'il a tant outragé;
Et je n'ai point connu qu'à ce succès qu'on vante,
La Princesse ait fait voir une âme fort contente
De ce frère qui vient et de la lettre aussi.   1550
Mais...

SCÈNE II

DONE ELVIRE, DOM ALVAR,
ÉLISE, DONE IGNÈS

DONE ELVIRE

Faites, Dom Alvar, venir le Prince ici.
Souffrez que devant vous je lui parle, Madame,
Sur cet événement dont on surprend mon âme;
Et ne m'accusez point d'un trop prompt changement,
Si je perds contre lui tout mon ressentiment.   1555
Sa disgrâce imprévue a pris droit de l'éteindre;
Sans lui laisser ma haine, il est assez à plaindre.
Et le Ciel, qui l'expose à ce trait de rigueur,
N'a que trop bien servi les serments de mon cœur.
Un éclatant arrêt de ma gloire outragée   1560
A jamais n'être à lui me tenait engagée;
Mais quand par les destins il est exécuté,
J'y vois pour son amour trop de sévérité;
Et le triste succès de tout ce qu'il m'adresse,
M'efface son offense et lui rend ma tendresse.   1565
Oui, mon cœur, trop vengé par de si rudes coups,
Laisse à leur cruauté désarmer son courroux,
Et cherche maintenant, par un soin pitoyable,
A consoler le sort d'un amant misérable;
Et je crois que sa flamme a bien pu mériter   1570
Cette compassion que je lui veux prêter.

DONE IGNÈS

Madame, on aurait tort de trouver à redire
Aux tendres sentiments qu'on voit qu'il vous inspire :
Ce qu'il a fait pour vous... Il vient, et sa pâleur
De ce coup surprenant marque assez la douleur.   1575

SCÈNE III

DOM GARCIE, DONE ELVIRE,
DONE IGNÈS, ÉLISE

DOM GARCIE

Madame, avec quel front faut-il que je m'avance,
Quand je viens vous offrir l'odieuse présence... ?

DONE ELVIRE

Prince, ne parlons plus de mon ressentiment :
Votre sort dans mon âme a fait du changement,
Et par le triste état où sa rigueur vous jette   1580
Ma colère est éteinte, et notre paix est faite.
Oui, bien que votre amour ait mérité les coups
Que fait sur lui du Ciel éclater le courroux,
Bien que ses noirs soupçons aient offensé ma gloire
Par des indignités qu'on aurait peine à croire,   1585
J'avouerai toutefois que je plains son malheur
Jusqu'à voir nos succès avec quelque douleur,
Que je hais les faveurs de ce fameux service
Lorsqu'on veut de mon cœur lui faire un sacrifice,
Et voudrais bien pouvoir racheter les moments   1590
Où le sort contre vous n'armait que mes serments.
Mais enfin vous savez comme nos destinées
Aux intérêts publics sont toujours enchaînées,
Et que l'ordre des Cieux, pour disposer de moi,
Dans mon frère qui vient me va montrer mon roi.   1595
Cédez comme moi, Prince, à cette violence
Où la grandeur soumet celles de ma naissance;
Et si de votre amour les déplaisirs sont grands,
Qu'il se fasse un secours de la part que j'y prends,
Et ne se serve point contre un coup qui l'étonne   1600
Du pouvoir qu'en ces lieux votre valeur vous donne :
Ce vous serait sans doute un indigne transport
De vouloir dans vos maux lutter contre le sort;
Et lorsque c'est en vain qu'on s'oppose à sa rage,
La soumission prompte est grandeur de courage.   1605
Ne résistez donc point à ses coups éclatants,
Ouvrez les murs d'Astorgue au frère que j'attends,
Laissez-moi rendre aux droits qu'il peut sur moi prétendre
Ce que mon triste cœur a résolu de rendre;

Et ce fatal hommage, où mes vœux sont forcés,   1610
Peut-être n'ira pas si loin que vous pensez.

DOM GARCIE

C'est faire voir, Madame, une bonté trop rare,
Que vouloir adoucir le coup qu'on me prépare :
Sur moi sans de tels soins vous pouvez laisser choir
Le foudre rigoureux de tout votre devoir.   1615
En l'état où je suis je n'ai rien à vous dire :
J'ai mérité du sort tout ce qu'il a de pire ;
Et je sais, quelques maux qu'il me faille endurer,
Que je me suis ôté le droit d'en murmurer.
Par où pourrais-je, hélas ! dans ma vaste disgrâce,   1620
Vers vous de quelque plainte autoriser l'audace ?
Mon amour s'est rendu mille fois odieux ;
Il n'a fait qu'outrager vos attraits glorieux ;
Et lorsque par un juste et fameux sacrifice
Mon bras à votre sang cherche à rendre un service,   1625
Mon astre m'abandonne au déplaisir fatal
De me voir prévenu par le bras d'un rival.
Madame, après cela je n'ai rien à prétendre,
Je suis digne du coup que l'on me fait attendre,
Et je le vois venir sans oser contre lui   1630
Tenter de votre cœur le favorable appui.
Ce qui peut me rester dans mon malheur extrême,
C'est de chercher alors mon remède en moi-même.
Et faire que ma mort, propice à mes désirs,
Affranchisse mon cœur de tous ses déplaisirs.   1635
Oui, bientôt dans ses lieux Dom Alphonse doit être,
Et déjà mon rival commence de paraître ;
De Léon vers ces murs Il semble avoir volé,
Pour recevoir le prix du tyran immolé.
Ne craignez point du tout qu'aucune résistance   1640
Fasse valoir ici ce que j'ai de puissance :
Il n'est effort humain que pour vous conserver,
Si vous y consentiez, je ne pusse braver ;
Mais ce n'est pas à moi, dont on hait la mémoire,
A pouvoir espérer cet aveu plein de gloire ;   1645
Et je ne voudrais pas, par des efforts trop vains,
Jeter le moindre obstacle à vos justes desseins.
Non, je ne contrains point vos sentiments, Madame :
Je vais en liberté laisser toute votre âme,
Ouvrir les murs d'Astorgue à cet heureux vainqueur   1650
Et subir de mon sort la dernière rigueur.

SCÈNE IV

DONE ELVIRE, DONE IGNÈS, ÉLISE

DONE ELVIRE

Madame, au désespoir où son destin l'expose
De tous mes déplaisirs n'imputez pas la cause :
Vous me rendrez justice en croyant que mon cœur
Fait de vos intérêts sa plus vive douleur,   1655
Que bien plus que l'amour l'amitié m'est sensible,
Et que si je me plains d'une disgrâce horrible,
C'est de voir que du Ciel le funeste courroux
Ait pris chez moi les traits qu'il lance contre vous,
Et rendu mes regards coupables d'une flamme   1660
Qui traite indignement les bontés de votre âme.

DONE IGNÈS

C'est un événement dont sans doute vos yeux
N'ont point pour moi, Madame, à quereller les Cieux.
Si les faibles attraits qu'étale mon visage
M'exposaient au destin de souffrir un volage,   1665
Le Ciel ne pouvait mieux m'adoucir de tels coups,
Quand pour m'ôter ce cœur il s'est servi de vous;
Et mon front ne doit point rougir d'une inconstance
Qui de vos traits aux miens marque la différence.
Si pour ce changement je pousse des soupirs,   1670
Ils viennent de le voir fatal à vos désirs;
Et dans cette douleur que l'amitié m'excite
Je m'accuse pour vous de mon peu de mérite,
Qui n'a pu retenir un cœur dont les tributs
Causent un si grand trouble à vos vœux combattus.   1675

DONE ELVIRE

Accusez-vous plutôt de l'injuste silence
Qui m'a de vos deux cœurs caché l'intelligence.
Ce secret, plus tôt su, peut-être à toutes deux
Nous aurait épargné des troubles si fâcheux;
Et mes justes froideurs, des désirs d'un volage   1680
Au point de leur naissance ayant banni l'hommage,
Eussent pu renvoyer...

DONE IGNÈS

Madame, le voici.

Done Elvire

Sans rencontrer ses yeux vous pouvez être ici :
Ne sortez point, Madame, et dans un tel martyre
Veuillez être témoin de ce que je vais dire.   1685

Done Ignès

Madame, j'y consens, quoique je sache bien
Qu'on fuirait en ma place un pareil entretien.

Done Elvire

Son succès, si le Ciel seconde ma pensée,
Madame, n'aura rien dont vous soyez blessée.

SCÈNE V

DOM SYLVE, DONE ELVIRE,
DONE IGNÈS

Done Elvire

Avant que vous parliez, je demande instamment   1690
Que vous daigniez, Seigneur, m'écouter un moment.
Déjà la renommée a jusqu'à nos oreilles
Porté de votre bras les soudaines merveilles;
Et j'admire avec tous comme en si peu de temps
Il donne à nos destins ces succès éclatants.   1695
Je sais bien qu'un bienfait de cette conséquence
Ne saurait demander trop de reconnaissance,
Et qu'on doit toute chose à l'exploit immortel
Qui replace mon frère au trône paternel.
Mais quoi que de son cœur vous offrent les hommages, 1700
Usez en généreux de tous vos avantages,
Et ne permettez pas que ce coup glorieux
Jette sur moi, Seigneur, un joug impérieux;
Que votre amour, qui sait quel intérêt m'anime,
S'obstine à triompher d'un refus légitime,   1705
Et veuille que ce frère, où l'on va m'exposer,
Commence d'être roi pour me tyranniser.
Léon a d'autres prix, dont en cette occurrence
Il peut mieux honorer votre haute vaillance;
Et c'est à vos vertus faire un présent trop bas,   1710
Que vous donner un cœur qui ne se donne pas.
Peut-on être jamais satisfait en soi-même,
Lorsque par la contrainte on obtient ce qu'on aime ?

C'est un triste avantage, et l'amant généreux
A ces conditions refuse d'être heureux;   1715
Il ne veut rien devoir à cette violence
Qu'exercent sur nos cœurs les droits de la naissance,
Et pour l'objet qu'il aime est toujours trop zélé,
Pour souffrir qu'en victime il lui soit immolé.
Ce n'est pas que ce cœur au mérite d'un autre   1720
Prétende réserver ce qu'il refuse au vôtre :
Non, Seigneur, j'en réponds, et vous donne ma foi
Que personne jamais n'aura pouvoir sur moi,
Qu'une sainte retraite à toute autre poursuite...

DOM SYLVE

J'ai de votre discours assez souffert la suite,   1725
Madame; et par deux mots je vous l'eusse épargné,
Si votre fausse alarme eût sur vous moins gagné.
Je sais qu'un bruit commun, qui partout se fait croire,
De la mort du tyran me veut donner la gloire;
Mais le seul peuple enfin, comme on nous fait savoir, 1730
Laissant par Dom Louis échauffer son devoir,
A remporté l'honneur de cet acte héroïque
Dont mon nom est chargé par la rumeur publique;
Et ce qui d'un tel bruit a fourni le sujet,
C'est que, pour appuyer son illustre projet,   1735
Dom Louis fit semer, par une feinte utile,
Que, secondé des miens, j'avais saisi la ville;
Et par cette nouvelle, il a poussé les bras
Qui d'un usurpateur ont hâté le trépas :
Par son zèle prudent il a su tout conduire,   1740
Et c'est par un des siens qu'il vient de m'en instruire.
Mais dans le même instant un secret m'est appris,
Qui va vous étonner autant qu'il m'a surpris.
Vous attendez un frère, et Léon son vrai maître :
A vos yeux maintenant le Ciel le fait paraître.   1745
Oui, je suis Dom Alphonse, et mon sort conservé,
Et sous le nom du sang de Castille élevé,
Est un fameux effet de l'amitié sincère
Qui fut entre son prince et le roi notre père :
Dom Louis du secret a toutes les clartés,   1750
Et doit aux yeux de tous prouver ces vérités.
D'autres soins maintenant occupent ma pensée,
Non qu'à votre sujet elle soit traversée,
Que ma flamme querelle un tel événement
Et qu'en mon cœur le frère importune l'amant :   1755

Mes feux par ce secret ont reçu sans murmure
Le changement qu'en eux a prescrit la nature;
Et le sang qui nous joint m'a si bien détaché
De l'amour dont pour vous mon cœur était touché,
Qu'il ne respire plus, pour faveur souveraine,   1760
Que les chères douceurs de sa première chaîne,
Et le moyen de rendre à l'adorable Ignès
Ce que de ses bontés a mérité l'excès.
Mais son sort incertain rend le mien misérable,
Et si ce qu'on en dit se trouvait véritable,   1765
En vain Léon m'appelle et le trône m'attend :
La couronne n'a rien à me rendre content,
Et je n'en veux l'éclat que pour goûter la joie
D'en couronner l'objet où le Ciel me renvoie,
Et pouvoir réparer par ces justes tributs   1770
L'outrage que j'ai fait à ses rares vertus.
Madame, c'est de vous que j'ai raison d'attendre
Ce que de son destin mon âme peut apprendre :
Instruisez-m'en, de grâce, et par votre discours
Hâtez mon désespoir ou le bien de mes jours.   1775

DONE ELVIRE

Ne vous étonnez pas si je tarde à répondre,
Seigneur : ces nouveautés ont droit de me confondre.
Je n'entreprendrai point de dire à votre amour
Si Done Ignès est morte ou respire le jour;
Mais par ce cavalier, l'un de ses plus fidèles,   1780
Vous en pourrez sans doute apprendre des nouvelles.

DOM SYLVE ou DOM ALPHONSE

Ah! Madame, il m'est doux en ces perplexités
De voir ici briller vos célestes beautés.
Mais vous, avec quels yeux verrez-vous un volage,
Dont le crime... ?

DONE IGNÈS

       Ah! gardez de me faire un outrage, 1785
Et de vous hasarder à dire que vers moi
Un cœur dont je fais cas ait pu manquer de foi;
J'en refuse l'idée, et l'excuse me blesse :
Rien n'a pu m'offenser auprès de la Princesse;
Et tout ce que d'ardeur elle vous a causé   1790
Par un si haut mérite est assez excusé.
Cette flamme vers moi ne vous rend point coupable,
Et dans le noble orgueil dont je me sens capable,

Sachez, si vous l'étiez, que ce serait en vain
Que vous présumeriez de fléchir mon dédain,   1795
Et qu'il n'est repentir, ni suprême puissance,
Qui gagnât sur mon cœur d'oublier cette offense.

DONE ELVIRE

Mon frère (d'un tel nom souffrez-moi la douceur),
De quel ravissement comblez-vous une sœur!
Que j'aime votre choix et bénis l'aventure   1800
Qui vous fait couronner une amitié si pure!
Et de deux nobles cœurs que j'aime tendrement...

SCÈNE VI

DOM GARCIE, DONE ELVIRE,
DONE IGNÈS, DOM SYLVE, ÉLISE

DOM GARCIE

De grâce, cachez-moi votre contentement,
Madame, et me laissez mourir dans la croyance
Que le devoir vous fait un peu de violence.   1805
Je sais que de vos vœux vous pouvez disposer,
Et mon dessein n'est pas de leur rien opposer :
Vous le voyez assez, et quelle obéissance
De vos commandements m'arrache la puissance.
Mais je vous avouerai que cette gaieté   1810
Surprend au dépourvu toute ma fermeté,
Et qu'un pareil objet dans mon âme fait naître
Un transport dont j'ai peur que ne sois pas maître;
Et je me punirais, s'il m'avait pu tirer
De ce respect soumis où je veux demeurer.   1815
Oui, vos commandements ont prescrit à mon âme
De souffrir sans éclat le malheur de ma flamme :
Cet ordre sur mon cœur doit être tout-puissant,
Et je prétends mourir en vous obéissant.
Mais encore une fois la joie où je vous treuve   1820
M'expose à la rigueur d'une trop rude épreuve,
Et l'âme la plus sage, en ces occasions,
Répond malaisément de ces émotions.
Madame, épargnez-moi cette cruelle atteinte;
Donnez-moi, par pitié, deux moments de contrainte   1825
Et quoi que d'un rival vous inspirent les soins,
N'en rendez pas mes yeux les malheureux témoins :

C'est la moindre faveur qu'on peut, je crois, prétendre,
Lorsque dans ma disgrâce un amant peut descendre.
Je ne l'exige pas, Madame, pour longtemps,   1830
Et bientôt mon départ rendra vos vœux contents.
Je vais où de ses feux mon âme consumée
N'apprendra votre hymen que par la renommée :
Ce n'est pas un spectacle où je doive courir ;
Madame, sans le voir, j'en saurai bien mourir.   1835

DONE IGNÈS

Seigneur, permettez-moi de blâmer votre plainte.
De vos maux la Princesse a su paraître atteinte ;
Et cette joie encor, de quoi vous murmurez,
Ne lui vient que des biens qui vous sont préparés ;
Elle goûte un succès à vos désirs prospère,   1840
Et dans votre rival elle trouve son frère :
C'est Dom Alphonse enfin, dont on a tant parlé,
Et ce fameux secret vient d'être dévoilé.

DOM SYLVE ou DOM ALPHONSE

Mon cœur, grâces au Ciel, après un long martyre,
Seigneur, sans vous rien prendre, a tout ce qu'il désire, 1845
Et goûte d'autant mieux son bonheur en ce jour,
Qu'il se voit en état de servir votre amour.

DOM GARCIE

Hélas ! cette bonté, Seigneur, doit me confondre :
A mes plus chers désirs elle daigne répondre ;
Le coup que je craignais, le Ciel l'a détourné,   1850
Et tout autre que moi se verrait fortuné ;
Mais ces douces clartés d'un secret favorable
Vers l'objet adoré me découvrent coupable,
Et tombé de nouveau dans ces traîtres soupçons
Sur quoi l'on m'a tant fait d'inutiles leçons,   1855
Et par qui mon ardeur, si souvent odieuse,
Doit perdre tout espoir d'être jamais heureuse.
Oui, l'on doit me haïr avec trop de raison :
Moi-même je me trouve indigne de pardon ;
Et quelque heureux succès que le sort me présente,   1860
La mort, la seule mort est toute mon attente.

DONE ELVIRE

Non, non : de ce transport le soumis mouvement,
Prince, jette en mon âme un plus doux sentiment.
Par lui de mes serments je me sens détachée ;   [1865
Vos plaintes, vos respects, vos douleurs m'ont touchée :

J'y vois partout briller un excès d'amitié,
Et votre maladie est digne de pitié.
Je vois, Prince je vois qu'on doit quelque indulgence
Aux défauts où du ciel fait pencher l'influence;
Et pour tout dire enfin, jaloux ou non jaloux,   1870
Mon roi, sans me gêner, peut me donner à vous.

DOM GARCIE

Ciel, dans l'excès des biens que cet aveu m'octroie,
Rends capable mon cœur de supporter sa joie!

DOM SYLVE ou DOM ALPHONSE

Je veux que cet hymen, après nos vains débats,
Seigneur, joigne à jamais nos cœurs et nos États.   1875
Mais ici le temps presse, et Léon nous appelle :
Allons dans nos plaisirs satisfaire son zèle,
Et par notre présence et nos soins différents
Donner le dernier coup au parti des tyrans.

Édifié par l'échec de *Dom Garcie de Navarre*, Molière comprend vite qu'il lui faut revenir au genre qui a fait son succès, la farce et la comédie. En quelques semaines il écrit donc *l'École des maris*, comédie en trois actes et en vers. Découpage nouveau dans notre littérature dramatique où les comédies ont traditionnellement un ou cinq actes. Mais la présentation en trois actes est presque toujours celle de la *commedia dell'arte*. Et la pièce de Molière sera, une fois encore, une farce mêlée de comédie.

Sans doute son sujet n'est pas neuf : le problème de l'éducation des filles, qui hantera tout le XVIIᵉ siècle, et pour lequel les précieuses proposeront naturellement des solutions libérales. Mais, comme il lui faut faire vite, Molière puise à droite et à gauche ; ses sources sont en effet nombreuses. Le thème des deux frères opposés sur les méthodes d'éducation de leurs enfants lui fut fourni par *les Adelphes*, de Térence, mais là, les deux modes d'éducation échoueront l'un comme l'autre. Une pièce de Lope de Vega, *El mayor imposible*, traite un thème voisin ; Boisrobert l'adapta sous le titre de *la Folle Gageure*, comédie que Molière avait jouée. La péripétie du message truqué venue d'un conte de Boccace est reprise dans la *Discreta Enamorada* de Lope de Vega et dans la *Femme industrieuse* du comédien-auteur Dorimond jouée à Paris l'année précédente. Une comédie de Mendoza, inspirée des *Adelphes*, *le Mari fait la femme et le traitement change les mœurs*, traitait le sujet même de *l'École des maris*.

Mais si Molière, en ce début d'année 1661, a choisi ce sujet dont le répertoire lui offrait maintes versions, c'est qu'il avait peut-être aussi des raisons personnelles de le faire. A cette époque, il songeait lui-même à se marier. Il avait demandé à ses compagnons une part supplémentaire

« pour lui ou pour sa femme, s'il se mariait », que la troupe
lui accorda. Celle qu'il devait en effet épouser l'année suivante était Armande Béjart, dont on ne sait toujours pas si
elle était la fille ou la sœur de Madeleine. Or, Armande
était coquette et aimait le monde, et elle avait vingt ans.
Molière en avait quarante, ce qui, à l'époque, était l'âge
des « barbons » de comédie. Il n'est pas interdit de penser
qu'en abordant ce nouveau sujet, Molière voulut faire une
profession de foi rassurante à sa fiancée pour lui promettre
un mari libéral, qui lui laisserait la liberté de vivre à sa
guise. L'hypothèse est d'autant plus vraisemblable qu'il
reprit, sous une autre forme, le même thème dans l'*École
des femmes*, l'année suivante.

La pièce reste, par sa structure et en dépit de son texte
versifié, une farce où traditionnellement le vieillard amoureux se voit berné et trompé au cours d'un dénouement pos-
tiche où commissaire et notaire jouent d'impossibles rôles.
Le crescendo est sensible du ton de la comédie à celui de la
farce finale. Molière joue d'ailleurs cette farce comme toutes
les autres, en fin de spectacle, après la tragédie ou la grande
comédie. Le personnage de Sganarelle y reparaît, mais
enrichi, comme on l'a remarqué, des traits de Gorgibus.
C'est le bourgeois vaniteux, en retard d'une génération
sur les mœurs de son temps, qu'il s'agisse du costume ou
de l'éducation des filles. La gravure de l'édition originale
le montre ridiculement habillé à la mode de l'autre siècle.
Sa vanité, sa sottise, son assurance dans la tyrannie, rendent
aux yeux de l'auteur et des spectateurs les malheurs qui lui
arrivent légitimes. Pour Isabelle, qui préfigure déjà Agnès,
c'est une vraie jeune fille, sage, pudique, mais qui sait ce
qu'elle veut et ne recule devant aucune rouerie pour y
parvenir. Ce n'est pas encore une innocente comme Agnès
à qui l'amour donnera de l'esprit. Dès le début, elle entre
dans le jeu des intrigues qui feront triompher son amour
pour Valère et elle les conduit elle-même avec adresse.
Elle n'a pas la délicieuse candeur d'Agnès.

Le personnage d'Ariste est une création nouvelle dans le
théâtre de Molière, l'intrusion d'un personnage de comédie
dans la farce. C'est le « raisonneur » qui prône la sagesse, la
soumission aux mœurs du siècle ; c'est l'ancêtre du Cléante
de *Tartuffe* et du Philinte du *Misanthrope*, le moraliste du
juste milieu, ennemi de tous les extrêmes. Pour Molière,
ses raisonneurs ne sont pas de pâles prêcheurs de vérités
premières, ce sont des défenseurs d'une société moderne,
évoluée, où une honnête galanterie s'est fait une place jus-

tifiée, et qui doit permettre aux jeunes de s'épanouir librement. Ariste, qui sert sur la scène de repoussoir au sot Sganarelle dont il triomphera par sa modération intelligente et son bon sens, est, comme Molière lui-même, le défenseur des amoureux. Pour lui, la base de la vertu et de la fidélité des femmes est dans la liberté, comme l'affirment les précieuses, et non dans la contrainte. Ce sera la leçon même de *l'École des femmes*.

L'École des maris fut créée au Palais-Royal le 24 juin 1661 et remporta un succès certain, qui dura plusieurs mois. Elle fut jouée à Vaux-le-Vicomte pour Foucquet, et une autre fois chez la surintendante. La société galante était prête à applaudir les ruses d'Isabelle.

Molière eut bien le sentiment d'avoir donné son premier chef-d'œuvre avec *l'École des maris*. Pour la première fois, il estima sa pièce, qu'il qualifiait par modestie de « bagatelle », digne d'être offerte à un grand seigneur. Tout naturellement, quand il la livra à l'impression, il la dédicaça à Monsieur, duc d'Orléans, frère du roi, qui était le protecteur officiel de la troupe du Palais-Royal.

L'ÉCOLE DES MARIS

COMÉDIE

REPRÉSENTÉE POUR LA PREMIÈRE FOIS
A PARIS, SUR LE THÉATRE DU PALAIS-ROYAL
LE 24ᵉ JUIN 1661

PAR LA

TROUPE DE MONSIEUR, FRÈRE UNIQUE DU ROI

A MONSEIGNEUR LE DUC D'ORLÉANS

FRÈRE UNIQUE DU ROI

MONSEIGNEUR,

Je fais voir ici à la France des choses bien peu proportionnées. Il n'est rien de si grand et de si superbe que le nom que je mets à la tête de ce livre, et rien de plus bas que ce qu'il contient. Tout le monde trouvera cet assemblage étrange ; et quelques-uns pourront bien dire, pour en exprimer l'inégalité, que c'est poser une couronne de perles et de diamants sur une statue de terre, et faire entrer par des portiques magnifiques et des arcs triomphaux superbes dans une méchante cabane. Mais, MONSEIGNEUR, ce qui doit me servir d'excuse, c'est qu'en cette aventure je n'ai eu aucun choix à faire, et que l'honneur que j'ai d'être à VOTRE ALTESSE ROYALE m'a imposé une nécessité absolue de lui dédier le premier ouvrage que je mets de moi-même au jour. Ce n'est pas un présent que je lui fais, c'est un devoir dont je m'acquitte ; et les hommes ne sont jamais regardés par les choses qu'ils portent. J'ai donc osé, MONSEIGNEUR, dédier une bagatelle à VOTRE ALTESSE ROYALE, parce que je n'ai pu m'en dispenser ; et, si je me dispense ici de m'étendre sur les belles et glorieuses vérités qu'on pourrait dire d'Elle, c'est par la juste appréhension que ces grandes idées ne fissent éclater encore davantage la bassesse de mon offrande. Je me suis imposé silence pour trouver un endroit plus propre à placer de si belles choses ; et tout ce que j'ai prétendu dans cette épître, c'est de justifier mon action à toute la France, et d'avoir cette gloire de vous dire à vous-même, MONSEIGNEUR, avec toute la soumission possible que je suis,

DE VOTRE ALTESSE ROYALE,

Le très humble, très obéissant
et très fidèle serviteur,

J. B. P. MOLIÈRE.

PERSONNAGES

SGANARELLE ⎫ frères.
ARISTE ⎭
ISABELLE ⎫ sœurs.
LÉONOR ⎭
LISETTE, suivante de Léonor.
VALÈRE, amant d'Isabelle.
ERGASTE, valet de Valère.
LE COMMISSAIRE.
LE NOTAIRE.

La scène est à Paris.

ACTE PREMIER

SCÈNE I

SGANARELLE, ARISTE

SGANARELLE

Mon frère, s'il vous plaît, ne discourons point tant,
Et que chacun de nous vive comme il l'entend.
Bien que sur moi des ans vous ayez l'avantage
Et soyez assez vieux pour devoir être sage,
Je vous dirai pourtant que mes intentions   5
Sont de ne prendre point de vos corrections,
Que j'ai pour tout conseil ma fantaisie à suivre,
Et me trouve fort bien de ma façon de vivre.

ARISTE

Mais chacun la condamne.

SGANARELLE

           Oui, des fous comme vous,
Mon frère.

ARISTE

      Grand merci : le compliment est doux.   10

SGANARELLE

Je voudrais bien savoir, puisqu'il faut tout entendre,
Ce que ces beaux censeurs en moi peuvent reprendre.

ARISTE

Cette farouche humeur, dont la sévérité
Fuit toutes les douceurs de la société,
A tous vos procédés inspire un air bizarre,   15
Et, jusques à l'habit, vous rend chez vous barbare.

SGANARELLE

Il est vrai qu'à la mode il faut m'assujettir,
Et ce n'est pas pour moi que je me dois vêtir!
Ne voudriez-vous point, par vos belles sornettes,
Monsieur mon frère aîné (car, Dieu merci, vous l'êtes   20
D'une vingtaine d'ans, à ne vous rien celer,
Et cela ne vaut point la peine d'en parler),
Ne voudriez-vous point, dis-je, sur ces matières,
De vos jeunes muguets m'inspirer les manières ?
M'obliger à porter de ces petits chapeaux   25
Qui laissent éventer leurs débiles cerveaux,
Et de ces blonds cheveux, de qui la vaste enflure
Des visages humains offusque la figure ?
De ces petits pourpoints sous les bras se perdant,
Et de ces grands collets jusqu'au nombril pendant ?   30
De ces manches qu'à table on voit tâter les sauces,
Et de ces cotillons appelés hauts-de-chausses ?
De ces souliers mignons, de rubans revêtus,
Qui vous font ressembler à des pigeons pattus ?
Et de ces grands canons où, comme en des entraves,   35
On met tous les matins ses deux jambes esclaves,
Et par qui nous voyons ces Messieurs les galants
Marcher écarquillés ainsi que des volants ?
Je vous plairais, sans doute, équipé de la sorte;
Et je vous vois porter les sottises qu'on porte.   40

ARISTE

Toujours au plus grand nombre on doit s'accommoder
Et jamais il ne faut se faire regarder.
L'un et l'autre excès choque, et tout homme bien sage
Doit faire des habits ainsi que du langage,
N'y rien trop affecter, et sans empressement   45
Suivre ce que l'usage y fait de changement.
Mon sentiment n'est pas qu'on prenne la méthode
De ceux qu'on voit toujours renchérir sur la mode,
Et qui dans ses excès, dont ils sont amoureux,
Seraient fâchés qu'un autre eût été plus loin qu'eux;   50
Mais je tiens qu'il est mal, sur quoi que l'on se fonde,
De fuir obstinément ce que suit tout le monde,
Et qu'il vaut mieux souffrir d'être au nombre des fous,
Que du sage parti se voir seul contre tous.

SGANARELLE

Cela sent son vieillard, qui, pour en faire accroire,   55
Cache ses cheveux blancs d'une perruque noire.

ARISTE

C'est un étrange fait du soin que vous prenez
A me venir toujours jeter mon âge au nez,
Et qu'il faille qu'en moi sans cesse je vous voie
Blâmer l'ajustement aussi bien que la joie,   60
Comme si, condamnée à ne plus rien chérir,
La vieillesse devait ne songer qu'à mourir,
Et d'assez de laideur n'est pas accompagnée,
Sans se tenir encor malpropre et rechignée.

SGANARELLE

Quoi qu'il en soit, je suis attaché fortement   65
A ne démordre point de mon habillement.
Je veux une coiffure, en dépit de la mode,
Sous qui toute ma tête ait un abri commode;
Un beau pourpoint bien long et fermé comme il faut,
Qui, pour bien digérer, tienne l'estomac chaud;   70
Un haut-de-chausses fait justement pour ma cuisse;
Des souliers où mes pieds ne soient point au supplice,
Ainsi qu'en ont usé sagement nos aïeux :
Et qui me trouve mal, n'a qu'à fermer les yeux.

SCÈNE II

LÉONOR, ISABELLE, LISETTE, ARISTE,
SGANARELLE

LÉONOR, *à Isabelle.*

Je me charge de tout, en cas que l'on vous gronde.   75

LISETTE, *à Isabelle.*

Toujours dans une chambre à ne point voir le monde ?

ISABELLE

Il est ainsi bâti.

LÉONOR

Je vous en plains, ma sœur.

LISETTE

Bien vous prend que son frère ait toute une autre humeur,
Madame, et le destin vous fut bien favorable
En vous faisant tomber aux mains du raisonnable.   80

ISABELLE

C'est un miracle encor qu'il ne m'ait aujourd'hui
Enfermée à la clef ou menée avec lui.

LISETTE

Ma foi, je l'enverrais au diable avec sa fraise,
Et...

SGANARELLE

Où donc allez-vous, qu'il ne vous en déplaise ?

LÉONOR

Nous ne savons encore, et je pressais ma sœur   85
De venir du beau temps respirer la douceur ;
Mais...

SGANARELLE

Pour vous, vous pouvez aller où bon vous semble ;
Vous n'avez qu'à courir, vous voilà deux ensemble.
Mais vous, je vous défends, s'il vous plaît, de sortir.

ARISTE

Eh ! laissez-les, mon frère, aller se divertir.   90

SGANARELLE

Je suis votre valet, mon frère.

ARISTE

                              La jeunesse
Veut...

SGANARELLE

         La jeunesse est sotte, et parfois la vieillesse.

ARISTE

Croyez-vous qu'elle est mal d'être avec Léonor ?

SGANARELLE

Non pas ; mais avec moi je la crois mieux encor.

ARISTE

Mais...

SGANARELLE

         Mais ses actions de moi doivent dépendre,   95
Et je sais l'intérêt enfin que j'y dois prendre.

ARISTE

A celles de sa sœur ai-je un moindre intérêt ?

SGANARELLE

Mon Dieu, chacun raisonne et fait comme il lui plaît.
Elles sont sans parents, et notre ami leur père
Nous commit leur conduite à son heure dernière,   100
Et nous chargeant tous deux ou de les épouser,
Ou, sur notre refus, un jour d'en disposer,
Sur elles, par contrat, nous sut, dès leur enfance,
Et de père et d'époux donner pleine puissance.
D'élever celle-là vous prîtes le souci,   105
Et moi, je me chargeai du soin de celle-ci;
Selon vos volontés vous gouvernez la vôtre :
Laissez-moi, je vous prie, à mon gré régir l'autre.

ARISTE

Il me semble...

SGANARELLE

            Il me semble, et je le dis tout haut,
Que sur un tel sujet c'est parler comme il faut.   110
Vous souffrez que la vôtre aille leste et pimpante :
Je le veux bien; qu'elle ait et laquais et suivante :
J'y consens; qu'elle coure, aime l'oisiveté,
Et soit des damoiseaux fleurée en liberté :
J'en suis fort satisfait. Mais j'entends que la mienne   115
Vive à ma fantaisie, et non pas à la sienne;
Que d'une serge honnête elle ait son vêtement,
Et ne porte le noir qu'aux bons jours seulement,
Qu'enfermée au logis, en personne bien sage,
Elle s'applique toute aux choses du ménage,   120
A recoudre mon linge aux heures de loisir,
Ou bien à tricoter quelques bas par plaisir;
Qu'aux discours des muguets elle ferme l'oreille,
Et ne sorte jamais sans avoir qui la veille.
Enfin la chair est faible, et j'entends tous les bruits. 125
Je ne veux point porter de cornes, si je puis;
Et comme à m'épouser sa fortune l'appelle,
Je prétends corps pour corps pouvoir répondre d'elle.

ISABELLE

Vous n'avez pas sujet, que je crois...

SGANARELLE
                                Taisez-vous.
Je vous apprendrai bien s'il faut sortir sans nous.   130

LÉONOR

Quoi donc, Monsieur... ?

SGANARELLE

Mon Dieu, Madame, sans langage,
Je ne vous parle pas, car vous êtes trop sage.

LÉONOR

Voyez-vous Isabelle avec nous à regret ?

SGANARELLE

Oui, vous me la gâtez, puisqu'il faut parler net.
Vos visites ici ne font que me déplaire,   135
Et vous m'obligerez de ne nous en plus faire.

LÉONOR

Voulez-vous que mon cœur vous parle net aussi ?
J'ignore de quel œil elle voit tout ceci ;
Mais je sais ce qu'en moi ferait la défiance ;
Et quoiqu'un même sang nous ait donné naissance,   140
Nous sommes bien peu sœurs s'il faut que chaque jour
Vos manières d'agir lui donnent de l'amour.

LISETTE

En effet, tous ces soins sont des choses infâmes.
Sommes-nous chez les Turcs pour renfermer les femmes ?
Car on dit qu'on les tient esclaves en ce lieu,   145
Et que c'est pour cela qu'ils sont maudits de Dieu.
Notre honneur est, Monsieur, bien sujet à faiblesse,
S'il faut qu'il ait besoin qu'on le garde sans cesse.
Pensez-vous, après tout, que ces précautions
Servent de quelque obstacle à nos intentions,   150
Et quand nous nous mettons quelque chose à la tête,
Que l'homme le plus fin ne soit pas une bête ?
Toutes ces gardes-là sont visions de fous :
Le plus sûr est, ma foi, de se fier en nous.
Qui nous gêne se met en un péril extrême,   155
Et toujours notre honneur veut se garder lui-même.
C'est nous inspirer presque un désir de pécher,
Que montrer tant de soins de nous en empêcher ;
Et si par un mari je me voyais contrainte,
J'aurais fort grande pente à confirmer sa crainte.   160

SGANARELLE

Voilà, beau précepteur, votre éducation,
Et vous souffrez cela sans nulle émotion.

ARISTE

Mon frère, son discours ne doit que faire rire.
Elle a quelque raison en ce qu'elle veut dire :

Leur sexe aime à jouir d'un peu de liberté; 165
On le retient fort mal par tant d'austérité;
Et les soins défiants, les verrous et les grilles
Ne font pas la vertu des femmes ni des filles.
C'est l'honneur qui les doit tenir dans le devoir,
Non la sévérité que nous leur faisons voir. 170
C'est une étrange chose, à vous parler sans feinte,
Qu'une femme qui n'est sage que par contrainte.
En vain sur tous ses pas nous prétendons régner :
Je trouve que le cœur est ce qu'il faut gagner;
Et je ne tiendrais, moi, quelque soin qu'on se donne, 175
Mon honneur guère sûr aux mains d'une personne
A qui, dans les désirs qui pourraient l'assaillir,
Il ne manquerait rien qu'un moyen de faillir.

SGANARELLE

Chansons que tout cela.

ARISTE

        Soit; mais je tiens sans cesse
Qu'il nous faut en riant instruire la jeunesse, 180
Reprendre ses défauts avec grande douceur,
Et du nom de vertu ne lui point faire peur.
Mes soins pour Léonor ont suivi ces maximes :
Des moindres libertés je n'ai point fait des crimes.
A ses jeunes désirs j'ai toujours consenti, 185
Et je ne m'en suis point, grâce au Ciel, repenti.
J'ai souffert qu'elle ait vu les belles compagnies,
Les divertissements, les bals, les comédies;
Ce sont choses, pour moi, que je tiens de tout temps
Fort propres à former l'esprit des jeunes gens; 190
Et l'école du monde, en l'air dont il faut vivre,
Instruit mieux, à mon gré, que ne fait aucun livre.
Elle aime à dépenser en habits, linge et nœuds :
Que voulez-vous ? Je tâche à contenter ses vœux;
Et ce sont des plaisirs qu'on peut, dans nos familles, 195
Lorsque l'on a du bien, permettre aux jeunes filles.
Un ordre paternel l'oblige à m'épouser;
Mais mon dessein n'est pas de la tyranniser.
Je sais bien que nos ans ne se rapportent guère,
Et je laisse à son choix liberté tout entière. 200
Si quatre mille écus de rente bien venants,
Une grande tendresse et des soins complaisants
Peuvent, à son avis, pour un tel mariage,
Réparer entre nous l'inégalité d'âge,

Elle peut m'épouser ; sinon, choisir ailleurs.   205
Je consens que sans moi ses destins soient meilleurs ;
Et j'aime mieux la voir sous un autre hyménée,
Que si contre son gré sa main m'était donnée.

SGANARELLE

Hé ! qu'il est doucereux ! c'est tout sucre et tout miel.

ARISTE

Enfin, c'est mon humeur, et j'en rends grâce au Ciel. 210
Je ne suivrais jamais ces maximes sévères,
Qui font que les enfants comptent les jours des pères.

SGANARELLE

Mais ce qu'en la jeunesse on prend de liberté
Ne se retranche pas avec facilité ;
Et tous ses sentiments suivront mal votre envie,   215
Quand il faudra changer sa manière de vie.

ARISTE

Et pourquoi la changer ?

SGANARELLE

Pourquoi ?

ARISTE

Oui.

SGANARELLE

Je ne sais.

ARISTE

Y voit-on quelque chose où l'honneur soit blessé ?

SGANARELLE

Quoi ? si vous l'épousez, elle pourra prétendre
Les mêmes libertés que fille on lui voit prendre ?   220

ARISTE

Pourquoi non ?

SGANARELLE

Vos désirs lui seront complaisants,
Jusques à lui laisser et mouches et rubans ?

ARISTE

Sans doute.

SGANARELLE

A lui souffrir, en cervelle troublée,
De courir tous les bals et les lieux d'assemblée ?

ARISTE

Oui, vraiment.

SGANARELLE

Et chez vous iront les damoiseaux ?   225

ARISTE

Et quoi donc ?

SGANARELLE

Qui joueront et donneront cadeaux ?

ARISTE

D'accord.

SGANARELLE

Et votre femme entendra les fleurettes ?

ARISTE

Fort bien.

SGANARELLE

Et vous verrez ces visites muguettes
D'un œil à témoigner de n'en être point soûl ?

ARISTE

Cela s'entend.

SGANARELLE

Allez, vous êtes un vieux fou.   230

A Isabelle.

Rentrez, pour n'ouïr point cette pratique infâme.

ARISTE

Je veux m'abandonner à la foi de ma femme,
Et prétends toujours vivre ainsi que j'ai vécu.

SGANARELLE

Que j'aurai de plaisir si l'on le fait cocu !

ARISTE

J'ignore pour quel sort mon astre m'a fait naître;   235
Mais je sais que pour vous, si vous manquez de l'être,
On ne vous en doit point imputer le défaut,
Car vos soins pour cela font bien tout ce qu'il faut.

SGANARELLE

Riez donc, beau rieur. Oh! que cela doit plaire
De voir un goguenard presque sexagénaire !   240

LÉONOR

Du sort dont vous parlez, je le garantis, moi,
S'il faut que par l'hymen il reçoive ma foi :
Il s'y peut assurer ; mais sachez que mon âme
Ne répondrait de rien, si j'étais votre femme.

LISETTE

C'est conscience à ceux qui s'assurent en nous ;   245
Mais c'est pain bénit, certes, à des gens comme vous.

SGANARELLE

Allez, langue maudite, et des plus mal apprises.

ARISTE

Vous vous êtes, mon frère, attiré ces sottises.
Adieu. Changez d'humeur, et soyez averti
Que renfermer sa femme est le mauvais parti.   250
Je suis votre valet.

SGANARELLE

                              Je ne suis pas le vôtre.
Oh ! que les voilà bien tous formés l'un pour l'autre !
Quelle belle famille ! Un vieillard insensé
Qui fait le dameret dans un corps tout cassé ;
Une fille maîtresse et coquette suprême ;   255
Des valets impudents : non, la Sagesse même
N'en viendrait pas à bout, perdrait sens et raison
A vouloir corriger une telle maison.
Isabelle pourrait perdre dans ces hantises
Les semences d'honneur qu'avec nous elle a prises ;   260
Et pour l'en empêcher dans peu nous prétendons
Lui faire aller revoir nos choux et nos dindons.

SCÈNE III

ERGASTE, VALÈRE, SGANARELLE

VALÈRE

Ergaste, le voilà cet Argus que j'abhorre,
Le sévère tuteur de celle que j'adore.

SGANARELLE

N'est-ce pas quelque chose enfin de surprenant   265
Que la corruption des mœurs de maintenant !

VALÈRE

Je voudrais l'accoster, s'il est en ma puissance,
Et tâcher de lier avec lui connaissance.

SGANARELLE

Au lieu de voir régner cette sévérité
Qui composait si bien l'ancienne honnêteté,   270
La jeunesse en ces lieux, libertine, absolue,
Ne prend...

VALÈRE

Il ne voit pas que c'est lui qu'on salue.

ERGASTE

Son mauvais œil peut-être est de ce côté-ci :
Passons du côté droit.

SGANARELLE

Il faut sortir d'ici.
Le séjour de la ville en moi ne peut produire   275
Que des...

VALÈRE

Il faut chez lui tâcher de m'introduire.

SGANARELLE

Heu !... J'ai cru qu'on parlait. Aux champs, grâces aux Cieux,
Les sottises du temps ne blessent point mes yeux.

ERGASTE

Abordez-le.

SGANARELLE

Plaît-il ? Les oreilles me cornent.
Là, tous les passe-temps de nos filles se bornent...   280
Est-ce à nous ?

ERGASTE

Approchez.

SGANARELLE

Là, nul godelureau
Ne vient... Que diable !... Encor ? Que de coups de chapeau !

VALÈRE

Monsieur, un tel abord vous interrompt peut-être ?

SGANARELLE

Cela se peut.

VALÈRE

Mais quoi ? l'honneur de vous connaître
Est un si grand bonheur, est un si doux plaisir,   285
Que de vous saluer j'avais un grand désir.

SGANARELLE

Soit.

VALÈRE

Et de vous venir, mais sans nul artifice,
Assurer que je suis tout à votre service.

SGANARELLE

Je le crois.

VALÈRE

J'ai le bien d'être de vos voisins,
Et j'en dois rendre grâce à mes heureux destins.   290

SGANARELLE

C'est bien fait.

VALÈRE

Mais, Monsieur, savez-vous les nouvelles
Que l'on dit à la cour, et qu'on tient pour fidèles ?

SGANARELLE

Que m'importe ?

VALÈRE

Il est vrai ; mais pour les nouveautés
On peut avoir parfois des curiosités.
Vous irez voir, Monsieur, cette magnificence   295
Que de notre Dauphin prépare la naissance ?

SGANARELLE

Si je veux.

VALÈRE

Avouons que Paris nous fait part
De cent plaisirs charmants qu'on n'a point autre part ;
Les provinces auprès sont des lieux solitaires.
A quoi donc passez-vous le temps ?

SGANARELLE

A mes affaires.   300

VALÈRE

L'esprit veut du relâche, et succombe parfois
Par trop d'attachement aux sérieux emplois.
Que faites-vous les soirs avant qu'on se retire ?

SGANARELLE

Ce qui me plaît.

VALÈRE

Sans doute, on ne peut pas mieux dire :
Cette réponse est juste, et le bon sens paraît   305
A ne vouloir jamais faire que ce qui plaît.
Si je ne vous croyais l'âme trop occupée.
J'irais parfois chez vous passer l'après-soupée.

SGANARELLE

Serviteur.

SCÈNE IV

VALÈRE, ERGASTE

VALÈRE

Que dis-tu de ce bizarre fou ?

ERGASTE

Il a le repart brusque, et l'accueil loup-garou.   310

VALÈRE

Ah ! j'enrage !

ERGASTE

Et de quoi ?

VALÈRE

De quoi ! C'est que j'enrage
De voir celle que j'aime au pouvoir d'un sauvage,
D'un dragon surveillant, dont la sévérité
Ne lui laisse jouir d'aucune liberté.

ERGASTE

C'est ce qui fait pour vous, et sur ces conséquences   315
Votre amour doit fonder de grandes espérances :
Apprenez, pour avoir votre esprit raffermi,
Qu'une femme qu'on garde est gagnée à demi,
Et que les noirs chagrins des maris ou des pères
Ont toujours du galant avancé les affaires.   320
Je coquette fort peu, c'est mon moindre talent,
Et de profession je ne suis point galant ;
Mais j'en ai servi vingt de ces chercheurs de proie,
Qui disaient fort souvent que leur plus grande joie
Était de rencontrer de ces maris fâcheux,   325
Qui jamais sans gronder ne reviennent chez eux,

De ces brutaux fieffés, qui sans raison ni suite
De leurs femmes en tout contrôlent la conduite,
Et du nom de mari fièrement se parant
Leur rompent en visière aux yeux des soupirants.   330
« On en sait, disent-ils, prendre ses avantages;
Et l'aigreur de la dame à ces sortes d'outrages,
Dont la plaint doucement le complaisant témoin,
Est un champ à pousser les choses assez loin. »
En un mot, ce vous est une attente assez belle,   335
Que la sévérité du tuteur d'Isabelle.

VALÈRE

Mais depuis quatre mois que je l'aime ardemment,
Je n'ai pour lui parler pu trouver un moment.

ERGASTE

L'amour rend inventif; mais vous ne l'êtes guère,
Et si j'avais été...

VALÈRE

        Mais qu'aurais-tu pu faire,   340
Puisque sans ce brutal on ne la voit jamais,
Et qu'il n'est là-dedans servantes ni valets
Dont, par l'appât flatteur de quelque récompense,
Je puisse pour mes feux ménager l'assistance ?

ERGASTE

Elle ne sait donc pas encor que vous l'aimez ?   345

VALÈRE

C'est un point dont mes vœux ne sont point informés.
Partout où ce farouche a conduit cette belle,
Elle m'a toujours vu comme une ombre après elle,
Et mes regards aux siens ont tâché chaque jour
De pouvoir expliquer l'excès de mon amour.   350
Mes yeux ont fort parlé; mais qui me peut apprendre
Si leur langage enfin a pu se faire entendre ?

ERGASTE

Ce langage, il est vrai, peut être obscur parfois,
S'il n'a pour truchement l'écriture ou la voix.

VALÈRE

Que faire pour sortir de cette peine extrême,   355
Et savoir si la belle a connu que je l'aime ?
Dis-m'en quelque moyen.

ERGASTE

C'est ce qu'il faut trouver.
Entrons un peu chez vous, afin d'y mieux rêver.

ACTE II

SCÈNE I

ISABELLE, SGANARELLE

SGANARELLE

Va, je sais la maison, et connais la personne
Aux marques seulement que ta bouche me donne.   360

ISABELLE, à part.

O Ciel! sois-moi propice et seconde en ce jour
Le stratagème adroit d'une innocente amour.

SGANARELLE

Dis-tu pas qu'on t'a dit qu'il s'appelle Valère?

ISABELLE

Oui.

SGANARELLE

Va, sois en repos, rentre et me laisse faire;
Je vais parler sur l'heure à ce jeune étourdi.   365

ISABELLE

Je fais, pour une fille, un projet bien hardi;
Mais l'injuste rigueur dont envers moi l'on use,
Dans tout esprit bien fait me servira d'excuse.

SCÈNE II

SGANARELLE, ERGASTE, VALÈRE

SGANARELLE

Ne perdons point de temps. C'est ici: qui va là?
Bon, je rêve: holà! dis-je, holà! quelqu'un! holà!   370

Je ne m'étonne pas, après cette lumière,
S'il y venait tantôt de si douce manière;
Mais je veux me hâter, et de son fol espoir...
Peste soit du gros bœuf, qui pour me faire choir
Se vient devant mes pas planter comme une perche!   375

VALÈRE

Monsieur, j'ai du regret...

SGANARELLE

Ah! c'est vous que je cherche.

VALÈRE

Moi, Monsieur?

SGANARELLE

Vous. Valère est-il pas votre nom?

VALÈRE

Oui.

SGANARELLE

Je viens vous parler, si vous le trouvez bon.

VALÈRE

Puis-je être assez heureux pour vous rendre service?

SGANARELLE

Non. Mais je prétends, moi, vous rendre un bon office,   380
Et c'est ce qui chez vous prend droit de m'amener.

VALÈRE

Chez moi, Monsieur?

SGANARELLE

Chez vous : faut-il tant s'étonner?

VALÈRE

J'en ai bien du sujet, et mon âme ravie
De l'honneur...

SGANARELLE

Laissons là cet honneur, je vous prie.

VALÈRE

Voulez-vous pas entrer?

SGANARELLE

Il n'en est pas besoin.   385

VALÈRE

Monsieur, de grâce.

SGANARELLE

Non, je n'irai pas plus loin.

VALÈRE

Tant que vous serez là, je ne puis vous entendre.

SGANARELLE

Moi, je n'en veux bouger.

VALÈRE

Eh bien! il se faut rendre.
Vite, puisque Monsieur à cela se résout,
Donnez un siège ici.

SGANARELLE

Je veux parler debout.   390

VALÈRE

Vous souffrir de la sorte... ?

SGANARELLE

Ah! contrainte effroyable!

VALÈRE

Cette incivilité serait trop condamnable.

SGANARELLE

C'en est une que rien ne saurait égaler,
De n'ouïr pas les gens qui veulent nous parler.

VALÈRE

Je vous obéis donc.

SGANARELLE

Vous ne sauriez mieux faire;   395
Tant de cérémonie est fort peu nécessaire.
Voulez-vous m'écouter ?

VALÈRE

Sans doute, et de grand cœur.

SGANARELLE

Savez-vous, dites-moi, que je suis le tuteur
D'une fille assez jeune et passablement belle,
Qui loge en ce quartier, et qu'on nomme Isabelle ?   400

VALÈRE

Oui.

SGANARELLE

Si vous le savez, je ne vous l'apprends pas.
Mais, savez-vous aussi, lui trouvant des appas,
Qu'autrement qu'en tuteur sa personne me touche,
Et qu'elle est destinée à l'honneur de ma couche ?

VALÈRE

Non.

SGANARELLE

Je vous l'apprends donc, et qu'il est à propos   405
Que vos feux, s'il vous plaît, la laissent en repos.

VALÈRE

Qui ? moi, Monsieur ?

SGANARELLE

Oui, vous. Mettons bas toute feinte.

VALÈRE

Qui vous a dit que j'ai pour elle l'âme atteinte ?

SGANARELLE

Des gens à qui l'on peut donner quelque crédit.

VALÈRE

Mais encore ?

SGANARELLE

Elle-même.

VALÈRE

Elle ?

SGANARELLE

Elle. Est-ce assez dit ?   410
Comme une fille honnête, et qui m'aime d'enfance,
Elle vient de m'en faire entière confidence;
Et de plus m'a chargé de vous donner avis
Que depuis que par vous tous ses pas sont suivis,
Son cœur, qu'avec excès votre poursuite outrage,   415
N'a que trop de vos yeux entendu le langage,
Que vos secrets désirs lui sont assez connus,
Et que c'est vous donner des soucis superflus
De vouloir davantage expliquer une flamme
Qui choque l'amitié que me garde son âme.   420

VALÈRE

C'est elle, dites-vous, qui de sa part vous fait... ?

SGANARELLE

Oui, vous venir donner cet avis franc et net,
Et qu'ayant vu l'ardeur dont votre âme est blessée,
Elle vous eût plus tôt fait savoir sa pensée,
Si son cœur avait eu, dans son émotion,   425
A qui pouvoir donner cette commission;
Mais qu'enfin les douleurs d'une contrainte extrême
L'ont réduite à vouloir se servir de moi-même,
Pour vous rendre averti, comme je vous ai dit,
Qu'à tout autre que moi son cœur est interdit,   430
Que vous avez assez joué de la prunelle,
Et que, si vous avez tant soit peu de cervelle,
Vous prendrez d'autres soins. Adieu jusqu'au revoir.
Voilà ce que j'avais à vous faire savoir.

VALÈRE

Ergaste, que dis-tu d'une telle aventure ?   435

SGANARELLE, *à part.*

Le voilà bien surpris!

ERGASTE

                              Selon ma conjecture,
Je tiens qu'elle n'a rien de déplaisant pour vous,
Qu'un mystère assez fin est caché là-dessous,
Et qu'enfin cet avis n'est pas d'une personne
Qui veuille voir cesser l'amour qu'elle vous donne.   440

SGANARELLE, *à part.*

Il en tient comme il faut.

VALÈRE

                      Tu crois mystérieux...

ERGASTE

Oui... Mais il nous observe, ôtons-nous de ses yeux.

SGANARELLE

Que sa confusion paraît sur son visage!
Il ne s'attendait pas sans doute à ce message.
Appelons Isabelle. Elle montre le fruit   445
Que l'éducation dans une âme produit :
La vertu fait ses soins, et son cœur s'y consomme
Jusques à s'offenser des seuls regards d'un homme.

SCÈNE III

ISABELLE, SGANARELLE

ISABELLE

J'ai peur que cet amant, plein de sa passion,
N'ait pas de mon avis compris l'intention;   450
Et j'en veux, dans les fers où je suis prisonnière,
Hasarder un qui parle avec plus de lumière.

SGANARELLE

Me voilà de retour.

ISABELLE

Hé bien ?

SGANARELLE

Un plein effet
A suivi tes discours, et ton homme a son fait.
Il me voulait nier que son cœur fût malade;   455
Mais lorsque de ta part j'ai marqué l'ambassade,
Il est resté d'abord et muet et confus,
Et je ne pense pas qu'il y revienne plus.

ISABELLE

Ha! que me dites-vous ? J'ai bien peur du contraire,
Et qu'il ne nous prépare encor plus d'une affaire.   460

SGANARELLE

Et sur quoi fondes-tu cette peur que tu dis ?

ISABELLE

Vous n'avez pas été plus tôt hors du logis,
Qu'ayant, pour prendre l'air, la tête à ma fenêtre,
J'ai vu dans ce détour un jeune homme paraître,
Qui d'abord, de la part de cet impertinent,   465
Est venu me donner un bonjour surprenant,
Et m'a droit dans ma chambre une boîte jetée
Qui renferme une lettre en poulet cachetée.
J'ai voulu sans tarder lui rejeter le tout;
Mais ses pas de la rue avaient gagné le bout,   470
Et je m'en sens le cœur tout gros de fâcherie.

SGANARELLE

Voyez un peu la ruse et la friponnerie!

ISABELLE

Il est de mon devoir de faire promptement
Reporter boîte et lettre à ce maudit amant;
Et j'aurais pour cela besoin d'une personne,   475
Car d'oser à vous-même...

SGANARELLE

                                    Au contraire, mignonne,
C'est me faire mieux voir ton amour et ta foi,
Et mon cœur avec joie accepte cet emploi :
Tu m'obliges par là plus que je ne puis dire.

ISABELLE

Tenez donc.

SGANARELLE

                Bon. Voyons ce qu'il a pu t'écrire.   480

ISABELLE

Ah! Ciel! gardez-vous bien de l'ouvrir.

SGANARELLE

                                            Et pourquoi ?

ISABELLE

Lui voulez-vous donner à croire que c'est moi ?
Une fille d'honneur doit toujours se défendre
De lire les billets qu'un homme lui fait rendre :
La curiosité qu'on fait lors éclater   485
Marque un secret plaisir de s'en ouïr conter;
Et je trouve à propos que toute cachetée
Cette lettre lui soit promptement reportée,
Afin que d'autant mieux il connaisse aujourd'hui
Le mépris éclatant que mon cœur fait de lui,   490
Que ses feux désormais perdent toute espérance,
Et n'entreprennent plus pareille extravagance.

SGANARELLE

Certes elle a raison lorsqu'elle parle ainsi.
Va, ta vertu me charme, et ta prudence aussi.
Je vois que mes leçons ont germé dans ton âme,   495
Et tu te montres digne enfin d'être ma femme.

ISABELLE

Je ne veux pas pourtant gêner votre désir :
La lettre est en vos mains, et vous pouvez l'ouvrir.

SGANARELLE

Non, je n'ai garde : hélas! tes raisons sont trop bonnes;
Et je vais m'acquitter du soin que tu me donnes,   500

A quatre pas de là dire ensuite deux mots,
Et revenir ici te remettre en repos.

SCÈNE IV

SGANARELLE, ERGASTE

SGANARELLE

Dans quel ravissement est-ce que mon cœur nage,
Lorsque je vois en elle une fille si sage !
C'est un trésor d'honneur que j'ai dans ma maison.   505
Prendre un regard d'amour pour une trahison !
Recevoir un poulet comme une injure extrême,
Et le faire au galant reporter par moi-même !
Je voudrais bien savoir, en voyant tout ceci,
Si celle de mon frère en userait ainsi.   510
Ma foi ! les filles sont ce que l'on les fait être.
Holà !

ERGASTE

      Qu'est-ce ?

SGANARELLE

                Tenez, dites à votre maître
Qu'il ne s'ingère pas d'oser écrire encor
Des lettres qu'il envoie avec des boîtes d'or,
Et qu'Isabelle en est puissamment irritée.   515
Voyez, on ne l'a pas au moins décachetée :
Il connaîtra l'état que l'on fait de ses feux,
Et quel heureux succès il doit espérer d'eux.

SCÈNE V

VALÈRE, ERGASTE

VALÈRE

Que vient de te donner cette farouche bête ?

ERGASTE

Cette lettre, Monsieur, qu'avec cette boëte   520
On prétend qu'ait reçue Isabelle de vous,
Et dont elle est, dit-il, en un fort grand courroux ;
C'est sans vouloir l'ouvrir qu'elle vous la fait rendre :
Lisez vite, et voyons si je me puis méprendre.

LETTRE

« Cette lettre vous surprendra sans doute, et l'on peut trouver bien hardi pour moi et le dessein de vous l'écrire et la manière de vous la faire tenir; mais je me vois dans un état à ne plus garder de mesures. La juste horreur d'un mariage dont je suis menacée dans six jours me fait hasarder toutes choses; et dans la résolution de m'en affranchir par quelque voie que ce soit, j'ai cru que je devais plutôt vous choisir que le désespoir. Ne croyez pas pourtant que vous soyez redevable de tout à ma mauvaise destinée : ce n'est pas la contrainte où je me trouve qui a fait naître les sentiments que j'ai pour vous; mais c'est elle qui en précipite le témoignage, et qui me fait passer sur des formalités où la bienséance du sexe oblige. Il ne tiendra qu'à vous que je sois à vous bientôt, et j'attends seulement que vous m'ayez marqué les intentions de votre amour pour vous faire savoir la résolution que j'ai prise; mais surtout songez que le temps presse, et que deux cœurs qui s'aiment doivent s'entendre à demi-mot. »

ERGASTE

Hé bien! Monsieur, le tour est-il d'original ?   525
Pour une jeune fille, elle n'en sait pas mal!
De ces ruses d'amour la croirait-on capable ?

VALÈRE

Ah! je la trouve là tout à fait adorable.
Ce trait de son esprit et de son amitié
Accroît pour elle encor mon amour de moitié,   530
Et joint aux sentiments que sa beauté m'inspire...

ERGASTE

La dupe vient; songez à ce qu'il vous faut dire.

SCÈNE VI

SGANARELLE, VALÈRE, ERGASTE

SGANARELLE

Oh! trois et quatre fois béni soit cet édit
Par qui des vêtements le luxe est interdit!
Les peines des maris ne seront plus si grandes,   535
Et les femmes auront un frein à leurs demandes.

Oh! que je sais au Roi bon gré de ces décris!
Et que, pour le repos de ces mêmes maris,
Je voudrais bien qu'on fît de la coquetterie
Comme de la guipure et de la broderie !   540
J'ai voulu l'acheter, l'édit, expressément,
Afin que d'Isabelle il soit lu hautement;
Et ce sera tantôt, n'étant plus occupée,
Le divertissement de notre après-soupée.
Enverrez-vous encor, Monsieur aux blonds cheveux,   545
Avec des boîtes d'or des billets amoureux ?
Vous pensiez bien trouver quelque jeune coquette,
Friande de l'intrigue, et tendre à la fleurette ?
Vous voyez de quel air on reçoit vos joyaux :
Croyez-moi, c'est tirer votre poudre aux moineaux.   550
Elle est sage, elle m'aime, et votre amour l'outrage :
Prenez visée ailleurs, et troussez-moi bagage.

VALÈRE

Oui, oui, votre mérite, à qui chacun se rend,
Est à mes vœux, Monsieur, un obstacle trop grand;
Et c'est folie à moi, dans mon ardeur fidèle,   555
De prétendre avec vous à l'amour d'Isabelle.

SGANARELLE

Il est vrai, c'est folie.

VALÈRE

Aussi n'aurais-je pas

Abandonné mon cœur à suivre ses appas,
Si j'avais pu savoir que ce cœur misérable
Dût trouver un rival comme vous redoutable.   560

SGANARELLE

Je le crois.

VALÈRE

Je n'ai garde à présent d'espérer;

Je vous cède, Monsieur, et c'est sans murmurer.

SGANARELLE

Vous faites bien.

VALÈRE

Le droit de la sorte l'ordonne;

Et de tant de vertus brille votre personne,
Que j'aurais tort de voir d'un regard de courroux   565
Les tendres sentiments qu'Isabelle a pour vous.

SGANARELLE

Cela s'entend.

Valère

Oui, oui, je vous quitte la place.
Mais je vous prie au moins (et c'est la seule grâce,
Monsieur, que vous demande un misérable amant
Dont vous seul aujourd'hui causez tout le tourment), 570
Je vous conjure donc d'assurer Isabelle
Que si depuis trois mois mon cœur brûle pour elle,
Cette amour est sans tache, et n'a jamais pensé
A rien dont son honneur ait lieu d'être offensé.

Sganarelle

Oui.

Valère

Que, ne dépendant que du choix de mon âme, 575
Tous mes desseins étaient de l'obtenir pour femme,
Si les destins, en vous, qui captivez son cœur,
N'opposaient un obstacle à cette juste ardeur.

Sganarelle

Fort bien.

Valère

Que, quoi qu'on fasse, il ne lui faut pas croire
Que jamais ses appas sortent de ma mémoire; 580
Que, quelque arrêt des Cieux qu'il me faille subir,
Mon sort est de l'aimer jusqu'au dernier soupir;
Et que si quelque chose étouffe mes poursuites,
C'est le juste respect que j'ai pour vos mérites.

Sganarelle

C'est parler sagement; et je vais de ce pas 585
Lui faire ce discours, qui ne la choque pas.
Mais, si vous me croyez, tâchez de faire en sorte
Que de votre cerveau cette passion sorte.
Adieu.

Ergaste

La dupe est bonne.

Sganarelle

Il me fait grand pitié,
Ce pauvre malheureux trop rempli d'amitié; 590
Mais c'est un mal pour lui de s'être mis en tête
De vouloir prendre un fort qui se voit ma conquête.

SCÈNE VII

SGANARELLE, ISABELLE

SGANARELLE

Jamais amant n'a fait tant de trouble éclater,
Au poulet renvoyé sans se décacheter :
Il perd toute espérance enfin, et se retire.   595
Mais il m'a tendrement conjuré de te dire
Que du moins en t'aimant il n'a jamais pensé
A rien dont ton honneur ait lieu d'être offensé,
Et que, ne dépendant que du choix de son âme,
Tous ses désirs étaient de t'obtenir pour femme,   600
Si les destins, en moi, qui captive ton cœur,
N'opposaient un obstacle à cette juste ardeur ;
Que, quoi qu'on puisse faire, il ne te faut pas croire
Que jamais tes appas sortent de sa mémoire ;
Que, quelque arrêt des Cieux qu'il lui faille subir,   605
Son sort est de t'aimer jusqu'au dernier soupir ;
Et que si quelque chose étouffe sa poursuite,
C'est le juste respect qu'il a pour mon mérite.
Ce sont ses propres mots ; et loin de le blâmer,
Je le trouve honnête homme, et le plains de t'aimer.   610

ISABELLE, *bas.*

Ses feux ne trompent point ma secrète croyance,
Et toujours ses regards m'en ont dit l'innocence.

SGANARELLE

Que dis-tu ?

ISABELLE

　　　　　Qu'il m'est dur que vous plaigniez si fort
Un homme que je hais à l'égal de la mort ;
Et que si vous m'aimiez autant que vous le dites,   615
Vous sentiriez l'affront que me font ses poursuites.

SGANARELLE

Mais il ne savait pas tes inclinations ;
Et par l'honnêteté de ses intentions
Son amour ne mérite...

ISABELLE

　　　　　Est-ce les avoir bonnes,
Dites-moi, de vouloir enlever les personnes ?   620

Est-ce être homme d'honneur de former des desseins
Pour m'épouser de force en m'ôtant de vos mains ?
Comme si j'étais fille à supporter la vie
Après qu'on m'aurait fait une telle infamie.

SGANARELLE

Comment ?

ISABELLE

      Oui, oui : j'ai su que ce traître d'amant   625
Parle de m'obtenir par un enlèvement ;
Et j'ignore pour moi les pratiques secrètes
Qui l'ont instruit si tôt du dessein que vous faites
De me donner la main dans huit jours au plus tard,
Puisque ce n'est que d'hier que vous m'en fîtes part ;   630
Mais il veut prévenir, dit-on, cette journée
Qui doit à votre sort unir ma destinée.

SGANARELLE

Voilà qui ne vaut rien.

ISABELLE

      Oh ! que pardonnez-moi.
C'est un fort honnête homme, et qui ne sent pour moi...

SGANARELLE

Il a tort, et ceci passe la raillerie.   635

ISABELLE

Allez, votre douceur entretient sa folie.
S'il vous eût vu tantôt lui parler vertement,
Il craindrait vos transports et mon ressentiment ;
Car c'est encor depuis sa lettre méprisée
Qu'il a dit ce dessein qui m'a scandalisée ;   640
Et son amour conserve, ainsi que je l'ai su,
La croyance qu'il est dans mon cœur bien reçu,
Que je fuis votre hymen, quoi que le monde en croie,
Et me verrais tirer de vos mains avec joie.

SGANARELLE

Il est fou.

ISABELLE

      Devant vous il sait se déguiser,   645
Et son intention est de vous amuser.
Croyez par ces beaux mots que le traître vous joue.
Je suis bien malheureuse, il faut que je l'avoue,
Qu'avecque tous mes soins pour vivre dans l'honneur
Et rebuter les vœux d'un lâche suborneur,   650

Il faille être exposée aux fâcheuses surprises
De voir faire sur moi d'infâmes entreprises!

SGANARELLE

Va, ne redoute rien.

ISABELLE

                    Pour moi, je vous le dis,
Si vous n'éclatez fort contre un trait si hardi,
Et ne trouvez bientôt moyen de me défaire   655
Des persécutions d'un pareil téméraire,
J'abandonnerai tout, et renonce à l'ennui
De souffrir les affronts que je reçois de lui.

SGANARELLE

Ne t'afflige point tant; va, ma petite femme,
Je m'en vais le trouver et lui chanter sa gamme.   660

ISABELLE

Dites-lui bien au moins qu'il le nierait en vain,
Que c'est de bonne part qu'on m'a dit son dessein,
Et qu'après cet avis, quoi qu'il puisse entreprendre,
J'ose le défier de me pouvoir surprendre,
Enfin que, sans plus perdre et soupirs et moments, 665
Il doit savoir pour vous quels sont mes sentiments,
Et que si d'un malheur il ne veut être cause,
Il ne se fasse pas deux fois dire une chose.

SGANARELLE

Je dirai ce qu'il faut.

ISABELLE

                    Mais tout cela d'un ton
Qui marque que mon cœur lui parle tout de bon.   670

SGANARELLE

Va, je n'oublierai rien, je t'en donne assurance.

ISABELLE

J'attends votre retour avec impatience.
Hâtez-le, s'il vous plaît, de tout votre pouvoir :
Je languis quand je suis un moment sans vous voir.

SGANARELLE

Va, pouponne, mon cœur, je reviens tout à l'heure. 675
Est-il une personne et plus sage et meilleure ?
Ah! que je suis heureux! et que j'ai de plaisir
De trouver une femme au gré de mon désir!

Oui, voilà comme il faut que les femmes soient faites,
Et non comme j'en sais, de ces franches coquettes,   680
Qui s'en laissent conter, et font dans tout Paris
Montrer au bout du doigt leurs honnêtes maris.
Holà! notre galant aux belles entreprises!

SCÈNE VIII

VALÈRE, SGANARELLE, ERGASTE

VALÈRE

Monsieur, qui vous ramène en ce lieu ?

SGANARELLE

                                        Vos sottises.

VALÈRE

Comment ?

SGANARELLE

        Vous savez bien de quoi je veux parler.   685
Je vous croyais plus sage, à ne vous rien celer.
Vous venez m'amuser de vos belles paroles,
Et conservez sous main des espérances folles.
Voyez-vous, j'ai voulu doucement vous traiter,
Mais vous m'obligerez à la fin d'éclater.   690
N'avez-vous point de honte, étant ce que vous êtes,
De faire en votre esprit les projets que vous faites,
De prétendre enlever une fille d'honneur,
Et troubler un hymen qui fait tout son bonheur ?

VALÈRE

Qui vous a dit, Monsieur, cette étrange nouvelle ?   695

SGANARELLE

Ne dissimulons point : je la tiens d'Isabelle,
Qui vous mande par moi, pour la dernière fois,
Qu'elle vous a fait voir assez quel est son choix,
Que son cœur, tout à moi, d'un tel projet s'offense,
Qu'elle mourrait plutôt qu'en souffrir l'insolence,   700
Et que vous causerez de terribles éclats
Si vous ne mettez fin à tout cet embarras.

VALÈRE

S'il est vrai qu'elle ait dit ce que je viens d'entendre,
J'avouerai que mes feux n'ont plus rien à prétendre :

Par ces mots assez clairs je vois tout terminé,   705
Et je dois révérer l'arrêt qu'elle a donné.

SGANARELLE

Si ? Vous en doutez donc, et prenez pour des feintes
Tout ce que de sa part je vous ai fait de plaintes ?
Voulez-vous qu'elle-même elle explique son cœur ?
J'y consens volontiers pour vous tirer d'erreur.   710
Suivez-moi, vous verrez s'il est rien que j'avance,
Et si son jeune cœur entre nous deux balance.

SCÈNE IX

ISABELLE, SGANARELLE, VALÈRE

ISABELLE

Quoi ? vous me l'amenez! Quel est votre dessein ?
Prenez-vous contre moi ses intérêts en main ?
Et voulez-vous, chargé de ses rares mérites,   715
M'obliger à l'aimer, et souffrir ses visites ?

SGANARELLE

Non, mamie, et ton cœur pour cela m'est trop cher.
Mais il prend mes avis pour des contes en l'air,
Croit que c'est moi qui parle et te fais par adresse
Pleine pour lui de haine, et pour moi de tendresse;   720
Et par toi-même enfin j'ai voulu, sans retour,
Le tirer d'une erreur qui nourrit son amour.

ISABELLE

Quoi ? mon âme à vos yeux ne se montre pas toute,
Et de mes vœux encor vous pouvez être en doute ?

VALÈRE

Oui, tout ce que Monsieur de votre part m'a dit,   725
Madame, a bien pouvoir de surprendre un esprit :
J'ai douté, je l'avoue; et cet arrêt suprême,
Qui décide du sort de mon amour extrême,
Doit m'être assez touchant, pour ne pas s'offenser
Que mon cœur par deux fois le fasse prononcer.   730

ISABELLE

Non, non, un tel arrêt ne doit pas vous surprendre;
Ce sont mes sentiments qu'il vous a fait entendre;

Et je les tiens fondés sur assez d'équité,
Pour en faire éclater toute la vérité.
Oui, je veux bien qu'on sache, et j'en dois être crue,   735
Que le sort offre ici deux objets à ma vue
Qui, m'inspirant pour eux différents sentiments,
De mon cœur agité font tous les mouvements.
L'un, par un juste choix où l'honneur m'intéresse,
A toute mon estime et toute ma tendresse;   740
Et l'autre, pour le prix de son affection,
A toute ma colère et mon aversion,
La présence de l'un m'est agréable et chère,
J'en reçois dans mon âme une allégresse entière,
Et l'autre par sa vue inspire dans mon cœur   745
De secrets mouvements et de haine et d'horreur,
Me voir femme de l'un est toute mon envie;
Et plutôt qu'être à l'autre on m'ôterait la vie.
Mais c'est assez montrer mes justes sentiments,
Et trop longtemps languir dans ces rudes tourments; 750
Il faut que ce que j'aime, usant de diligence,
Fasse à ce que je hais perdre toute espérance,
Et qu'un heureux hymen affranchisse mon sort
D'un supplice pour moi plus affreux que la mort.

SGANARELLE

Oui, mignonne, je songe à remplir ton attente.   755

ISABELLE

C'est l'unique moyen de me rendre contente.

SGANARELLE

Tu la seras dans peu.

ISABELLE

              Je sais qu'il est honteux
Aux filles d'exprimer si librement leurs vœux.

SGANARELLE

Point, point.

ISABELLE

              Mais en l'état où sont mes destinées,
De telles libertés doivent m'être données;   760
Et je puis sans rougir faire un aveu si doux
A celui que déjà je regarde en époux.

SGANARELLE

Oui, ma pauvre fanfan, pouponne de mon âme.

ISABELLE

Qu'il songe donc, de grâce, à me prouver sa flamme.

SGANARELLE

Oui, tiens, baise ma main.

ISABELLE

                    Que sans plus de soupirs   765
Il conclue un hymen qui fait tous mes désirs,
Et reçoive en ce lieu la foi que je lui donne
De n'écouter jamais les vœux d'autre personne.

SGANARELLE

Hai! hai! mon petit nez, pauvre petit bouchon.
Tu ne languiras pas longtemps, je t'en répond :   770
Va, chut! Vous le voyez, je ne lui fais pas dire,
Ce n'est qu'après moi seul que son âme respire.

VALÈRE

Eh bien! Madame, eh bien! c'est s'expliquer assez :
Je vois par ce discours de quoi vous me pressez,
Et je saurai dans peu vous ôter la présence   775
De celui qui vous fait si grande violence.

ISABELLE

Vous ne me sauriez faire un plus charmant plaisir,
Car enfin cette vue est fâcheuse à souffrir,
Elle m'est odieuse, et l'horreur est si forte...

SGANARELLE

Eh! eh!

ISABELLE

            Vous offensé-je en parlant de la sorte ?   780
Fais-je...

SGANARELLE

            Mon Dieu, nenni, je ne dis pas cela;
Mais je plains, sans mentir, l'état où le voilà,
Et c'est trop hautement que ta haine se montre.

ISABELLE

Je n'en puis trop montrer en pareille rencontre.

VALÈRE

Oui, vous serez contente : et dans trois jours vos yeux   785
Ne verront plus l'objet qui vous est odieux.

ISABELLE

A la bonne heure. Adieu.

SGANARELLE

Je plains votre infortune;
Mais...

VALÈRE

Non, vous n'entendrez de mon cœur plainte aucune :
Madame assurément rend justice à tous deux,
Et je vais travailler à contenter ses vœux.
Adieu.   790

SGANARELLE

Pauvre garçon! sa douleur est extrême.
Tenez, embrassez-moi : c'est un autre elle-même.

it's not him.

SCÈNE X

ISABELLE, SGANARELLE

SGANARELLE

Je le tiens fort à plaindre.

ISABELLE

Allez, il ne l'est point.

SGANARELLE

Au reste, ton amour me touche au dernier point,
Mignonnette, et je veux qu'il ait sa récompense :   795
C'est trop que de huit jours pour ton impatience;
Dès demain je t'épouse, et n'y veux appeler...

ISABELLE

Dès demain ?

SGANARELLE

modesty
Par <u>pudeur</u> tu feins d'y reculer;
Mais je sais bien la joie où ce discours te jette,
Et tu voudrais déjà que la chose fût faite.   800

ISABELLE

Mais...

SGANARELLE

Pour ce mariage allons tout préparer.

ISABELLE

O Ciel, inspire-moi ce qui peut le parer!

ACTE III

SCÈNE I

ISABELLE

Oui, le trépas cent fois me semble moins à craindre
Que cet hymen fatal où l'on veut me contraindre;
Et tout ce que je fais pour en fuir les rigueurs   805
Doit trouver quelque grâce auprès de mes censeurs.
Le temps presse, il fait nuit : allons, sans crainte aucune,
A la foi d'un amant commettre ma fortune.

SCÈNE II

SGANARELLE, ISABELLE

SGANARELLE

Je reviens, et l'on va pour demain de ma part...

ISABELLE

O Ciel!

SGANARELLE

C'est toi, mignonne ? Où vas-tu donc si tard ? 810
Tu disais qu'en ta chambre, étant un peu lassée,
Tu t'allais enfermer, lorsque je t'ai laissée;
Et tu m'avais prié même que mon retour
T'y souffrît en repos jusques à demain jour.

ISABELLE

Il est vrai; mais...

SGANARELLE

Et quoi ?

ISABELLE

Vous me voyez confuse, 815
Et je ne sais comment vous en dire l'excuse.

SGANARELLE

Quoi donc ? Que pourrait-ce être ?

ISABELLE

                        Un secret surprenant :
C'est ma sœur qui m'oblige à sortir maintenant,
Et qui, pour un dessein dont je l'ai fort blâmée,
M'a demandé ma chambre, où je l'ai renfermée.   820

SGANARELLE

Comment ?

ISABELLE

    L'eût-on pu croire ? elle aime cet amant
Que nous avons banni.

SGANARELLE

           Valère ?

ISABELLE

               Éperdument :
C'est un transport si grand, qu'il n'en est point de même ;
Et vous pouvez juger de sa puissance extrême,
Puisque seule, à cette heure, elle est venue ici   825
Me découvrir à moi son amoureux souci,
Me dire absolument qu'elle perdra la vie
Si son âme n'obtient l'effet de son envie,
Que depuis plus d'un an d'assez vives ardeurs
Dans un secret commerce entretenaient leurs cœurs, 830
Et que même ils s'étaient, leur flamme étant nouvelle,
Donné de s'épouser une foi mutuelle...

SGANARELLE

La vilaine !

ISABELLE

    Qu'ayant appris le désespoir
Où j'ai précipité celui qu'elle aime à voir,
Elle vient me prier de souffrir que sa flamme   835
Puisse rompre un départ qui lui percerait l'âme ;
Entretenir ce soir cet amant sous mon nom
Par la petite rue où ma chambre répond ;
Lui peindre, d'une voix qui contrefait la mienne,
Quelques doux sentiments dont l'appât le retienne, 840
Et ménager enfin pour elle adroitement
Ce que pour moi l'on sait qu'il a d'attachement.

SGANARELLE

Et tu trouves cela... ?

ISABELLE

                    Moi ? J'en suis courroucée.
Quoi ? ma sœur, ai-je dit, êtes-vous insensée ?
Ne rougissez-vous point d'avoir pris tant d'amour   845
Pour ces sortes de gens qui changent chaque jour,
D'oublier votre sexe, et tromper l'espérance
D'un homme dont le Ciel vous donnait l'alliance ?

SGANARELLE

Il le mérite bien, et j'en suis fort ravi.

ISABELLE

Enfin de cent raisons mon dépit s'est servi   850
Pour lui bien reprocher des bassesses si grandes
Et pouvoir cette nuit rejeter ses demandes ;
Mais elle m'a fait voir de si pressants désirs,
A tant versé de pleurs, tant poussé de soupirs,
Tant dit qu'au désespoir je porterais son âme   855
Si je lui refusais ce qu'exige sa flamme,
Qu'à céder malgré moi mon cœur s'est vu réduit ;
Et pour justifier cette intrigue de nuit,
Où me faisait du sang relâcher la tendresse,
J'allais faire avec moi venir coucher Lucrèce,   860
Dont vous me vantez tant les vertus chaque jour ;
Mais vous m'avez surprise avec ce prompt retour.

SGANARELLE

Non, non, je ne veux point chez moi tout ce mystère.
J'y pourrais consentir à l'égard de mon frère ;
Mais on peut être vu de quelqu'un de dehors ;   865
Et celle que je dois honorer de mon corps
Non seulement doit être et pudique et bien née,
Il ne faut pas que même elle soit soupçonnée.
Allons chasser l'infâme, et de sa passion...

ISABELLE

Ah ! vous lui donneriez trop de confusion ;   870
Et c'est avec raison qu'elle pourrait se plaindre
Du peu de retenue où j'ai su me contraindre.
Puisque de son dessein je dois me départir,
Attendez que du moins je la fasse sortir.

SGANARELLE

Eh bien ! fais.

ISABELLE

                    Mais surtout cachez-vous, je vous prie,   875
Et sans lui dire rien daignez voir sa sortie.

SGANARELLE

Oui, pour l'amour de toi je retiens mes transports;
Mais, dès le même instant qu'elle sera dehors,
Je veux, sans différer, aller trouver mon frère :
J'aurai joie à courir lui dire cette affaire.   880

ISABELLE

Je vous conjure donc de ne me point nommer.
Bonsoir : car tout d'un temps je vais me renfermer.

SGANARELLE

Jusqu'à demain, mamie. En quelle impatience
Suis-je de voir mon frère, et lui conter sa chance!
Il en tient, le bonhomme, avec tout son phébus,   885
Et je n'en voudrais pas tenir vingt bons écus.

ISABELLE, *dans la maison.*

Oui, de vos déplaisirs l'atteinte m'est sensible;
Mais ce que vous voulez, ma sœur, m'est impossible :
Mon honneur, qui m'est cher, y court trop de hasard.
Adieu : retirez-vous avant qu'il soit plus tard.   890

SGANARELLE

La voilà qui, je crois, peste de belle sorte :
De peur qu'elle revînt, fermons à clef la porte.

ISABELLE

O Ciel, dans mes desseins ne m'abandonnez pas!

SGANARELLE

Où pourra-t-elle aller ? Suivons un peu ses pas.

ISABELLE

Dans mon trouble, du moins la nuit me favorise.   895

SGANARELLE

Au logis du galant! Quelle est son entreprise ?

SCÈNE III

VALÈRE, SGANARELLE, ISABELLE

VALÈRE

Oui, oui, je veux tenter quelque effort cette nuit
Pour parler... Qui va là ?

ISABELLE

Ne faites point de bruit,
Valère : on vous prévient, et je suis Isabelle.

SGANARELLE

Vous en avez menti, chienne, ce n'est pas elle :   900
De l'honneur que tu fuis elle suit trop les lois,
Et tu prends faussement et son nom et sa voix.

ISABELLE

Mais à moins de vous voir, par un saint hyménée...

VALÈRE

Oui, c'est l'unique but où tend ma destinée ;
Et je vous donne ici ma foi que dès demain   905
Je vais où vous voudrez recevoir votre main.

SGANARELLE

Pauvre sot qui s'abuse !

VALÈRE

Entrez en assurance :
De votre Argus dupé je brave la puissance ;
Et devant qu'il vous pût ôter à mon ardeur,
Mon bras de mille coups lui percerait le cœur.   910

SGANARELLE

Ah ! je te promets bien que je n'ai pas envie
De te l'ôter, l'infâme à ses feux asservie,
Que du don de ta foi je ne suis point jaloux,
Et que, si j'en suis cru, tu seras son époux.
Oui, faisons-le surprendre avec cette effrontée :   915
La mémoire du père, à bon droit respectée,
Jointe au grand intérêt que je prends à la sœur,
Veut que du moins on tâche à lui rendre l'honneur.
Holà !

SCÈNE IV

SGANARELLE, le Commissaire, Le Notaire et suite

LE COMMISSAIRE

Qu'est-ce ?

SGANARELLE

Salut, Monsieur le Commissaire.
Votre présence en robe est ici nécessaire :   920
Suivez-moi, s'il vous plaît, avec votre clarté.

LE COMMISSAIRE

Nous sortions...

SGANARELLE

Il s'agit d'un fait assez hâté.

LE COMMISSAIRE

Quoi ?

SGANARELLE

D'aller là-dedans, et d'y surprendre ensemble
Deux personnes qu'il faut qu'un bon hymen assemble :
C'est une fille à nous, que, sous un don de foi,   925
Un Valère a séduite et fait entrer chez soi.
Elle sort de famille et noble et vertueuse,
Mais...

LE COMMISSAIRE

Si c'est pour cela, la rencontre est heureuse,
Puisque ici nous avons un notaire.

SGANARELLE

Monsieur ?

LE NOTAIRE

Oui, notaire royal.

LE COMMISSAIRE

De plus homme d'honneur.   930

SGANARELLE

Cela s'en va sans dire. Entrez dans cette porte
Et, sans bruit, ayez l'œil que personne n'en sorte.
Vous serez pleinement contenté de vos soins;
Mais ne vous laissez pas graisser la patte, au moins.

LE COMMISSAIRE

Comment ? vous croyez donc qu'un homme de justice... 935

SGANARELLE

Ce que j'en dis n'est pas pour taxer votre office.
Je vais faire venir mon frère promptement.
Faites que le flambeau m'éclaire seulement.
Je vais le réjouir, cet homme sans colère.
Holà !

SCÈNE V

ARISTE, SGANARELLE

ARISTE

Qui frappe ? Ah ! ah ! que voulez-vous, mon frère ? 940

SGANARELLE

Venez, beau directeur, suranné damoiseau :
On veut vous faire voir quelque chose de beau.

ARISTE

Comment ?

SGANARELLE

Je vous apporte une bonne nouvelle.

ARISTE

Quoi ?

SGANARELLE

Votre Léonor, où, je vous prie, est-elle ?

ARISTE

Pourquoi cette demande ? Elle est, comme je crois,   945
Au bal chez son amie.

SGANARELLE

Eh ! oui, oui ; suivez-moi,
Vous verrez à quel bal la donzelle est allée.

ARISTE

Que voulez-vous conter ?

SGANARELLE

Vous l'avez bien stylée :
« Il n'est pas bon de vivre en sévère censeur ;
On gagne les esprits par beaucoup de douceur ;   950
Et les soins défiants, les verrous et les grilles
Ne font pas la vertu des femmes ni des filles ;
Nous les portons au mal par tant d'austérité,
Et leur sexe demande un peu de liberté. »
Vraiment, elle en a pris tout son soûl, la rusée,   955
Et la vertu chez elle est fort humanisée.

ARISTE

Où veut donc aboutir un pareil entretien ?

SGANARELLE

Allez, mon frère aîné, cela vous sied fort bien ;
Et je ne voudrais pas pour vingt bonnes pistoles
Que vous n'eussiez ce fruit de vos maximes folles.   960
On voit ce qu'en deux sœurs nos leçons ont produit :
L'une fuit ce galant, et l'autre le poursuit.

ARISTE

Si vous ne me rendez cette énigme plus claire...

SGANARELLE

L'énigme est que son bal est chez Monsieur Valère ;
Que de nuit je l'ai vue y conduire ses pas,   965
Et qu'à l'heure présente elle est entre ses bras.

ARISTE

Qui ?

SGANARELLE

Léonor.

ARISTE

Cessons de railler, je vous prie.

SGANARELLE

Je raille ?... Il est fort bon avec sa raillerie !
Pauvre esprit, je vous dis, et vous redis encor
Que Valère chez lui tient votre Léonor,   970
Et qu'ils s'étaient promis une foi mutuelle
Avant qu'il eût songé de poursuivre Isabelle.

ARISTE

Ce discours d'apparence est si fort dépourvu...

SGANARELLE

Il ne le croira pas encore en l'ayant vu.
J'enrage. Par ma foi, l'âge ne sert de guère   975
Quand on n'a pas cela.

ARISTE

Quoi ? vous voulez, mon frère... ?

SGANARELLE

Mon Dieu, je ne veux rien. Suivez-moi seulement :
Votre esprit tout à l'heure aura contentement ;
Vous verrez si j'impose, et si leur foi donnée
N'avait pas joint leurs cœurs depuis plus d'une année.   980

ARISTE

L'apparence qu'ainsi, sans m'en faire avertir,
A cet engagement elle eût pu consentir,
Moi, qui dans toute chose ai, depuis son enfance,
Montré toujours pour elle entière complaisance
Et qui cent fois ai fait des protestations   985
De ne jamais gêner ses inclinations ?

SGANARELLE

Enfin vos propres yeux jugeront de l'affaire.
J'ai fait venir déjà commissaire et notaire :
Nous avons intérêt que l'hymen prétendu
Répare sur-le-champ l'honneur qu'elle a perdu;   990
Car je ne pense pas que vous soyez si lâche,
De vouloir l'épouser avec cette tache,
Si vous n'avez encor quelques raisonnements
Pour vous mettre au-dessus de tous les bernements.

ARISTE

Moi je n'aurai jamais cette faiblesse extrême   995
De vouloir posséder un cœur malgré lui-même.
Mais je ne saurais croire enfin...

SGANARELLE

                             Que de discours !
Allons : ce procès-là continuerait toujours.

SCÈNE VI

LE COMMISSAIRE, LE NOTAIRE,
SGANARELLE, ARISTE

LE COMMISSAIRE

Il ne faut mettre ici nulle force en usage,
Messieurs; et si vos vœux ne vont qu'au mariage,   1000
Vos transports en ce lieu se peuvent apaiser.
Tous deux également tendent à s'épouser;
Et Valère déjà, sur ce qui vous regarde,
A signé que pour femme il tient celle qu'il garde.

ARISTE

La fille...

LE COMMISSAIRE

          Est renfermée, et ne veut point sortir   1005
Que vos désirs aux leurs ne veuillent consentir.

SCÈNE VII

LE COMMISSAIRE, VALÈRE,
LE NOTAIRE, SGANARELLE, ARISTE

VALÈRE, *à la fenêtre.*

Non, Messieurs ; et personne ici n'aura l'entrée
Que cette volonté ne m'ait été montrée.
Vous savez qui je suis, et j'ai fait mon devoir
En vous signant l'aveu qu'on peut vous faire voir.   1010
Si c'est votre dessein d'approuver l'alliance,
Votre main peut aussi m'en signer l'assurance ;
Sinon, faites état de m'arracher le jour
Plutôt que de m'ôter l'objet de mon amour.

SGANARELLE

Non, nous ne songeons pas à vous séparer d'elle.   1015
Il ne s'est point encor détrompé d'Isabelle.
Profitons de l'erreur.

ARISTE

      Mais est-ce Léonor... ?

SGANARELLE

Taisez-vous.

ARISTE

    Mais...

SGANARELLE

Paix donc.

ARISTE

      Je veux savoir...

SGANARELLE

        Encor ?
Vous tairez-vous ? vous dis-je.

VALÈRE

     Enfin, quoi qu'il advienne,
Isabelle a ma foi ; j'ai de même la sienne,   1020
Et ne suis point un choix, à tout examiner,
Que vous soyez reçus à faire condamner.

ARISTE

Ce qu'il dit là n'est pas...

SGANARELLE

Taisez-vous, et pour cause.
Vous saurez le secret. Oui, sans dire autre chose,
Nous consentons tous deux que vous soyez l'époux   1025
De celle qu'à présent on trouvera chez vous.

LE COMMISSAIRE

C'est dans ces termes-là, que la chose est conçue,
Et le nom est en blanc, pour ne l'avoir point vue.
Signez. La fille après vous mettra tous d'accord.

VALÈRE

J'y consens de la sorte.

SGANARELLE

Et moi, je le veux fort.   1030
Nous rirons bien tantôt. Là, signez donc, mon frère :
L'honneur vous appartient.

ARISTE

Mais quoi ? tout ce mystère...

SGANARELLE

Diantre ! que de façons ! Signez, pauvre butor.

ARISTE

Il parle d'Isabelle, et vous de Léonor.

SGANARELLE

N'êtes-vous pas d'accord, mon frère, si c'est elle,   1035
De les laisser tous deux à leur foi mutuelle ?

ARISTE

Sans doute.

SGANARELLE

Signez donc : j'en fais de même aussi.

ARISTE

Soit : je n'y comprends rien.

SGANARELLE

Vous serez éclairci.

LE COMMISSAIRE

Nous allons revenir.

SGANARELLE

Or çà, je vais vous dire
La fin de cette intrigue.

SCÈNE VIII

LÉONOR, LISETTE, SGANARELLE, ARISTE

LÉONOR

O l'étrange martyre !   1040
Que tous ces jeunes fous me paraissent fâcheux !
Je me suis dérobée au bal pour l'amour d'eux.

LISETTE

Chacun d'eux près de vous veut se rendre agréable.

LÉONOR

Et moi, je n'ai rien vu de plus insupportable ;
Et je préférerais le plus simple entretien   1045
A tous les contes bleus de ces discours de rien.
Ils croient que tout cède à leur perruque blonde,
Et pensent avoir dit le meilleur mot du monde
Lorsqu'ils viennent, d'un ton de mauvais goguenard,
Vous railler sottement sur l'amour d'un vieillard :   1050
Et moi d'un tel vieillard je prise plus le zèle
Que tous les beaux transports d'une jeune cervelle.
Mais n'aperçois-je pas... ?

SGANARELLE

Oui, l'affaire est ainsi.
Ah ! je la vois paraître, et la servante aussi.

ARISTE

Léonor, sans courroux, j'ai sujet de me plaindre :   1055
Vous savez si jamais j'ai voulu vous contraindre,
Et si plus de cent fois je n'ai pas protesté
De laisser à vos vœux leur pleine liberté ;
Cependant votre cœur, méprisant mon suffrage,
De foi comme d'amour à mon insu s'engage.   1060
Je ne me repens pas de mon doux traitement ;
Mais votre procédé me touche assurément ;
Et c'est une action que n'a pas méritée
Cette tendre amitié que je vous ai portée.

LÉONOR

Je ne sais pas sur quoi vous tenez ce discours ;   1065
Mais croyez que je suis de même que toujours,

Que rien ne peut pour vous altérer mon estime,
Que toute autre amitié me paraîtrait un crime
Et que, si vous voulez satisfaire mes vœux,
Un saint nœud dès demain nous unira tous deux.   1070

ARISTE

Dessus quel fondement venez-vous donc, mon frère... ?

SGANARELLE

Quoi ? vous ne sortez pas du logis de Valère ?
Vous n'avez point conté vos amours aujourd'hui ?
Et vous ne brûlez pas depuis un an pour lui ?

LÉONOR

Qui vous a fait de moi de si belles peintures   1075
Et prend soin de forger de telles impostures ?

SCÈNE IX

ISABELLE, VALÈRE, LE COMMISSAIRE,
LE NOTAIRE, ERGASTE, LISETTE, LÉONOR,
SGANARELLE, ARISTE

ISABELLE

Ma sœur, je vous demande un généreux pardon,
Si de mes libertés j'ai taché votre nom.
Le pressant embarras d'une surprise extrême
M'a tantôt inspiré ce honteux stratagème :   1080
Votre exemple condamne un tel emportement :
Mais le sort nous traita nous deux diversement.
Pour vous, je ne veux point, Monsieur, vous faire excuse :
Je vous sers beaucoup plus que je ne vous abuse.
Le Ciel pour être joints ne nous fit pas tous deux :   1085
Je me suis reconnue indigne de vos vœux;
Et j'ai bien mieux aimé me voir aux mains d'un autre
Que ne pas mériter un cœur comme le vôtre.

VALÈRE

Pour moi, je mets ma gloire et mon bien souverain
A la pouvoir, Monsieur, tenir de votre main.   1090

ARISTE

Mon frère, doucement il faut boire la chose :
D'une telle action vos procédés sont cause;
Et je vois votre sort malheureux à ce point
Que, vous sachant dupé, l'on ne vous plaindra point.

LISETTE

Par ma foi, je lui sais bon gré de cette affaire,   1095
Et ce prix de ses soins est un trait exemplaire.

LÉONOR

Je ne sais si ce trait se doit faire estimer;
Mais je sais bien qu'au moins je ne le puis blâmer.

ERGASTE

Au sort d'être cocu son ascendant l'expose,
Et ne l'être qu'en herbe est pour lui douce chose.   1100

SGANARELLE

Non, je ne puis sortir de mon étonnement;
Cette déloyauté confond mon jugement;
Et je ne pense pas que Satan en personne
Puisse être si méchant qu'une telle friponne.
J'aurais pour elle au feu mis la main que voilà :   1105
Malheureux qui se fie à femme après cela!
La meilleure est toujours en malice féconde;
C'est un sexe engendré pour damner tout le monde.
J'y renonce à jamais, à ce sexe trompeur,
Et je le donne tout au diable de bon cœur.   1110

ERGASTE

Bon.

ARISTE

Allons tous chez moi. Venez, Seigneur Valère.
Nous tâcherons demain d'apaiser sa colère.

LISETTE

Vous, si vous connaissez des maris loups-garous,
Envoyez-les au moins à l'école chez nous.

Les Fâcheux sont une œuvre de circonstance. Le surintendant des Finances Nicolas Foucquet, homme très cultivé, protecteur généreux des poètes et des artistes, avait décidé de donner, au mois d'août 1661, en l'honneur du roi, une fête magnifique dans le somptueux château qu'il avait fait édifier à Vaux-le-Vicomte, près de Melun. Cette fête est restée célèbre, car elle devance de quelques semaines seulement l'arrestation et la condamnation à la prison perpétuelle du surintendant.

Foucquet voulut offrir à Louis XIV, après souper, la comédie aux flambeaux dans le parc du château. Il s'adressa à Molière, dont il avait déjà fait représenter à Vaux l'École des maris, pour lui fournir un divertissement. La pièce nouvelle fut conçue, écrite, apprise et représentée en quinze jours. C'est dire la hâte avec laquelle Molière dut travailler. Il devait souvent connaître, plus tard, des conditions de travail aussi difficiles, avec les commandes royales.

Les Fâcheux, comédie en trois actes et en vers, se ressentent de cette hâte. C'est une pièce à tiroirs, une série de sketches plutôt qu'une comédie. Elle met en scène une série de fâcheux, c'est-à-dire de personnages importuns, qui se succèdent et empêchent un amant de rejoindre sa maîtresse. Inutile cette fois de chercher des sources littéraires à l'ouvrage ; il n'y en a pas ; c'est une fantaisie sortie tout entière de l'imagination de Molière. Précédée d'un prologue en l'honneur du roi, versifié par Pellisson, poète et commis de Foucquet, la comédie fait donc défiler, en une sorte de revue, quelques personnages pittoresques : un marquis prétentieux, un cavalier galant, un amateur passionné de musique, un gentilhomme chatouilleux sur l'honneur, un joueur, deux précieuses bavardes, un cuistre pédant, un inventeur perdu dans le rêve de ses imagina-

tions, un bretteur professionnel ; à tous ces types empruntés
à la société contemporaine, Molière en ajouta même un
nouveau, le chasseur, peint sur le modèle du marquis de
Soyecourt que Louis XIV daigna lui désigner lui-même.

On remarquera, en passant, que ce procédé d'un défilé
de fâcheux qui retarde sans cesse la réunion de deux amants
fut repris plus tard par Molière dans *le Misanthrope*, où
l'on voit Alceste constamment empêché de rejoindre Céli-
mène. Mais le procédé seul subsiste, et il est intégré dans
une comédie de caractère fort différente des *Fâcheux*.

La fête de Vaux, d'un luxe inouï, se déroula le 17 août
1661 ; *les Fâcheux* remportèrent un très vif succès auprès des
invités de Foucquet. Le Brun, le futur décorateur de Versailles, était l'auteur des décors et la mise en scène avait été
réglée par le fameux Torelli, spécialiste des « machines »,
qui avait monté naguère avec éclat l'*Andromède* de Corneille. La comédie était insérée dans une féerie mytholo-
gique fort conventionnelle, utilisant le décor naturel du parc
de Vaux où évoluaient naïades, dryades, faunes et satyres.

Œuvre de circonstance qui s'éteignit avec les flambeaux
de la fête, *les Fâcheux* n'occupent qu'une place mineure dans
le théâtre de Molière. Mais cette comédie a une importance particulière dans son histoire.

Tout d'abord, elle plut beaucoup au roi qui, depuis trois
ans, n'avait cessé de protéger Molière. Mais, à partir des
Fâcheux, Louis XIV, bien qu'offusqué par la splendeur
de la fête de Vaux, entrevit la part que le poète pourrait
prendre dans les fêtes royales pour lesquelles il allait
bientôt construire le cadre prestigieux de Versailles. De ce
jour, Louis XIV a adopté Molière, il en fera son fournis-
seur attitré de divertissements et de comédies. Et cette
volonté royale orientera et déterminera toute une partie de
la carrière et de l'œuvre de Molière. Celui-ci, semble-t-il,
eut tout de suite conscience de cette considérable promo-
tion. En effet, lorsque, après avoir repris avec succès *les
Fâcheux* au Palais-Royal, le 4 novembre 1661, après l'arrestation de Foucquet, il fit imprimer sa pièce, il l'offrit
au roi lui-même dans une dédicace, respectueuse certes,
mais dont le ton enjoué et presque familier prouve qu'une
véritable entente, un accord s'était déjà conclu entre le
souverain et le poète.

Si *les Fâcheux* avaient tellement plu à Louis XIV, c'est
que la pièce lui offrait une comédie d'un genre tout nouveau, la comédie-ballet, dont il comprit immédiatement
l'éclat qu'elle pouvait apporter aux fêtes de cour.

Cette création semble avoir été surtout l'effet d'un hasard, plutôt que d'une préméditation du poète. En effet, Foucquet avait envisagé d'offrir au roi, en même temps que la comédie, un ballet, genre de divertissement musical en honneur depuis longtemps à la cour. C'est le musicien Beauchamp qui avait réglé le ballet et en avait écrit la musique. Mais comme il ne disposait que d'un petit nombre d'excellents danseurs, il eut l'idée de répartir ses entrées de ballets en intermède entre les actes de la comédie, « afin que ces intervalles donnassent temps aux mêmes baladins de revenir sous d'autres habits ». Il est évident que cette solution occasionnelle d'un problème matériel aboutit à cet inconvénient majeur que le ballet, découpé et servi aux spectateurs pendant les entractes, et sans rapport avec la pièce elle-même, s'y accordait assez mal. Mais cette alternance de scènes parlées et d'intermèdes chantés et dansés ravit le public. La comédie-ballet était née; songeant sans doute aux chœurs de la comédie d'Aristophane, Molière lui trouva « quelques autorités dans l'Antiquité ». Plus tard, il écrira lui-même les intermèdes de ses comédies-ballets, les rattachant, par un fil parfois assez ténu, au sujet principal de sa comédie. Les comédies-ballets, où l'on vit parfois le roi lui-même paraître en danseur costumé, furent un des éléments essentiels des fêtes de Versailles, de Fontainebleau, de Chambord et de Saint-Germain. N'oublions pas que dix pièces de Molière — près d'un tiers de sa production totale — sont des comédies-ballets, la plupart du temps commandées par Louis XIV lui-même pour les fêtes royales, avec la collaboration de Lulli, puis de Charpentier, pour la musique.

Molière est donc le véritable créateur de cette formule nouvelle où, mêlant étroitement la poésie, la musique et la danse, il avait tenté, à l'exemple des modèles antiques, de retrouver un art théâtral complet, faisant appel à toutes les ressources, à toutes les techniques propres à enrichir la représentation théâtrale et à lui donner le plus d'éclat, de diversité et de charme pour la joie du spectateur. Par cette création heureuse, admirablement adaptée aux décors naturels ou artificiels des théâtres de verdure ou de palais, Molière, concurremment aux auteurs de pièces mythologiques « à machines », mêlées de danses et de musique, dont le théâtre du Marais s'était fait une spécialité, apparaît comme un des précurseurs de l'opéra français. Les Fâcheux marquent le point de départ de cette forme d'art nouvelle, appelée à de si riches développements.

LES FACHEUX

COMÉDIE

FAITE POUR LES DIVERTISSEMENTS DU ROI
AU MOIS D'AOUT 1661,
ET REPRÉSENTÉE POUR LA PREMIÈRE FOIS EN PUBLIC A PARIS
SUR LE THÉATRE DU PALAIS-ROYAL
LE 4ᵉ NOVEMBRE DE LA MÊME ANNÉE 1661

PAR LA

Troupe de Monsieur, frère unique du Roi

AU ROI

J'ajoute une scène à la comédie; et c'est une espèce de fâcheux assez insupportable qu'un homme qui dédie un livre. Votre Majesté en sait des nouvelles plus que personne de son royaume, et ce n'est pas d'aujourd'hui qu'Elle se voit en butte à la furie des épîtres dédicatoires. Mais, bien que je suive l'exemple des autres, et me mette moi-même au rang de ceux que j'ai joués, j'ose dire toutefois à Votre Majesté que ce que j'en fais n'est pas tant pour lui présenter un livre que pour avoir lieu de lui rendre grâces du succès de cette comédie. Je le dois, Sire, ce succès qui a passé mon attente, non seulement à cette glorieuse approbation dont Votre Majesté honora d'abord la pièce, et qui a entraîné si hautement celle de tout le monde, mais encore à l'ordre qu'Elle me donna d'y ajouter un caractère de fâcheux, dont elle eut la bonté de m'ouvrir les idées Elle-même, et qui a été trouvé partout le plus beau morceau de l'ouvrage. Il faut avouer, Sire, que je n'ai jamais rien fait avec tant de facilité, ni si promptement que cet endroit où Votre Majesté me commanda de travailler. J'avais une joie à lui obéir qui me valait bien mieux qu'Apollon et toutes les Muses; et je conçois par là ce que je serais capable d'exécuter pour une comédie entière, si j'étais inspiré par de pareils commandements. Ceux qui sont nés en un rang élevé peuvent se proposer l'honneur de servir Votre Majesté dans les grands emplois, mais, pour moi, toute la gloire où je puis aspirer, c'est de la réjouir. Je borne là l'ambition de mes souhaits; et je crois qu'en quelque façon ce n'est pas être inutile à la France que de contribuer quelque chose au divertissement de son roi. Quand je n'y réussirai pas, ce ne sera jamais par un défaut de zèle ni d'étude, mais seulement par un mauvais destin qui suit assez souvent les meilleures intentions, et qui sans doute affligerait sensiblement.

Sire,

DE Votre Majesté,

Le très humble, très obéissant, et très
fidèle serviteur et sujet.

MOLIÈRE.

AVERTISSEMENT

Jamais entreprise au théâtre ne fut si précipitée que celle-ci, et c'est une chose, je crois, toute nouvelle qu'une comédie ait été conçue, faite, apprise et représentée en quinze jours. Je ne dis pas cela pour me piquer de l'*impromptu* et en prétendre de la gloire, mais seulement pour prévenir certaines gens qui pourraient trouver à redire que je n'aie pas mis ici toutes les espèces de fâcheux qui se trouvent. Je sais que le nombre en est grand, et à la cour et dans la ville, et que, sans épisodes, j'eusse bien pu en composer une comédie de cinq actes bien fournis, et avoir encore de la matière de reste. Mais, dans le peu de temps qui me fut donné, il m'était impossible de faire un grand dessein, et de rêver beaucoup sur le choix de mes personnages et sur la disposition de mon sujet. Je me réduisis donc à ne toucher qu'un petit nombre d'importuns, et je pris ceux qui s'offrirent d'abord à mon esprit, et que je crus les plus propres à réjouir les augustes personnes devant qui j'avais à paraître ; et, pour lier promptement toutes ces choses ensemble, je me servis du premier nœud que je pus trouver. Ce n'est pas mon dessein d'examiner maintenant si tout cela pouvait être mieux, et si tous ceux qui s'y sont divertis ont ri selon les règles : le temps viendra de faire imprimer mes remarques sur les pièces que j'aurai faites, et je ne désespère pas de faire voir un jour, en grand auteur, que je puis citer Aristote et Horace. En attendant cet examen, qui peut-être ne viendra point, je m'en remets assez aux décisions de la multitude, et je tiens aussi difficile de combattre un ouvrage que le public approuve, que d'en défendre un qu'il condamne.

Il n'y a personne qui ne sache pour quelle réjouissance la pièce fut composée, et cette fête a fait un tel éclat qu'il n'est pas nécessaire d'en parler ; mais il ne sera pas hors de propos de dire deux paroles des ornements qu'on a mêlés avec la comédie.

Le dessein était de donner un ballet aussi ; et, comme il n'y avait qu'un petit nombre choisi de danseurs excellents, on fut contraint de séparer les entrées de ce ballet, et l'avis fut de les jeter dans les entr'actes de la comédie, afin que ces intervalles donnassent temps aux mêmes baladins de revenir sous d'autres habits. De sorte que, pour ne point rompre aussi le fil de la pièce par ces manières d'intermèdes, on s'avisa de les coudre au sujet du mieux que l'on put, et de ne faire qu'une seule chose du ballet et de la comédie ; mais, comme

le temps était fort précipité, et que tout cela ne fut pas réglé entière-
ment par une même tête, on trouvera peut-être quelques endroits du
ballet qui n'entrent pas dans la comédie aussi naturellement que
d'autres. Quoi qu'il en soit, c'est un mélange qui est nouveau pour nos
théâtres, et dont on pourrait chercher quelques autorités dans l'antiquité; et, comme tout le monde l'a trouvé agréable, il peut servir
d'idée à d'autres choses qui pourraient être méditées avec plus de
loisir.

D'abord que la toile fut levée, un des acteurs, comme vous pourriez
dire moi, parut sur le théâtre en habit de ville, et, s'adressant au Roi
avec le visage d'un homme surpris, fit des excuses en désordre sur ce
qu'il se trouvait là seul, et manquait de temps et d'acteurs pour donner
à Sa Majesté le divertissement qu'elle semblait attendre. En même
temps, au milieu de vingt jets d'eau naturels, s'ouvrit cette coquille
que tout le monde a vue, et l'agréable Naïade qui parut dedans
s'avança au bord du théâtre, et, d'un air héroïque, prononça les vers
que M. Pellisson avait faits, et qui servent de prologue.

MOLIÈRE.

PROLOGUE

Pour voir en ces beaux lieux le plus grand Roi du monde,
Mortels, je viens à vous de ma grotte profonde.
Faut-il, en sa faveur, que la Terre ou que l'Eau
Produisent à vos yeux un spectacle nouveau ?
Qu'il parle, ou qu'il souhaite, il n'est rien d'impossible :   5
Lui-même n'est-il pas un miracle visible ?
Son règne, si fertile en miracles divers,
N'en demande-t-il pas à tout cet univers ?
Jeune, victorieux, sage, vaillant, auguste,
Aussi doux que sévère, aussi puissant que juste,   10
Régler et ses États et ses propres désirs,
Joindre aux nobles travaux les plus nobles plaisirs,
En ses justes projets jamais ne se méprendre,
Agir incessamment, tout voir et tout entendre :
Qui peut cela peut tout ; il n'a qu'à tout oser,   15
Et le Ciel à ses vœux ne peut rien refuser.
Ces termes marcheront, et, si Louis l'ordonne,
Ces arbres parleront mieux que ceux de Dodone.
Hôtesses de leurs troncs, moindres divinités,
C'est Louis qui le veut, sortez, Nymphes, sortez ;   20
Je vous montre l'exemple : il s'agit de lui plaire ;
Quittez pour quelque temps votre forme ordinaire,
Et paraissons ensemble aux yeux des spectateurs
Pour ce nouveau théâtre autant de vrais acteurs.

> Plusieurs Dryades accompagnées de Faunes et
> de Satyres sortent des arbres et des termes.

Vous, soins de ses sujets, sa plus charmante étude,   25
Héroïque souci, royale inquiétude,
Laissez-le respirer, et souffrez qu'un moment
Son grand cœur s'abandonne au divertissement :

Vous le verrez demain, d'une force nouvelle,
Sous le fardeau pénible où votre voix l'appelle,   30
Faire obéir les lois, partager les bienfaits,
Par ses propres conseils prévenir nos souhaits,
Maintenir l'univers dans une paix profonde,
Et s'ôter le repos pour le donner au monde.
Qu'aujourd'hui tout lui plaise, et semble consentir
A l'unique dessein de le bien divertir.   35
Fâcheux, retirez-vous ; ou, s'il faut qu'il vous voie,
Que ce soit seulement pour exciter sa joie.

La Naïade emmène avec elle, pour la comédie, une partie des gens
    qu'elle a fait paraître, pendant que le reste se met à danser au son
    des hautbois, qui se joignent aux violons.

PERSONNAGES

ÉRASTE.
LA MONTAGNE.
ALCIDOR.
ORPHISE.
LYSANDRE.
ALCANDRE.
ALCIPPE.
ORANTE.
CLYMÈNE.
DORANTE.
CARITIDÈS.
ORMIN.
FILINTE.
DAMIS.
L'ESPINE.
LA RIVIÈRE ET DEUX CAMARADES.

ACTE PREMIER

SCÈNE I

ÉRASTE, LA MONTAGNE

ÉRASTE

Sous quel astre, bon Dieu, faut-il que je sois né,
Pour être de Fâcheux toujours assassiné!
Il semble que partout le sort me les adresse,
Et j'en vois chaque jour quelque nouvelle espèce;
Mais il n'est rien d'égal au Fâcheux d'aujourd'hui;　　5
J'ai cru n'être jamais débarrassé de lui,
Et cent fois j'ai maudit cette innocente envie
Qui m'a pris à dîné de voir la comédie,
Où, pensant m'égayer, j'ai misérablement
Trouvé de mes péchés le rude châtiment.　　10
Il faut que je te fasse un récit de l'affaire,
Car je m'en sens encor tout ému de colère.
J'étais sur le théâtre, en humeur d'écouter
La pièce, qu'à plusieurs j'avais ouï vanter;
Les acteurs commençaient, chacun prêtait silence,　　15
Lorsque d'un air bruyant et plein d'extravagance,
Un homme à grands canons est entré brusquement,
En criant : « Holà-ho! un siège promptement! »
Et de son grand fracas surprenant l'assemblée,
Dans le plus bel endroit a la pièce troublée.　　20
Hé! mon Dieu! nos Français, si souvent redressés,
Ne prendront-ils jamais un air de gens sensés,
Ai-je dit, et faut-il sur nos défauts extrêmes
Qu'en théâtre public nous nous jouions nous-mêmes,
Et confirmions ainsi par des éclats de fous　　25
Ce que chez nos voisins on dit partout de nous ?
Tandis que là-dessus je haussais les épaules,

Les acteurs ont voulu continuer leurs rôles;
Mais l'homme pour s'asseoir a fait nouveau fracas,
Et traversant encor le théâtre à grands pas,   30
Bien que dans les côtés il pût être à son aise,
Au milieu du devant il a planté sa chaise,
Et de son large dos morguant les spectateurs,
Aux trois quarts du parterre a caché les acteurs.
Un bruit s'est élevé, dont un autre eût eu honte;   35
Mais lui, ferme et constant, n'en a fait aucun compte,
Et se serait tenu comme il s'était posé,
Si, pour mon infortune, il ne m'eût avisé.
« Ha! Marquis, m'a-t-il dit, prenant près de moi place,
Comment te portes-tu ? Souffre que je t'embrasse. »   40
Au visage sur l'heure un rouge m'est monté
Que l'on me vît connu d'un pareil éventé.
Je l'étais peu pourtant; mais on en voit paraître,
De ces gens qui de rien veulent fort vous connaître,
Dont il faut au salut les baisers essuyer,   45
Et qui sont familiers jusqu'à vous tutoyer.
Il m'a fait à l'abord cent questions frivoles,
Plus haut que les acteurs élevant ses paroles.
Chacun le maudissait; et moi, pour l'arrêter :
« Je serais, ai-je dit, bien aise d'écouter.   50
— Tu n'as point vu ceci, Marquis ? Ah! Dieu me damne,
Je le trouve assez drôle, et je n'y suis pas âne;
Je sais par quelles lois un ouvrage est parfait,
Et Corneille me vient lire tout ce qu'il fait. »
Là-dessus de la pièce il m'a fait un sommaire,   55
Scène à scène averti de ce qui s'allait faire;
Et jusques à des vers qu'il en savait par cœur,
Il me les récitait tout haut avant l'acteur.
J'avais beau m'en défendre, il a poussé sa chance,
Et s'est devers la fin levé longtemps d'avance;   60
Car les gens du bel air, pour agir galamment,
Se gardent bien surtout d'ouïr le dénouement.
Je rendais grâce au Ciel, et croyais de justice
Qu'avec la comédie eût fini mon supplice;
Mais, comme si c'en eût été trop bon marché,   65
Sur nouveaux frais mon homme à moi s'est attaché,
M'a conté ses exploits, ses vertus non communes,
Parlé de ses chevaux, de ses bonnes fortunes,
Et de ce qu'à la cour il avait de faveur,
Disant qu'à m'y servir il s'offrait de grand cœur.   70
Je le remerciais doucement de la tête,
Minutant à tous coups quelque retraite honnête;

Mais lui, pour le quitter me voyant ébranlé :
« Sortons, ce m'a-t-il dit, le monde est écoulé » ;
Et sortis de ce lieu, me la donnant plus sèche :   75
« Marquis, allons au Cours faire voir ma calèche ;
Elle est bien entendue, et plus d'un duc et pair
En fait à mon faiseur faire une du même air. »
Moi de lui rendre grâce, et pour mieux m'en défendre,
De dire que j'avais certain repas à rendre.   80
« Ah ! parbleu ! j'en veux être, étant de tes amis,
Et manque au maréchal, à qui j'avais promis.
— De la chère, ai-je fait, la dose est trop peu forte,
Pour oser y prier des gens de votre sorte.
— Non, m'a-t-il répondu, je suis sans compliment,   85
Et j'y vais pour causer avec toi seulement ;
Je suis des grands repas fatigué, je te jure.
— Mais si l'on vous attend, ai-je dit, c'est injure...
— Tu te moques, Marquis : nous nous connaissons tous,
Et je trouve avec toi des passe-temps plus doux. »   90
Je pestais contre moi, l'âme triste et confuse
Du funeste succès qu'avait eu mon excuse,
Et ne savais à quoi je devais recourir
Pour sortir d'une peine à me faire mourir,
Lorsqu'un carrosse fait de superbe manière,   95
Et comblé de laquais et devant et derrière,
S'est avec un grand bruit devant nous arrêté,
D'où sautant un jeune homme amplement ajusté,
Mon Importun et lui courant à l'embrassade
Ont surpris les passants de leur brusque incartade ;   100
Et tandis que tous deux étaient précipités
Dans les convulsions de leurs civilités,
Je me suis doucement esquivé sans rien dire,
Non sans avoir longtemps gémi d'un tel martyre,
Et maudit ce Fâcheux, dont le zèle obstiné   105
M'ôtait au rendez-vous qui m'est ici donné.

La Montagne

Ce sont chagrins mêlés aux plaisirs de la vie :
Tout ne va pas, Monsieur, au gré de notre envie.
Le Ciel veut qu'ici-bas chacun ait ses Fâcheux,
Et les hommes seraient sans cela trop heureux.   110

Éraste

Mais de tous mes Fâcheux le plus fâcheux encore,
C'est Damis, le tuteur de celle que j'adore,
Qui rompt ce qu'à mes vœux elle donne d'espoir,
Et fait qu'en sa présence elle n'ose me voir.

Je crains d'avoir déjà passé l'heure promise,   115
Et c'est dans cette allée où devait être Orphise.

LA MONTAGNE

L'heure d'un rendez-vous d'ordinaire s'étend,
Et n'est pas resserrée aux bornes d'un instant.

ÉRASTE

Il est vrai ; mais je tremble, et mon amour extrême,
D'un rien se fait un crime envers celle que j'aime.   120

LA MONTAGNE

Si ce parfait amour, que vous prouvez si bien,
Se fait vers votre objet un grand crime de rien,
Ce que son cœur pour vous sent de feux légitimes,
En revanche lui fait un rien de tous vos crimes.

ÉRASTE

Mais, tout de bon, crois-tu que je sois d'elle aimé ?   125

LA MONTAGNE

Quoi ? vous doutez encor d'un amour confirmé... ?

ÉRASTE

Ah ! c'est malaisément qu'en pareille matière
Un cœur bien enflammé prend assurance entière ;
Il craint de se flatter, et dans ses divers soins,
Ce que plus il souhaite est ce qu'il croit le moins.   130
Mais songeons à trouver une beauté si rare.

LA MONTAGNE

Monsieur, votre rabat par devant se sépare.

ÉFASTE

N'importe.

LA MONTAGNE

Laissez-moi l'ajuster, s'il vous plaît.

ÉRASTE

Ouf ! tu m'étrangles, fat ; laisse-le comme il est.

LA MONTAGNE

Souffrez qu'on peigne un peu...

ÉRASTE

Sottise sans pareille !   135
Tu m'as d'un coup de dent presque emporté l'oreille.

LA MONTAGNE

Vos canons...

ÉRASTE

Laisse-les, tu prends trop de souci.

LA MONTAGNE

Ils sont tout chiffonnés.

ÉRASTE

Je veux qu'ils soient ainsi.

LA MONTAGNE

Accordez-moi du moins, pour grâce singulière,
De frotter ce chapeau, qu'on voit plein de poussière.   140

ÉRASTE

Frotte donc, puisqu'il faut que j'en passe par là.

LA MONTAGNE

Le voulez-vous porter fait comme le voilà ?

ÉRASTE

Mon Dieu, dépêche-toi.

LA MONTAGNE

Ce serait conscience.

ÉRASTE, *après avoir attendu.*

C'est assez.

LA MONTAGNE

Donnez-vous un peu de patience.

ÉRASTE

Il me tue.

LA MONTAGNE

En quel lieu vous êtes-vous fourré ?   145

ÉRASTE

T'es-tu de ce chapeau pour toujours emparé ?

LA MONTAGNE

C'est fait.

ÉRASTE

Donne-moi donc.

LA MONTAGNE, *laissant tomber le chapeau.*

Hay !

ÉRASTE

Le voilà par terre :
Je suis fort avancé. Que la fièvre te serre !

LA MONTAGNE

Permettez qu'en deux coups j'ôte...

ÉRASTE

Il ne me plaît pas.
Au diantre tout valet qui vous est sur les bras,   150
Qui fatigue son maître, et ne fait que déplaire
A force de vouloir trancher du nécessaire !

SCÈNE II

ORPHISE, ALCIDOR, ÉRASTE,
LA MONTAGNE

ÉRASTE

Mais vois-je pas Orphise ? Oui, c'est elle qui vient.
Où va-t-elle si vite, et quel homme la tient ?

Il la salue comme elle passe, et elle, en passant,
détourne la tête.

Quoi ? me voir en ces lieux devant elle paraître,   155
Et passer en feignant de ne me pas connaître !
Que croire ? Qu'en dis-tu ? Parle donc, si tu veux.

LA MONTAGNE

Monsieur, je ne dis rien, de peur d'être fâcheux.

ÉRASTE

Et c'est l'être en effet que de ne me rien dire
Dans les extrémités d'un si cruel martyre.   160
Fais donc quelque réponse à mon cœur abattu.
Que dois-je présumer ? Parle, qu'en penses-tu ?
Dis-moi ton sentiment.

LA MONTAGNE

Monsieur, je veux me taire,
Et ne désire point trancher du nécessaire.

ÉRASTE

Peste l'impertinent ! Va-t'en suivre leurs pas,   165
Vois ce qu'ils deviendront, et ne les quitte pas.

LA MONTAGNE, *revenant.*

Il faut suivre de loin ?

ÉRASTE

Oui.

LA MONTAGNE, *revenant.*

Sans que l'on me voie
Ou faire aucun semblant qu'après eux on m'envoie ?

ÉRASTE

Non, tu feras bien mieux de leur donner avis
Que par mon ordre exprès ils sont de toi suivis.   170

LA MONTAGNE, *revenant.*

Vous trouverai-je ici ?

ÉRASTE

Que le Ciel te confonde,
Homme, à mon sentiment, le plus fâcheux du monde !

La Montagne s'en va.

Ah ! que je sens de trouble, et qu'il m'eût été doux
Qu'on me l'eût fait manquer, ce fatal rendez-vous !
Je pensais y trouver toutes choses propices,   175
Et mes yeux pour mon cœur y trouvent des supplices.

SCÈNE III

LYSANDRE, ÉRASTE

LYSANDRE

Sous ces arbres, de loin, mes yeux t'ont reconnu,
Cher Marquis, et d'abord je suis à toi venu.
Comme à de mes amis, il faut que je te chante
Certain air que j'ai fait de petite courante,   180
Qui de toute la cour contente les experts,
Et sur qui plus de vingt ont déjà fait des vers.
J'ai le bien, la naissance, et quelque emploi passable,
Et fais figure en France assez considérable ;
Mais je ne voudrais pas, pour tout ce que je suis,   185
N'avoir point fait cet air qu'ici je te produis.
La, la, hem, hem, écoute avec soin, je te prie.

Il chante sa courante.

N'est-elle pas belle ?

ÉRASTE

Ah!

LYSANDRE

Cette fin est jolie.

Il rechante la fin quatre ou cinq fois de suite.

Comment la trouves-tu ?

ÉRASTE

Fort belle assurément.

LYSANDRE

Les pas que j'en ai faits n'ont pas moins d'agrément.   190
Et surtout la figure a merveilleuse grâce.

*Il chante, parle et danse tout ensemble, et fait
faire à Éraste les figures de la femme.*

Tiens, l'homme passe ainsi ; puis la femme repasse ;
Ensemble ; puis on quitte, et la femme vient là.
Vois-tu ce petit trait de feinte que voilà ?
Ce fleuret ? ces coupés courant après la belle ?   195
Dos à dos ; face à face, en se pressant sur elle.

Après avoir achevé.

Que t'en semble, Marquis ?

ÉRASTE

Tous ces pas-là sont fins.

LYSANDRE

Je me moque, pour moi, des maîtres baladins.

ÉRASTE

On le voit.

LYSANDRE

Les pas donc... ?

ÉRASTE

N'ont rien qui ne surprenne.

LYSANDRE

Veux-tu, par amitié, que je te les apprenne ?   200

ÉRASTE

Ma foi, pour le présent, j'ai certain embarras...

LYSANDRE

Eh bien ! donc, ce sera lorsque tu le voudras.
Si j'avais dessus moi ces paroles nouvelles,
Nous les lirions ensemble, et verrions les plus belles.

ÉRASTE

Une autre fois.

LYSANDRE

Adieu : Baptiste le très cher   205
N'a point vu ma courante, et je le vais chercher.
Nous avons pour les airs de grandes sympathies,
Et je veux le prier d'y faire des parties.

Il s'en va chantant toujours.

ÉRASTE

Ciel! faut-il que le rang, dont on veut tout couvrir,
De cent sots tous les jours nous oblige à souffrir,   210
Et nous fasse abaisser jusques aux complaisances
D'applaudir bien souvent à leurs impertinences ?

SCÈNE IV

LA MONTAGNE, ÉRASTE

LA MONTAGNE

Monsieur, Orphise est seule, et vient de ce côté.

ÉRASTE

Ah! d'un trouble bien grand je me sens agité :
J'ai de l'amour encor pour la belle inhumaine,   215
Et ma raison voudrait que j'eusse de la haine.

LA MONTAGNE

Monsieur, votre raison ne sait ce qu'elle veut,
Ni ce que sur un cœur une maîtresse peut.
Bien que de s'emporter on ait de justes causes,
Une belle d'un mot rajuste bien des choses.   220

ÉRASTE

Hélas! je te l'avoue, et déjà cet aspect
A toute ma colère imprime le respect.

SCÈNE V

ORPHISE, ÉRASTE, LA MONTAGNE

ORPHISE

Votre front à mes yeux montre peu d'allégresse.
Serait-ce ma présence, Éraste, qui vous blesse ?

Qu'est-ce donc ? qu'avez-vous ? et sur quels déplaisirs,   225
Lorsque vous me voyez, poussez-vous des soupirs ?

ÉRASTE

Hélas ! pouvez-vous bien me demander, cruelle,
Ce qui fait de mon cœur la tristesse mortelle ?
Et d'un esprit méchant n'est-ce pas un effet
Que feindre d'ignorer ce que vous m'avez fait ?   230
Celui dont l'entretien vous a fait à ma vue
Passer...

ORPHISE, riant.

C'est de cela que votre âme est émue ?

ÉRASTE

Insultez, inhumaine, encore à mon malheur.
Allez, il vous sied mal de railler ma douleur,
Et d'abuser, ingrate, à maltraiter ma flamme,   235
Du faible que pour vous vous savez qu'a mon âme.

ORPHISE

Certes il en faut rire, et confesser ici
Que vous êtes bien fou de vous troubler ainsi.
L'homme dont vous parlez, loin qu'il puisse me plaire,
Est un homme fâcheux dont j'ai su me défaire,   240
Un de ces importuns et sots officieux
Qui ne sauraient souffrir qu'on soit seule en des lieux,
Et viennent aussitôt avec un doux langage
Vous donner une main contre qui l'on enrage.
J'ai feint de m'en aller pour cacher mon dessein,   245
Et jusqu'à mon carrosse il m'a prêté la main;
Je m'en suis promptement défaite de la sorte,
Et j'ai pour vous trouver rentré par l'autre porte.

ÉRASTE

A vos discours, Orphise, ajouterai-je foi,
Et votre cœur est-il tout sincère pour moi ?   250

ORPHISE

Je vous trouve fort bon de tenir ces paroles,
Quand je me justifie à vos plaintes frivoles.
Je suis bien simple encore, et ma sotte bonté...

ÉRASTE

Ah ! ne vous fâchez pas, trop sévère beauté :
Je veux croire en aveugle, étant sous votre empire,   255
Tout ce que vous aurez la bonté de me dire.

Trompez, si vous voulez, un malheureux amant :
J'aurai pour vous respect jusques au monument.
Maltraitez mon amour, refusez-moi le vôtre,
Exposez à mes yeux le triomphe d'un autre ;   260
Oui, je souffrirai tout de vos divins appas :
J'en mourrai ; mais enfin je ne m'en plaindrai pas.

ORPHISE

Quand de tels sentiments régneront dans votre âme,
Je saurai de ma part...

SCÈNE VI

ALCANDRE, ORPHISE, ÉRASTE,
LA MONTAGNE

ALCANDRE

Marquis, un mot. Madame,
De grâce, pardonnez si je suis indiscret,   265
En osant, devant vous, lui parler en secret.
Avec peine, Marquis, je te fais la prière ;
Mais un homme vient là de me rompre en visière,
Et je souhaite fort, pour ne rien reculer,
Qu'à l'heure de ma part tu l'ailles appeler :   270
Tu sais qu'en pareil cas ce serait avec joie
Que je te le rendrais en la même monnoie.

ÉRASTE, après avoir un peu demeuré sans parler.

Je ne veux point ici faire le capitan ;
Mais on m'a vu soldat avant que courtisan ;
J'ai servi quatorze ans, et je crois être en passe   275
De pouvoir d'un tel pas me tirer avec grâce,
Et de ne craindre point qu'à quelque lâcheté
Le refus de mon bras me puisse être imputé.
Un duel met les gens en mauvaise posture,
Et notre roi n'est pas un monarque en peinture :   280
Il sait faire obéir les plus grands de l'État,
Et je trouve qu'il fait en digne potentat.
Quand il faut le servir, j'ai du cœur pour le faire ;
Mais je ne m'en sens point quand il faut lui déplaire ;
Je me fais de son ordre une suprême loi :   285
Pour lui désobéir, cherche un autre que moi.
Je te parle, Vicomte, avec franchise entière,
Et suis ton serviteur en toute autre matière.

Adieu. Cinquante fois au diable les Fâcheux!
Où donc s'est retiré cet objet de mes vœux ?   290

LA MONTAGNE
Je ne sais.

ÉRASTE
Pour savoir où la belle est allée,
Va-t'en chercher partout : j'attends dans cette allée.

BALLET DU PREMIER ACTE

PREMIÈRE ENTRÉE

*Des joueurs de mail, en criant gare, l'obligent
à se retirer; et comme il veut revenir lorsqu'ils
ont fait,*

DEUXIÈME ENTRÉE

*des curieux viennent, qui tournent autour de lui
pour le connaître, et font qu'il se retire encore
pour un moment.*

ACTE II

SCÈNE I

ÉRASTE

Mes Fâcheux à la fin se sont-ils écartés ?
Je pense qu'il en pleut ici de tous côtés.
Je les fuis, et les trouve; et pour second martyre,   295
Je ne saurais trouver celle que je désire.
Le tonnerre et la pluie ont promptement passé,
Et n'ont point de ces lieux le beau monde chassé.
Plût au Ciel, dans les dons que ses soins y prodiguent,
Qu'ils en eussent chassé tous les gens qui fatiguent!   300
Le soleil baisse fort, et je suis étonné
Que mon valet encore ne soit point retourné.

SCÈNE II

ALCIPPE, ÉRASTE

ALCIPPE

Bonjour.

ÉRASTE

Eh quoi ? toujours ma flamme divertie!

ALCIPPE

Console-moi, Marquis, d'une étrange partie
Qu'au piquet je perdis hier contre un Saint-Bouvain, 305
A qui je donnerais quinze points et la main.
C'est un coup enragé, qui depuis hier m'accable,
Et qui ferait donner tous les joueurs au diable,
Un coup assurément à se pendre en public.
Il ne m'en faut que deux; l'autre a besoin d'un pic : 310
Je donne, il en prend six, et demande à refaire;
Moi, me voyant de tout, je n'en voulus rien faire.
Je porte l'as de trèfle (admire mon malheur),
L'as, le roi, le valet, le huit et dix de cœur,
Et quitte, comme au point allait la politique, 315
Dame et roi de carreau, dix et dame de pique.
Sur mes cinq cœurs portés la dame arrive encor,
Qui me fait justement une quinte major.
Mais mon homme avec l'as, non sans surprise extrême,
Des bas carreaux sur table étale une sixième. 320
J'en avais écarté la dame avec le roi.
Mais lui fallant un pic, je sortis hors d'effroi,
Et croyais bien du moins faire deux points uniques.
Avec les sept carreaux il avait quatre piques,
Et jetant le dernier, m'a mis dans l'embarras
De ne savoir lequel garder de mes deux as. 325
J'ai jeté l'as de cœur, avec raison, me semble;
Mais il avait quitté quatre trèfles ensemble,
Et par un six de cœur je me suis vu capot,
Sans pouvoir, de dépit, proférer un seul mot. 330
Morbleu! fais-moi raison de ce coup effroyable :
A moins que l'avoir vu, peut-il être croyable ?

ÉRASTE

C'est dans le jeu qu'on voit les plus grands coups du sort.

ALCIPPE

Parbleu! tu jugeras toi-même si j'ai tort,
Et si c'est sans raison que ce coup me transporte;   335
Car voici nos deux jeux, qu'exprès sur moi je porte.
Tiens, c'est ici mon port, comme je te l'ai dit,
Et voici...

ÉRASTE

      J'ai compris le tout par ton récit,
Et vois de la justice au transport qui t'agite;
Mais pour certaine affaire il faut que je te quitte :   340
Adieu. Console-toi pourtant de ton malheur.

ALCIPPE

Qui moi ? J'aurai toujours ce coup-là sur le cœur,
Et c'est pour ma raison pis qu'un coup de tonnerre.
Je le veux faire, moi, voir à toute la terre.

      Il s'en va, et prêt à rentrer, il dit par réflexion :

Un six de cœur! deux points!

ÉRASTE

      En quel lieu sommes-nous ? 345
De quelque part qu'on tourne, on ne voit que des fous.
Ah! que tu fais languir ma juste impatience!

SCÈNE III

LA MONTAGNE, ÉRASTE

LA MONTAGNE

Monsieur, je n'ai pu faire une autre diligence.

ÉRASTE

Mais me rapportes-tu quelque nouvelle enfin ?

LA MONTAGNE

Sans doute; et de l'objet qui fait votre destin   350
J'ai, par un ordre exprès, quelque chose à vous dire.

ÉRASTE

Et quoi ? déjà mon cœur après ce mot soupire :
Parle.

LA MONTAGNE

    Souhaitez-vous de savoir ce que c'est ?

ÉRASTE

Oui, dis vite.

LA MONTAGNE

Monsieur, attendez, s'il vous plaît.
Je me suis, à courir, presque mis hors d'haleine.   355

ÉRASTE

Prends-tu quelque plaisir à me tenir en peine ?

LA MONTAGNE

Puisque vous désirez de savoir promptement
L'ordre que j'ai reçu de cet objet charmant,
Je vous dirai... Ma foi, sans vous vanter mon zèle,
J'ai bien fait du chemin pour trouver cette belle ;   360
Et si...

ÉRASTE

Peste soit fait de tes digressions ;

LA MONTAGNE

Ah ! il faut modérer un peu ses passions ;
Et Sénèque...

ÉRASTE

Sénèque est un sot dans ta bouche,
Puisqu'il ne me dit rien de tout ce qui me touche.
Dis-moi ton ordre, tôt.

LA MONTAGNE

Pour contenter vos vœux,   365
Votre Orphise... Une bête est là dans vos cheveux.

ÉRASTE

Laisse.

LA MONTAGNE

Cette beauté de sa part vous fait dire...

ÉRASTE

Quoi ?

LA MONTAGNE

Devinez.

ÉRASTE

Sais-tu que je ne veux pas rire ?

LA MONTAGNE

Son ordre est qu'en ce lieu vous devez vous tenir,
Assuré que dans peu vous l'y verrez venir,   370

Lorsqu'elle aura quitté quelques provinciales,
Aux personnes de cour fâcheuses animales.

ÉRASTE

Tenons-nous donc au lieu qu'elle a voulu choisir.
Mais, puisque l'ordre ici m'offre quelque loisir,
Laisse-moi méditer : j'ai dessein de lui faire   375
Quelques vers sur un air où je la vois se plaire.

Il se promène en rêvant.

SCÈNE IV

ORANTE, CLYMÈNE, ÉRASTE

ORANTE

Tout le monde sera de mon opinion.

CLYMÈNE

Croyez-vous l'emporter par obstination ?

ORANTE

Je pense mes raisons meilleures que les vôtres.

CLYMÈNE

Je voudrais qu'on ouît les unes et les autres.   380

ORANTE

J'avise un homme ici qui n'est pas ignorant :
Il pourra nous juger sur notre différend.
Marquis, de grâce, un mot : souffrez qu'on vous appelle
Pour être entre nous deux juge d'une querelle,
D'un débat qu'ont ému nos divers sentiments   385
Sur ce qui peut marquer les plus parfaits amants.

ÉRASTE

C'est une question à vider difficile,
Et vous devez chercher un juge plus habile.

ORANTE

Non : vous nous dites là d'inutiles chansons;
Votre esprit fait du bruit, et nous vous connaissons :   390
Nous savons que chacun vous donne à juste titre...

ÉRASTE

Hé! de grâce...

ORANTE

En un mot, vous serez notre arbitre :
Et ce sont deux moments qu'il vous faut nous donner.

CLYMÈNE

Vous retenez ici qui vous doit condamner ;
Car enfin, s'il est vrai ce que j'en ose croire,   395
Monsieur à mes raisons donnera la victoire.

ÉRASTE

Que ne puis-je à mon traître inspirer le souci
D'inventer quelque chose à me tirer d'ici !

ORANTE

Pour moi, de son esprit j'ai trop bon témoignage,
Pour craindre qu'il prononce à mon désavantage.   400
Enfin, ce grand débat qui s'allume entre nous,
Est de savoir s'il faut qu'un amant soit jaloux.

CLYMÈNE

Ou, pour mieux expliquer ma pensée et la vôtre,
Lequel doit plaire plus d'un jaloux ou d'un autre.

ORANTE

Pour moi, sans contredit, je suis pour le dernier.   405

CLYMÈNE

Et dans mon sentiment, je tiens pour le premier.

ORANTE

Je crois que notre cœur doit donner son suffrage
A qui fait éclater du respect davantage.

CLYMÈNE

Et moi, que si nos vœux doivent paraître au jour,
C'est pour celui qui fait éclater plus d'amour.   410

ORANTE

Oui ; mais on voit l'ardeur dont une âme est saisie
Bien mieux dans le respect que dans la jalousie.

CLYMÈNE

Et c'est mon sentiment, que qui s'attache à nous
Nous aime d'autant plus qu'il se montre jaloux.

ORANTE

Fi ! ne me parlez point, pour être amants, Clymène,   415
De ces gens dont l'amour est fait comme la haine,

Et qui, pour tous respects et toute offre de vœux,
Ne s'appliquent jamais qu'à se rendre fâcheux;
Dont l'âme, que sans cesse un noir transport anime,
Des moindres actions cherche à nous faire un crime,   420
En soumet l'innocence à son aveuglement,
Et veut sur un coup d'œil un éclaircissement;
Qui, de quelque chagrin nous voyant l'apparence,
Se plaignent aussitôt qu'il naît de leur présence,
Et lorsque dans nos yeux brille un peu d'enjouement,   425
Veulent que leurs rivaux en soient le fondement;
Enfin, qui prenant droit des fureurs de leur zèle,
Ne nous parlent jamais que pour faire querelle,
Osent défendre à tous l'approche de nos cœurs,
Et se font les tyrans de leurs propres vainqueurs.   430
Moi, je veux des amants que le respect inspire,
Et leur soumission marque mieux notre empire.

CLYMÈNE

Fi! ne me parlez point, pour être vrais amants,
De ces gens qui pour nous n'ont nuls emportements,
De ces tièdes galants, de qui les cœurs paisibles   435
Tiennent déjà pour eux les choses infaillibles,
N'ont point peur de nous perdre, et laissent chaque jour
Sur trop de confiance endormir leur amour,
Sont avec leurs rivaux en bonne intelligence,
Et laissent un champ libre à leur persévérance.   440
Un amour si tranquille excite mon courroux.
C'est aimer froidement que n'être point jaloux;
Et je veux qu'un amant, pour me prouver sa flamme,
Sur d'éternels soupçons laisse flotter son âme,
Et par de prompts transports donne un signe éclatant   445
De l'estime qu'il fait de celle qu'il prétend.
On s'applaudit alors de son inquiétude,
Et s'il nous fait parfois un traitement trop rude,
Le plaisir de le voir, soumis à nos genoux,
S'excuser de l'éclat qu'il a fait contre nous,   450
Ses pleurs, son désespoir d'avoir pu nous déplaire,
Est un charme à calmer toute notre colère.

ORANTE

Si pour vous plaire il faut beaucoup d'emportement,
Je sais qui vous pourrait donner contentement;
Et je connais des gens dans Paris plus de quatre   455
Qui, comme ils le font voir, aiment jusques à battre.

CLYMÈNE

Si pour vous plaire il faut n'être jamais jaloux,
Je sais certaines gens fort commodes pour vous,
Des hommes en amour d'une humeur si souffrante,
Qu'ils vous verraient sans peine entre les bras de trente. 460

ORANTE

Enfin par votre arrêt vous devez déclarer
Celui de qui l'amour vous semble à préférer.

ÉRASTE

Puisqu'à moins d'un arrêt je ne m'en puis défaire,
Toutes deux à la fois je vous veux satisfaire;
Et pour ne point blâmer ce qui plaît à vos yeux,   465
Le jaloux aime plus, et l'autre aime bien mieux.

CLYMÈNE

L'arrêt est plein d'esprit; mais...

ÉRASTE

                              Suffit, j'en suis quitte.
Après ce que j'ai dit, souffrez que je vous quitte.

SCÈNE V

ORPHISE, ÉRASTE

ÉRASTE

Que vous tardez, Madame, et que j'éprouve bien...

ORPHISE

Non, non, ne quittez pas un si doux entretien.   470
A tort vous m'accusez d'être trop tard venue,
Et vous avez de quoi vous passer de ma vue.

ÉRASTE

Sans suite contre moi voulez-vous vous aigrir,
Et me reprochez-vous ce qu'on me fait souffrir?
Ha! de grâce, attendez...

ORPHISE

                        Laissez-moi, je vous prie,   475
Et courez vous rejoindre à votre compagnie.
                                        Elle sort.

ÉRASTE

Ciel! faut-il qu'aujourd'hui Fâcheuses et Fâcheux
Conspirent à troubler les plus chers de mes vœux!
Mais allons sur ses pas, malgré sa résistance,
Et faisons à ses yeux briller notre innocence.   480

SCÈNE VI

DORANTE, ÉRASTE

DORANTE

Ha! Marquis, que l'on voit de Fâcheux, tous les jours,
Venir de nos plaisirs interrompre le cours!
Tu me vois enragé d'une assez belle chasse,
Qu'un fat... C'est un récit qu'il faut que je te fasse.

ÉRASTE

Je cherche ici quelqu'un, et ne puis m'arrêter.   485

DORANTE, *le retenant.*

Parbleu, chemin faisant, je te le veux conter.
Nous étions une troupe assez bien assortie,
Qui pour courir un cerf avions hier fait partie;
Et nous fûmes coucher sur le pays exprès,
C'est-à-dire, mon cher, en fin fond de forêts.   490
Comme cet exercice est mon plaisir suprême,
Je voulus, pour bien faire, aller au bois moi-même;
Et nous conclûmes tous d'attacher nos efforts
Sur un cerf qu'un chacun nous disait cerf dix-cors;
Mais moi, mon jugement, sans qu'aux marques j'arrête, 495
Fut qu'il n'était que cerf à sa seconde tête.
Nous avions, comme il faut, séparé nos relais,
Et déjeunions en hâte avec quelques œufs frais,
Lorsqu'un franc campagnard, avec longue rapière,
Montant superbement sa jument poulinière,   500
Qu'il honorait du nom de sa bonne jument,
S'en est venu nous faire un mauvais compliment,
Nous présentant aussi, pour surcroît de colère,
Un grand benêt de fils aussi sot que son père.
Il s'est dit grand chasseur, et nous a priés tous   505
Qu'il pût avoir le bien de courir avec nous.
Dieu préserve, en chassant, toute sage personne
D'un porteur de huchet qui mal à propos sonne;

De ces gens qui, suivis de dix hourets galeux,
Disent « ma meute », et font les chasseurs merveilleux!   510
Sa demande reçue et ses vertus prisées,
Nous avons été tous frapper à nos brisées.
A trois longueurs de trait, tayaut! voilà d'abord
Le cerf donné aux chiens. J'appuie, et sonne fort.
Mon cerf débuche, et passe une assez longue plaine   515
Et mes chiens après lui, mais si bien en haleine,
Qu'on les aurait couverts tous d'un seul justaucorps.
Il vient à la forêt. Nous lui donnons alors
La vieille meute; et moi, je prends en diligence
Mon cheval alezan. Tu l'as vu?

ÉRASTE

Non, je pense.   520

DORANTE

Comment? C'est un cheval aussi bon qu'il est beau,
Et que ces jours passés j'achetai de Gaveau.
Je te laisse à penser si sur cette matière
Il voudrait me tromper, lui qui me considère :
Aussi je m'en contente; et jamais, en effet,   525
Il n'a vendu cheval ni meilleur ni mieux fait :
Une tête de barbe, avec l'étoile nette;
L'encolure d'un cygne, effilée et bien droite;
Point d'épaules non plus qu'un lièvre; court-jointé,
Et qui fait dans son port voir sa vivacité;   530
Des pieds, morbleu! des pieds! le rein double (à vrai dire,
J'ai trouvé le moyen, moi seul, de le réduire);
Et sur lui, quoique aux yeux il montrât beau semblant,
Petit-Jean de Gaveau ne montait qu'en tremblant),
Une croupe en largeur à nulle autre pareille,   535
Et des gigots, Dieu sait! Bref, c'est une merveille;
Et j'en ai refusé cent pistoles, crois-moi,
Au retour d'un cheval amené pour le Roi.
Je monte donc dessus; et ma joie était pleine
De voir filer de loin les coupeurs dans la plaine;   540
Je pousse, et je me trouve en un fort à l'écart,
A la queue de nos chiens, moi seul avec Drécar.
Une heure là-dedans notre cerf se fait battre.
J'appuie alors mes chiens, et fais le diable à quatre;
Enfin jamais chasseur ne se vit plus joyeux.   545
Je le relance seul, et tout allait des mieux,
Lorsque d'un jeune cerf s'accompagne le nôtre :
Une part de mes chiens se sépare de l'autre,
Et je les vois, Marquis, comme tu peux penser,

Chasser tous avec crainte, et Finaut balancer.   550
Il se rabat soudain, dont j'eus l'âme ravie;
Il empaume la voie; et moi, je sonne et crie :
« A Finaut! à Finaut! » J'en revois à plaisir
Sur une taupinière, et resonne à loisir.
Quelques chiens revenaient à moi, quand pour disgrâce 555
Le jeune cerf, Marquis, à mon campagnard passe.
Mon étourdi se met à sonner comme il faut,
Et crie à pleine voix « tayaut! tayaut! tayaut! »
Mes chiens me quittent tous, et vont à ma pécore;
J'y pousse, et j'en revois dans le chemin encore;   560
Mais à terre, mon cher, je n'eus pas jeté l'œil,
Que je connus le change et sentis un grand deuil.
J'ai beau lui faire voir toutes les différences
Des pinces de mon cerf et de ses connaissances
Il me soutient toujours, en chasseur ignorant,   565
Que c'est le cerf de meute; et par ce différend
Il donne temps aux chiens d'aller loin. J'en enrage,
Et pestant de bon cœur contre le personnage,
Je pousse mon cheval et par haut et par bas,
Qui pliait des gaulis aussi gros que les bras :   570
Je ramène les chiens à ma première voie,
Qui vont, en me donnant une excessive joie,
Requerir notre cerf, comme s'ils l'eussent vu.
Ils le relancent; mais ce coup est-il prévu;
A te dire le vrai, cher Marquis, il m'assomme :   575
Notre cerf relancé va passer à notre homme,
Qui croyant faire un trait de chasseur fort vanté,
D'un pistolet d'arçon qu'il avait apporté
Lui donne justement au milieu de la tête,
Et de fort loin me crie : « Ah! j'ai mis bas la bête! »   580
A-t-on jamais parlé de pistolets, bon Dieu!
Pour courre un cerf ? Pour moi, venant dessus le lieu,
J'ai trouvé l'action tellement hors d'usage,
Que j'ai donné des deux à mon cheval, de rage,
Et m'en suis revenu chez moi toujours courant,   585
Sans vouloir dire un mot à ce sot ignorant.

ÉRASTE

Tu ne pouvais mieux faire, et ta prudence est rare;
C'est ainsi des Fâcheux qu'il faut qu'on se sépare.
Adieu.

DORANTE

Quand tu voudras, nous irons quelque part,
Où nous ne craindrons point de chasseur campagnard. 590

ÉRASTE

Fort bien. Je crois qu'enfin je perdrai patience.
Cherchons à m'excuser avec diligence.

BALLET DU SECOND ACTE

PREMIÈRE ENTRÉE

*Des joueurs de boule l'arrêtent pour mesurer
un coup dont ils sont en dispute. Il se défait d'eux
avec peine, et leur laisse danser un pas composé
de toutes les postures qui sont ordinaires à ce jeu.*

DEUXIÈME ENTRÉE

*De petits frondeurs les viennent interrompre,
qui sont chassés ensuite.*

TROISIÈME ENTRÉE

*par des savetiers et des savetières, leurs pères, et
autres, qui sont aussi chassés à leur tour.*

QUATRIÈME ENTRÉE

*par un jardinier qui danse seul, et se retire pour
faire place au troisième acte.*

ACTE III

SCÈNE I

ÉRASTE, LA MONTAGNE

ÉRASTE

Il est vrai, d'un côté mes soins ont réussi,
Cet adorable objet enfin s'est adouci;
Mais, d'un autre, on m'accable, et les astres sévères   595
Ont contre mon amour redoublé leurs colères.
Oui, Damis, son tuteur, mon plus rude Fâcheux,
Tout de nouveau s'oppose aux plus doux de mes vœux,
A son aimable nièce a défendu ma vue.
Et veut d'un autre époux la voir demain pourvue.   600

Orphise toutefois, malgré son désaveu,
Daigne accorder ce soir une grâce à mon feu;
Et j'ai fait consentir l'esprit de cette belle
A souffrir qu'en secret je la visse chez elle.
L'amour aime surtout les secrètes faveurs;   605
Dans l'obstacle qu'on force il trouve des douceurs
Et le moindre entretien de la beauté qu'on aime,
Lorsqu'il est défendu, devient grâce suprême.
Je vais au rendez-vous : c'en est l'heure à peu près;
Puis je veux m'y trouver plutôt avant qu'après.   610

LA MONTAGNE

Suivrai-je vos pas?

ÉRASTE

                    Non : je craindrais que peut-être
A quelques yeux suspects tu me fisses connaître.

LA MONTAGNE

Mais...

ÉRASTE

                    Je ne le veux pas.

LA MONTAGNE

                    Je dois suivre vos lois :
Mais au moins si de loin...

ÉRASTE

                    Te tairas-tu, vingt fois?
Et ne veux-tu jamais quitter cette méthode   615
De te rendre à toute heure un valet incommode?

SCÈNE II

CARITIDÈS, ÉRASTE

CARITIDÈS

Monsieur, le temps répugne à l'honneur de vous voir :
Le matin est plus propre à rendre un tel devoir;
Mais de vous rencontrer il n'est pas bien facile,
Car vous dormez toujours, ou vous êtes en ville :   620
Au moins, Messieurs vos gens me l'assurent ainsi;
Et j'ai, pour vous trouver, pris l'heure que voici.
Encore est-ce un grand heur dont le destin m'honore,
Car, deux moments plus tard, je vous manquais encore.

ÉRASTE

Monsieur, souhaitez-vous quelque chose de moi ?   625

CARITIDÈS

Je m'acquitte, Monsieur, de ce que je vous doi,
Et vous viens... Excusez l'audace qui m'inspire
Si...

ÉRASTE

Sans tant de façons, qu'avez-vous à me dire ?

CARITIDÈS

Comme le rang, l'esprit, la générosité,
Que chacun vante en vous...

ÉRASTE

                    Oui, je suis fort vanté.   630
Passons, Monsieur.

CARITIDÈS

                    Monsieur, c'est une peine extrême
Lorsqu'il faut à quelqu'un se produire soi-même;
Et toujours près des grands on doit être introduit
Par des gens qui de nous fassent un peu de bruit,
Dont la bouche écoutée avec poids débite   635
Ce qui peut faire voir notre petit mérite.
Enfin j'aurais voulu que des gens bien instruits
Vous eussent pu, Monsieur, dire ce que je suis.

ÉRASTE

Je vois assez, Monsieur, ce que vous pouvez être.
Et votre seul abord le peut faire connaître.   640

CARITIDÈS

Oui, je suis un savant charmé de vos vertus,
Non pas de ces savants dont le nom n'est qu'en *us* :
Il n'est rien si commun qu'un nom à la latine;
Ceux qu'on habille en grec ont bien meilleure mine;
Et pour en avoir un qui se termine en *es*,   645
Je me fais appeler Monsieur Caritidès.

ÉRASTE

Monsieur Caritidès, soit. Qu'avez-vous à dire ?

CARITIDÈS

C'est un placet, Monsieur, que je voudrais vous lire,
Et que, dans la posture où vous met votre emploi,
J'ose vous conjurer de présenter au Roi.   650

ÉRASTE

Hé! Monsieur, vous pouvez le présenter vous-même.

CARITIDÈS

Il est vrai que le Roi fait cette grâce extrême :
Mais par ce même excès de ses rares bontés,
Tant de méchants placets, Monsieur, sont présentés,
Qu'ils étouffent les bons; et l'espoir où je fonde,   655
Est qu'on donne le mien quand le Prince est sans monde.

ÉRASTE

Eh bien! vous le pouvez, et prendre votre temps.

CARITIDÈS

Ah! Monsieur, les huissiers sont de terribles gens!
Ils traitent les savants de faquins à nasardes,
Et je n'en puis venir qu'à la salle des gardes.
Les mauvais traitements qu'il me faut endurer   660
Pour jamais de la cour me feraient retirer,
Si je n'avais conçu l'espérance certaine
Qu'auprès de notre roi vous serez mon Mécène.
Oui, votre crédit m'est un moyen assuré...   665

ÉRASTE

Eh bien! donnez-moi donc : je le présenterai.

CARITIDÈS

Le voici; mais au moins oyez-en la lecture.

ÉRASTE

Non...

CARITIDÈS

C'est pour être instruit : Monsieur, je vous conjure.

AU ROI

« Sire,

« Votre très humble, très obéissant, très fidèle, et très
savant sujet et serviteur, Caritidès, Français de nation,
Grec de profession, ayant considéré les grands et notables
abus qui se commettent aux inscriptions des enseignes
des maisons, boutiques, cabarets, jeux de boule, et autres
lieux de votre bonne ville de Paris, en ce que certains
ignorants compositeurs desdites inscriptions renversent,
par une barbare, pernicieuse et détestable orthographe,
toute sorte de sens et raison, sans aucun égard d'étymologie, analogie, énergie, ni allégorie quelconque, au grand

scandale de la république des lettres, et de la nation française, qui se décrie et déshonore par lesdits abus et fautes
grossières envers les étrangers, et notamment envers les
Allemands, curieux lecteurs et inspectateurs desdites
inscriptions... »

ÉRASTE

Ce placet est fort long, et pourrait bien fâcher...

CARITIDÈS

Ah! Monsieur, pas un mot ne s'en peut retrancher.   670

ÉRASTE

Achevez promptement.

Caritidès continue.

« ...supplie humblement Votre Majesté de créer, pour le
bien de son État et la gloire de son empire, une charge de
contrôleur, intendant, correcteur, réviseur, et restaurateur
général desdites inscriptions, et d'icelle honorer le suppliant,
tant en considération de son rare et éminent savoir, que des
grands et signalés services qu'il a rendus à l'État et à Votre
Majesté en faisant l'anagramme de Votre dite Majesté en
français, latin, grec, hébreu, syriaque, chaldéen, arabe... »

ÉRASTE, *l'interrompant.*

Fort bien. Donnez-le vite, et faites la retraite :
Il sera vu du Roi; c'est une affaire faite.

CARITIDÈS

Hélas! Monsieur, c'est tout que montrer mon placet.
Si le Roi le peut voir, je suis sûr de mon fait;
Car comme sa justice en toute chose est grande,   675
Il ne pourra jamais refuser ma demande.
Au reste, pour porter au ciel votre renom,
Donnez-moi par écrit votre nom et surnom;
J'en veux faire un poème en forme d'acrostiche
Dans les deux bouts du vers et dans chaque hémistiche 680

ÉRASTE

Oui, vous l'aurez demain, Monsieur Caritidès.
Ma foi, de tels savants sont des ânes bien faits.
J'aurais dans d'autres temps bien ri de sa sottise...

SCÈNE III

ORMIN, ÉRASTE

ORMIN

Bien qu'une grande affaire en ce lieu me conduise,
J'ai voulu qu'il sortît avant que vous parler.   685

ÉRASTE

Fort bien; mais dépêchons, car je veux m'en aller.

ORMIN

Je me doute à peu près que l'homme qui vous quitte
Vous a fort ennuyé, Monsieur, par sa visite:
C'est un vieux importun, qui n'a pas l'esprit sain,
Et pour qui j'ai toujours quelque défaite en main.   690
Au Mail, à Luxembourg et dans les Tuileries,
Il fatigue le monde avec ses rêveries;
Et des gens comme vous doivent fuir l'entretien
De tous ces savantas qui ne sont bons à rien.
Pour moi, je ne crains pas que je vous importune,   695
Puisque je viens, Monsieur, faire votre fortune.

ÉRASTE

Voici quelque souffleur, de ces gens qui n'ont rien,
Et vous viennent toujours promettre tant de bien.
Vous avez fait, Monsieur, cette bénite pierre
Qui peut seule enrichir tous les rois de la terre?   700

ORMIN

La plaisante pensée, hélas! où vous voilà!
Dieu me garde, Monsieur, d'être de ces fous-là!
Je ne me repais point de visions frivoles,
Et je vous porte ici les solides paroles
D'un avis que pour vous je veux donner au Roi,   705
Et que tout cacheté je conserve sur moi:
Non de ces sots projets, de ces chimères vaines,
Dont les surintendants ont les oreilles pleines;
Non de ces gueux d'avis, dont les prétentions
Ne parlent que de vingt ou trente millions;   710
Mais un qui, tous les ans, à si peu qu'on le monte,
En peut donner au Roi quatre cents de bon compte,
Avec facilité, sans risque, ni soupçon,
Et sans fouler le peuple en aucune façon:

Enfin c'est un avis d'un gain inconcevable,   715
Et que du premier mot on trouvera faisable.
Oui, pourvu que par vous je puisse être poussé...

ÉRASTE

Soit, nous en parlerons. Je suis un peu pressé.

ORMIN

Si vous me promettiez de garder le silence,
Je vous découvrirais cet avis d'importance.   720

ÉRASTE

Non, non, je ne veux point savoir votre secret.

ORMIN

Monsieur, pour le trahir, je vous crois trop discret,
Et veux, avec franchise, en deux mots vous l'apprendre.
Il faut voir si quelqu'un ne peut point nous entendre.
Cet avis merveilleux, dont je suis l'inventeur,   725
Est que...

ÉRASTE

             D'un peu plus loin, et pour cause, Monsieur.

ORMIN

Vous voyez le grand gain, sans qu'il faille le dire,
Que de ces ports de mer le Roi tous les ans tire.
Or l'avis, dont encor nul ne s'est avisé,
Est qu'il faut de la France, et c'est un coup aisé,   730
En fameux ports de mer mettre toutes les côtes.
Ce serait pour monter à des sommes très hautes.
Et si...

ÉRASTE

         L'avis est bon, et plaira fort au Roi.
Adieu : nous nous verrons.

ORMIN

                          Au moins, appuyez-moi
Pour en avoir ouvert les premières paroles.   735

ÉRASTE

Oui, oui.

ORMIN

         Si vous vouliez me prêter deux pistoles,
Que vous reprendriez sur le droit de l'avis,
Monsieur...

ÉRASTE

Oui, volontiers. Plût à Dieu qu'à ce prix
De tous les importuns je pusse me voir quitte!
Voyez quel contretemps prend ici leur visite!   740
Je pense qu'à la fin je pourrai bien sortir.
Viendra-t-il point quelqu'un encor me divertir?

SCÈNE IV

FILINTE, ÉRASTE

FILINTE

Marquis, je viens d'apprendre une étrange nouvelle.

ÉRASTE

Quoi?

FILINTE

Qu'un homme tantôt t'a fait une querelle.

ÉRASTE

A moi?

FILINTE

Que te sert-il de le dissimuler?   745
Je sais de bonne part qu'on t'a fait appeler;
Et comme ton ami, quoi qu'il en réussisse,
Je te viens contre tous faire offre de service.

ÉRASTE

Je te suis obligé; mais crois que tu me fais...

FILINTE

Tu ne l'avoueras pas; mais tu sors sans valets.   750
Demeure dans la ville, ou gagne la campagne,
Tu n'iras nulle part que je ne t'accompagne.

ÉRASTE

Ah! j'enrage!

FILINTE

A quoi bon de te cacher de moi?

ÉRASTE

Je te jure, Marquis, qu'on s'est moqué de toi.

FILINTE

En vain tu t'en défends.

ÉRASTE

Que le Ciel me foudroie,   755
Si d'aucun démêlé...

FILINTE

Tu penses qu'on te croie ?

ÉRASTE

Eh ! mon Dieu, je te dis, et ne déguise point,
Que...

FILINTE

Ne me crois pas dupe, et crédule à ce point.

ÉRASTE

Veux-tu m'obliger ?

FILINTE

Non.

ÉRASTE

Laisse-moi, je te prie.

FILINTE

Point d'affaire, Marquis.

ÉRASTE

Une galanterie   760
En certain lieu ce soir...

FILINTE

Je ne te quitte pas ;
En quel lieu que ce soit, je veux suivre tes pas.

ÉRASTE

Parbleu ! puisque tu veux que j'aie une querelle,
Je consens à l'avoir pour contenter ton zèle :
Ce sera contre toi, qui me fais enrager,   765
Et dont je ne me puis par douceur dégager.

FILINTE

C'est fort mal d'un ami recevoir le service ;
Mais puisque je vous rends un si mauvais office,
Adieu : videz sans moi tout ce que vous aurez.

ÉRASTE

Vous serez mon ami quand vous me quitterez.   770
Mais voyez quels malheurs suivent ma destinée !
Ils m'auront fait passer l'heure qu'on m'a donnée.

SCÈNE V

DAMIS, L'ESPINE, ÉRASTE, LA RIVIÈRE

DAMIS

Quoi ? malgré moi le traître espère l'obtenir?
Ah! mon juste courroux le saura prévenir.

ÉRASTE

J'entrevois là quelqu'un sur la porte d'Orphise.   775
Quoi ? toujours quelque obstacle aux feux qu'elle autorise!

DAMIS

Oui, j'ai su que ma nièce, en dépit de mes soins,
Doit voir ce soir chez elle Éraste sans témoins.

LA RIVIÈRE

Qu'entends-je à ces gens-là dire de notre maître?
Approchons doucement, sans nous faire connaître.   780

DAMIS

Mais avant qu'il ait lieu d'achever son dessein,
Il faut de mille coups percer son traître sein.
Va-t'en faire venir ceux que je viens de dire,
Pour les mettre en embûche aux lieux que je désire,
Afin qu'au nom d'Éraste on soit prêt à venger   785
Mon honneur, que ses feux ont l'orgueil d'outrager,
A rompre un rendez-vous qui dans ce lieu l'appelle,
Et noyer dans son sang la flamme criminelle.

LA RIVIÈRE, *l'attaquant avec ses compagnons.*

Avant qu'à tes fureurs on puisse l'immoler,
Traître, tu trouveras en nous à qui parler.   790

ÉRASTE, *mettant l'épée à la main.*

Bien qu'il m'ait voulu perdre, un point d'honneur me
De secourir ici l'oncle de ma maîtresse.   [presse
Je suis à vous, Monsieur.

DAMIS, *après leur fuite.*

                                        O Ciel! par quel secours
D'un trépas assuré vois-je sauver mes jours ?
A qui suis-je obligé d'un si rare service ?   795

ÉRASTE

Je n'ai fait, vous servant, qu'un acte de justice.

DAMIS

Ciel! puis-je à mon oreille ajouter quelque foi?
Est-ce la main d'Éraste...

ÉRASTE

                              Oui, oui, Monsieur, c'est moi.
Trop heureux que ma main vous ait tiré de peine,
Trop malheureux d'avoir mérité votre haine.   800

DAMIS

Quoi? celui dont j'avais résolu le trépas
Est celui qui pour moi vient d'employer son bras?
Ah! c'en est trop : mon cœur est contraint de se rendre;
Et quoi que votre amour ce soir ait pu prétendre,
Ce trait si surprenant de générosité   805
Doit étouffer en moi toute animosité.
Je rougis de ma faute, et blâme mon caprice.
Ma haine trop longtemps vous a fait injustice;
Et pour la condamner par un éclat fameux,
Je vous joins dès ce soir à l'objet de vos vœux.   810

SCÈNE VI

ORPHISE, DAMIS, ÉRASTE, Suite

ORPHISE, *venant avec un flambeau d'argent à la main.*
Monsieur, quelle aventure a d'un trouble effroyable...

DAMIS

Ma nièce, elle n'a rien que de très agréable,
Puisque après tant de vœux que j'ai blâmés en vous,
C'est elle qui vous donne Éraste pour époux.
Son bras a repoussé le trépas que j'évite,   815
Et je veux envers lui que votre main m'acquitte.

ORPHISE

Si c'est pour lui payer ce que vous lui devez,
J'y consens, devant tout aux jours qu'il a sauvés.

ÉRASTE

Mon cœur est si surpris d'une telle merveille
Qu'en ce ravissement je doute si je veille   820

DAMIS

Célébrons l'heureux sort dont vous allez jouir,
Et que nos violons viennent nous réjouir.

Comme les violons veulent jouer, on frappe à la porte.

ÉRASTE

Qui frappe là si fort?

L'ESPINE

Monsieur, ce sont des masques,
Qui portent des crincrins et des tambours de Basques.

Les masques entrent, qui occupent toute la place.

ÉRASTE

Quoi? toujours des Fâcheux! Holà! suisses, ici!   825
Qu'on me fasse sortir ces gredins que voici.

BALLET DU TROISIÈME ACTE

PREMIÈRE ENTRÉE

*Des suisses avec des hallebardes chassent tous
les masques fâcheux, et se retirent ensuite pour
laisser danser à leur aise*

DERNIÈRE ENTRÉE

*Quatre bergers et une bergère qui, au sentiment
de tous ceux qui l'ont vue, ferme le divertissement
d'assez bonne grâce.*

TABLE DES MATIÈRES

DERNIÈRES PARUTIONS

GF — TEXTE INTÉGRAL — GF

97/03/57531-III-1997 — Impr. MAURY Eurolivres SA, 45300 Manchecourt.
N° d'édition FG003320. — 4e trimestre 1964. — Printed in France.